Ullstein

G000089711

DAS BUCH

Wenn in diesem Roman von ›früher‹ die Rede ist, geht es um die Vergangenheit der Anne Linde Herbst, die querschnitt- gelähmt ist nach einem Autounfall, bei dem ihr Mann, von dem sie an diesem Tag geschieden werden sollte, ums Leben kam. Wenn von ›später‹ die Rede ist, dann geht es um die Zukunft der jungen Paula Wankow aus Halle, die kurz vor der Wende in die Prager Botschaft flüchtete. Die abgebroche- ne Medizinstudentin versucht, die Frau im Rollstuhl, die sich als ›Immobilie‹ bezeichnet, zu mobilisieren. Mit ihren geschickten Händen, aber auch mit ihren Berichten aus Halle, aus Prag und von ihrem Sohn Adam gelingt ihr ein kleines Wunder: Anne Linde wird äußerlich und innerlich bewegli- cher, löst sich allmählich aus ihrer Erstarrung . . . Christine Brückners Roman spielt in der deutsch-deutschen Gegenwart. Er verschweigt Schwierigkeiten und Sorgen nicht, aber er ver- mittelt doch auch Lebensmut und jene Lebenstapferkeit, die sich auf den Leser überträgt.

DIE AUTORIN

Christine Brückner, am 10. 12. 1921 in einem waldeckischen Pfarrhaus geboren, am 21. 12. 1996 in Kassel gestorben. Nach Abitur, Kriegseinsatz, Studium, häufigem Berufs- und Ortswechsel wurde sie in Kassel seßhaft. 1954 erhielt sie für ihren ersten Roman einen ersten Preis und war seitdem hauptberufliche Schriftstellerin, schrieb Romane, Erzählun- gen, Kommentare, Essays, Schauspiele, auch Jugend- und Bilderbücher. Von 1980–1984 war sie Vizepräsidentin des deutschen PEN; 1982 wurde sie mit der Goethe-Plakette des Landes Hessen ausgezeichnet, 1990 mit dem Hessischen Ver- dienstorden, 1991 mit dem Bundesverdienstkreuz 1. Klasse. Christine Brückner war Ehrenbürgerin der Stadt Kassel und stiftete 1984, zusammen mit ihrem Ehemann Otto Heinrich Kühner, den »Kasseler Literaturpreis für grotesken Humor«.

Christine Brückner

Früher oder später

Roman

Ullstein

Ullstein Buchverlage GmbH & Co.
KG, Berlin
Taschenbuchnummer: 23723

Ungekürzte Ausgabe
4. Auflage Dezember 1997

Umschlagentwurf:
Theodor Bayer-Eynck
unter Verwendung eines Bildes
von Otto Heinrich Kühner
Alle Rechte vorbehalten
© 1994 Ullstein Buchverlage
GmbH & Co. KG, Berlin
Printed in Germany 1997
Druck und Verarbeitung:
Ebner Ulm
ISBN 3 548 23723 1

Gedruckt auf alterungs-
beständigem Papier mit
chlorfrei gebleichtem Zellstoff

Die Deutsche Bibliothek –
CIP-Einheitsaufnahme

Brückner, Christine:
Früher oder später: Roman/Christine
Brückner. – Ungekürzte Ausg.,
4. Aufl. – Berlin: Ullstein, 1997
(Ullstein-Buch; Nr. 23723)
ISBN 3-548-23723-1
NE: GT

1

›Jesus hat gelehrt, die Menschen zu lieben und die Dinge zu benutzen. In unserer Gesellschaft werden die Menschen mehr und mehr benutzt und die Dinge mehr und mehr geliebt.‹

Manfred Domrös, Pfarrer auf Hiddensee

Straße, Hausnummer, Name. Die Angaben auf der Karteikarte stimmen, sind von Paula zweimal kontrolliert worden. HERBST. Sie stellt ihr Fahrrad unterm Namensschild ab, und weil ihr bereits zwei Fahrräder gestohlen wurden, schließt sie es mit einem Zusatzschloß am Gartentor an, betrachtet dann eingehend das Haus. Hohes Walmdach, hohe Fenster mit blauen Fensterrahmen, blaue Haustür, weiß gekalkte Ziegelmauern, blaue Regenrinne. Was für ein Haus! Hier wird sie von nun an vier Stunden täglich leben und tätig sein. Sie blickt durchs Tor in den Garten und beschließt, sich das Grundstück anzusehen, geht ums Viertel, erkennt die Rückseite des Hauses an den blau umrandeten Türen, die zu einer Terrasse führen, sieht laubfreie Rasenflächen, geharkte Wege, einige Bäume, keine Blumen, keine Gartenmöbel, keine Spur von Benutzung. Herbst.

Es wird Zeit. An Sprechanlagen ist sie nicht gewöhnt, sie zögert, zwei Minuten bleiben ihr noch. Zu früh kommt sie immer, schon bei der Geburt zu früh.

Sie atmet tief ein, tief aus, drückt auf den Klingelknopf.

Nach wenigen Sekunden fragt eine Frauenstimme: »Wer ist dort?«

»Paula! Hier steht Paula und möchte hereingelassen werden.«

Die Frauenstimme sagt, daß sie den Summtönen folgen solle bis ins mittlere Gartenzimmer.

Paula folgt den Summtönen, öffnet Türen, schließt Türen, blickt nach rechts, nach links, steht dann im mittleren Gartenzimmer, sagt nicht »guten Tag« oder »hallo«, sondern sagt überwältigt: »Wenn das meine Mutter wüßte –« Dann erst blickt sie die Frau im Rollstuhl an, sagt: »In Griechenland, ich meine, in Griechenland, da streicht man die Türen und Fensterrahmen blau an, um die bösen Geister fernzuhalten. Ich habe das gelesen!«

»Hier sind die bösen Geister bereits im Haus.« Der erste Satz, den Paula zu hören bekommt. Der zweite Satz der Frau, die von Paula stundenweise betreut werden soll, folgt: »Ich wünsche nicht, daß Sie sich auf eigene Faust im Haus bewegen!«

»Ich tue nichts auf eigene Faust«, sagt Paula, »ich kann gar keine Faust ballen, sehen Sie? Darüber wundert man sich immer. Mein Opa, der nur einen Arm hat, der andere befindet sich irgendwo in Rußland, der sagt: ›Solange ich noch mit einer Faust auf den Tisch hauen kann‹, getan hat er das aber nie. Er sagt auch immer, daß er ein Machtwort sprechen werde. Ich habe darauf gewartet, ich konnte mir kein Machtwort vorstellen. Ich nehme an, er wußte gar keines.«

Ein Blick in das abweisende Gesicht genügt als Antwort. Man konnte demnach auch mit Machtworten schweigen.

»Was ich nicht tun soll, weiß ich nun, Sie müssen mir nur noch sagen, was ich tun soll, gute Frau.«

»Das ist doch wohl nicht die richtige Anrede, Frau Wankow.«

Paula blickt noch einmal in das abweisende Gesicht, wirft einen Blick auf die Karteikarte, die sie in der Hand hält, und sagt: »Stimmt, die Anrede paßt nicht zu Ihnen, Frau Herbst. Mir wäre es recht, wenn Sie du zu mir sagen würden. Frau Wankow, das ist meine Mutter. Eine Frau Wankow haben wir schon. Ich sage Marie, aber mein Vater sagt ›Mutter‹ zu ihr, und mein dicker Bruder –« Sie unterbricht sich. »Paula und Sie, das klingt, als wäre ich Ihr Dienstmädchen, aber Paula und du, da fühle ich mich besser. Und ich sage: ›Frau Herbst.‹ Jetzt paßt es, und im Winter, wenn wir dann noch zusammen sind, kann ich ja Frau Winter sagen, und dann Lenz, Lenz wäre schön, und Sommer und wieder Herbst. Ob ich wohl ein Jahr lang hier bleiben könnte? Das wäre gut für Paula Wankow. Wenn Sie schon meinen Nachnamen benutzen, dann müssen sie ›off‹ sagen, Wankoff, kein ›o‹ am Ende. Die Leute wundern sich über meinen Vornamen, kein Mensch heißt Paula. Es soll eine Filmschauspielerin gegeben haben, für die hat meine Mutter, die Marie, geschwärmt. Warum nicht? Ich habe nichts gegen Paula!«

Als immer noch keine Reaktion erfolgt, spricht sie weiter. »Einer muß doch sagen, was er denkt, man muß sich doch vertraut machen, anfangen muß der, dem es leichter fällt. Später erzählen Sie mir, was Sie denken und was Sie früher erlebt haben.«

»Das ist unwahrscheinlich.«

»Ach«, sagt Paula, »vieles, was einem unwahrscheinlich vorkommt, ist eines Tages ganz selbstverständlich. Auf der Karte, die man mir ausgehändigt hat, steht: ›Die P., das heißt Patientin, ist im Umgang nicht einfach. Zurückhaltend, auch zurückweisend. Lebt in guten Verhältnissen, offenbar einsam, ist auf den Rollstuhl angewiesen. Wenig Eigeninitiative. Einfühlungsvermögen ist nötig, ebenso nötig sind gute Umgangsformen.‹«

Frau Herbst zieht ebenfalls eine Karteikarte hervor, liest nun ihrerseits vor: »›Frau W., medizinisch vorgebildet, arbeitswillig, alleinstehend, finanziert ihre Ausbildung. Ehrlich. Stammt aus den neuen Bundesländern, lebt in einer WG.‹«

Diese Karteikarten, von der Sozialstation ausgestellt, werden nicht zum Austausch der Mitteilungen gedacht sein, erleichtern in diesem Falle jedoch das erste Kennenlernen.

Paula fragt: »Steht da ›alleinstehend‹?«

»›Nichtraucher‹ steht hier noch. Das stimmt?«

»Ja«, sagt Paula, »seit drei Jahren rauche ich nicht mehr, besonderer Umstände wegen habe ich das Rauchen aufgegeben.«

Eine Rückfrage nach den besonderen Umständen erfolgt nicht.

Paula sagt, daß sie eine abgebrochene Medizinstudentin sei, was sich auf ihre Kenntnisse, aber nicht auf ihre Bezahlung auswirke. »Man hat mir einiges erklärt.

Meine Vorgängerin hat Sie beklaut, und Sie haben es viel zu spät gemerkt, Ihrer besonderen Umstände wegen. Ich mache mir aus den meisten Sachen nichts. Ich sehe mir die Sachen an, das genügt. Hier habe ich viel zum Ansehen. Daß ich aus Sachsen stamme, hört man? Stört es Sie?«

»Es wird nicht viel zu reden geben.«

Die erste Viertelstunde verhieß nichts Gutes. Paula denkt aber zunächst nicht an Rückzug. »Mußten Sie ebenfalls einen Test machen, so wie ich?«

»Das war nicht nötig, man kennt meine Bedingungen. Alle Hilfskräfte werden durch die Station vermittelt. Nach zehn Tagen werde ich entscheiden, ob es einige Zeit gehen wird.«

»Auf meiner Karte steht noch: ›Häufiger Wechsel der Hilfskräfte.‹ Damit brauchen Sie bei mir nicht zu rechnen. Ich bleibe! So schön hatte ich es noch nie. Einmal will ich es auch schön haben. Was muß man tun, damit man so leben kann? Ich meine, womit verdient man das? Erbt man ein solches Haus? Heiratet man es? Oder durch eigene berufliche Tätigkeit? Vom Rollstuhl aus? ›Tätig im Kunsthandel‹ steht hier.«

»Kunstagentur wäre zutreffender. Wir müssen nicht erörtern, wodurch ich diese Lebensform verdient habe!« Eine erneute Zurückweisung.

»›Arztbesuch zweimal monatlich, Ausfahrten wurden durch die P. abgelehnt.‹ Stimmt das? Sie müssen doch mobilisiert werden!«

»Ich bin eine Immobilie. Ich bin unbeweglich, ist das klar?«

9

»Aber eine schöne Immobilie! Bekomme ich einen Hausschlüssel?«

»Nein. Sie klingeln, ich frage, Sie nennen Ihren Namen, ich bediene den Türöffner.«

»Alles von Ihrem Schaltpult aus?«

»Ja.«

»Das ist eine Machtposition.«

»Ja.«

»Das verstehe ich. So etwas müssen Sie haben. Ich kann stehen und warten, und ich kann auch weggehen, das können Sie alles nicht.«

Paula holt sich einen Stuhl, stellt ihn neben den Rollstuhl und erklärt, warum sie das tue: Sie möchte den gleichen Blickwinkel haben wie die Patientin. Wer sitzt, sieht andere Dinge als der, der steht. »Ich merke schon, ich bin kleiner als Sie. Am besten wäre es, wenn ich einmal mit Ihrem Stuhl durch die Wohnung fahren könnte. Als ich während der Semesterferien in einem Behindertenheim gearbeitet habe, hat sich immer einer von den Pflegern in den Rollstuhl gesetzt, und einer von den Auszubildenden ist mit ihm in den Ort gefahren. Auf Usedom! Wenn der, der im Rollstuhl saß, zwei Ansichtskarten kaufen wollte, dann hat man sie dem Begleiter ausgehändigt. Der Querschnittgelähmte wurde wie ein unmündiges Kind behandelt, dabei war er doch ganz normal, bis auf die Beine. Haben Sie diese Erfahrung auch gemacht?«

»Ich sagte bereits, daß ich das Haus nicht verlasse, und innerhalb des Hauses bestimme ich, was geschieht, was nicht. Von der Vorstellung, mich spazierenzufahren, trennen Sie sich!«

»Sie müssen doch an die Luft!«

»Es wird morgens und abends ausreichend gelüftet, die Räume sind groß und hoch, der Blick aus den Fenstern ist mir vertraut und angenehm. Ich besitze eine umfangreiche Bibliothek, ein TV-Gerät. Ich schalte die Welt ein und schalte sie ab, nach Bedarf. Mein Bedarf an Welt ist nicht mehr groß. Musik wirkt sich belastend aus. Mit musikalischer Unterhaltung haben Sie nicht zu rechnen. Sehen Sie in mir eine berufstätige Frau!«

So rasch war eine Paula aus Halle nicht zu entmutigen. »Hier steht ›alleinstehend‹. Es kann doch nicht sein, daß Sie allein in diesem Haus leben. Wer wohnt im oberen Stockwerk? Gibt es eine Vorrichtung, daß Ihr Rollstuhl nach oben gehievt werden kann?«

»Nein.«

»Und wer wohnt dort?«

»Das obere Stockwerk wird nicht mehr bewohnt.«

»Steht leer?«

»Wenn Sie Ihre kommunistischen oder sozialistischen Ideen hier einschleppen wollen . . .«

»Will ich nicht! Vor denen bin ich weggelaufen. Wir reden nicht mehr darüber, ich habe mich nur gewundert. ›Querschnittlähmung nach Autounfall‹ steht hier. Sind Sie selbst gefahren? Wenn Sie alleinstehend sind?«

»Herbst ist gefahren. Mein Mann.«

»Und wo ist er? Kümmert er sich etwa nicht um Sie?«

»Er ist tot.«

»Entschuldigung!«

»Dafür brauchen Sie sich nicht zu entschuldigen.«

»Verzeihung. Was hat sich denn das Schicksal dabei gedacht?«

»Nichts. Das Schicksal denkt nicht, ist keine Rechenschaft und keine Erklärung schuldig, es schlägt nur zu.«

»Was sagen die Ärzte? Besteht Hoffnung, daß sich noch etwas bessern läßt?«

»Man kann auch ohne Hoffnung leben.«

»Meinemarie sagt manchmal: ›s.G.w.‹ Kennen Sie das – so Gott will? Wenn mein Opa, der nur einen Arm hat, das hört, sagt er jedesmal: ›Wenn er will, läßt er mir einen Arm wachsen.‹ Er hat ähnliche Ansichten wie Sie. Stört es Sie, wenn ich Sie ansehe? Ich muß mich in einen Menschen hineinsehen, aber am meisten nehme ich mit den Händen wahr. Mit den Händen kann ich so ziemlich alles. Eine Ärztin werde ich nie, wie denn auch, wozu? Ärzte gibt es genug, aber pflegen, pflegen kann ich. Gibt es keine Kinder? Irgendwer muß doch zuständig sein.«

»Ich werde versorgt. Morgens kommt jemand von der Station, abends kommt ein anderer. Nachmittags werden Sie hier sein, in der Zwischenzeit bin ich allein.«

»Die einen bekommen die anderen nicht zu sehen? Erfahrungsaustausch ist nicht erwünscht? Habe ich das richtig verstanden? Ich habe noch viel zu lernen. Nebenher habe ich Psychologie studiert. Alles Theorie, in der Praxis nicht anzuwenden. Hier steht ›Anne L. Herbst‹, was heißt denn das ›L.‹?«

Es kommt eine Antwort, wenn auch unwillig. »Anne Linde Herbst.«

»Linde als Vorname? Das habe ich noch nie gehört. Wenn ich mich neben Ihnen ausstrecke, liege ich neben einer Linde? Ich habe noch nie unter einem Lindenbaum gelegen, dabei bin ich doch ein Arbeiter-und-

12

Bauern-Kind. Auf einem echten Teppich habe ich auch noch nie gestanden. Meinen Sie, daß ich Sie später, viel später, wenn Sie mich erst ein wenig gern haben, mit ›Linde‹ anreden dürfte?«

»Das meine ich nicht. Stehen Sie auf!«

»Ich habe noch nie auf einer Wiese gelegen. Meine-marie hat manchmal ›Pusteblume‹ zu mir gesagt. Als Kind war ich noch dünner. Sie hat das schon lange nicht mehr gesagt. Ich bin vor der Wende in den Westen gekommen, in die BRD, seither –« Ein Geräusch aus einem der Nebenräume erschreckt sie. »Was war das?«

»Die Jalousie im Badezimmer wird als erste herunter-gelassen, als nächstes geht das Licht in der Diele an, wenig später senken sich die Jalousien in diesem Raum, dann schaltet sich das Außenlicht zum Garten hin ein. Die Reihenfolge ändert sich nach einem System, das Herbst hat anlegen lassen und das sich als zuträglich erweist. Wenn man in einer bestimmten Entfernung an der Garage vorübergeht, schaltet sich für Minuten das Flutlicht ein. In der Küche läuft ein Radiogerät täglich dreimal eine halbe Stunde, Nachrichten, Wetterbericht. Benutzen Sie, wenn Sie in der Küche zu tun haben, bitte nicht das Rundfunkgerät, sonst wird die programmierte Schaltung gestört. Stehen Sie auf!«

»Gleich! Erst wenn ich gesehen habe, was sich unter Ihrem Plaid befindet, deshalb bin ich hier, dafür müssen Sie mich bezahlen. Ich habe nicht vor, hier auf dem Teppich liegenzubleiben.« Paula streckt sich, rollt sich wie eine Katze zur Seite, kniet vor dem Rollstuhl. »Darf ich?« Sie zieht das Plaid weg. »Tragen Sie keine Schie-nen?«

»Nein!«

»Dann stehen Sie nie auf eigenen Beinen?«

»Nur finanziell. Diese Entscheidung ist von mir getroffen. Ein für allemal.«

»Das gibt es doch gar nicht, ein für allemal. Es ist doch schon alles ganz anders, seit ich hier im Haus bin. Paula ist hier! – Das ist das beste Modell, das es bei den Rollstühlen gibt, leicht, aber stabil, auch das teuerste. Seitenlehnen und Fußstützen abnehmbar, Wadenplatten und Fußplatten wegzuklappen. Schaumstoffkissen im Rücken, unter der Sitzfläche. Schlaffe Lähmung der unteren Gliedmaßen. Die gesunde Muskulatur und der Kreislauf müssen aktiviert werden!«

»Sie müssen mir das nicht vorbeten. Drohende Atrophie. Man hat mich zu meinen körperlichen Höchstleistungen in der Rehabilitationsklinik gebracht; Sie sollen mir ein weitgehend selbständiges Leben im Rollstuhl ermöglichen. Weitgehend ist nicht sehr weit. Reden wir nicht von Versehrtensport. Wie andere damit fertig werden, geht mich nichts an. Daß andere schlimmer dran sind, weiß ich, darüber wünsche ich nicht belehrt zu werden. Ich kann die Arme im Sitzen frei bewegen, zu Gleichgewichtsveränderungen bin ich fähig.«

»Sie drehen die Räder selbst, oder lassen Sie sich schieben?«

»Ich befördere mich eigenhändig, die Strecken sind nicht lang. Meinen Standort wünsche ich selbst zu bestimmen.«

»Recht haben Sie! Es ist einfacher, einem Patienten zu helfen und ihm sämtliche Handreichungen abzunehmen, als ihm beizubringen, wie er sich selbst helfen

14

könnte. Das habe ich mir vorgenommen, und daran gedenke ich mich zu halten. Man erweist Ihnen keinen Dienst, wenn man Ihnen alles abnimmt. Das gehört zur Grundausbildung der Krankenpflege, aber die meisten halten sich nicht daran. Wenn Sie meinen, daß Sie mich dafür bezahlen, daß ich mich bücke: Irrtum! Ich bringe Ihnen bei, wie Sie den Gegenstand selbst aufheben können.«

Paula hat inzwischen der Patientin die pelzgefütterten Hausschuhe ausgezogen und die Strümpfe heruntergerollt. »Kühl, bleich, verkümmert.«

»Davon merke ich nichts.«

»Aber ich! Der Schwund des Muskelgewebes geht, ohne Behandlung, weiter! Ich werde Ihre Beine täglich behandeln, nicht massieren, sondern leichte Streichbewegungen, eher ein Streicheln. Auch wenn Sie es nicht zu spüren meinen, wird es Ihnen wohltun. Bis hin zum Herzen geht dieses Wohltun oder bis zum Kopf, vielleicht geht es bei Ihnen bis zum Kopf?«

Paula beginnt mit der Eroberung dieser Frau, fängt an der Peripherie an, kommt zunächst über die Zehen nicht hinaus.

»Meinemarie hat gesagt, als ich mit dem Studium anfing: ›Lern Fußpflege, auf alle Fälle, in guten Zeiten und in schlechten Zeiten wachsen die Nägel. Alt werden die Menschen immer, immer älter sogar; bei den Füßen fängt das Altwerden an und auch das Vernachlässigen.‹ Ich werde die Fußpflege übernehmen. Wenn ich hier, bei Ihnen, fertig bin, gehe ich in ein Altenheim und mache Fußpflege. Dort freut man sich, wenn ich komme. Sie sagen: ›Heute kommt Paula!‹ An drei Tagen gehe ich in Altenheime. Immer in ein anderes, und dann wieder von vorn. Am liebsten haben sie es, wenn ich die ausgetrockneten Füße salbe und massiere, und manchmal weinen sie dann, aber das tut ihnen gut. Die Nägel müßten schneller wachsen, damit ich öfter käme, aber es ist ja auch teuer für das Heim. Wenn ich das Zimmer verlasse, ruft manchmal jemand: ›Komm bald wieder, Paula!‹ Hühneraugen hat da keiner, wovon denn, wenn sie im Bett liegen? Manche können nicht einmal mehr in den Rollstuhl gehoben werden. Da haben Sie noch Glück gehabt. – Ich rede zuviel? Das tue ich immer, wenn ich mich unsicher und fremd fühle. Ich habe ein solches Haus noch nie gesehen, nicht von außen, nicht von innen, vielleicht mal im Werbefernsehen. Wir müssen zusammen herausfinden, was Sie bewegen können, was nicht. Wir erweitern, ganz behutsam, Ihre Möglichkeiten, wir dehnen alles ein wenig, wie beim Atmen. Man kann tief Luft holen oder flach atmen, das wirkt sich auf den ganzen Organismus aus. – Sie besitzen einen Flügel! Können Sie Klavier spielen? Konnten Sie es? Möchten Sie es? Ein Klavier ist kein Turngerät, weiß ich. Musik empfinden Sie als Störung, das weiß ich nun auch schon. Sie könnten auch Kugeln in der Hand bewegen, ich werde solche Kugeln mitbringen; sie stoßen aneinander, das gibt einen leisen Klang, der angenehm ist. Ich kann auch nicht Klavier spielen. Ich habe Pech gehabt mit meiner Herkunft. Ich muß mir alles selbst aneignen, was anderen in die Wiege gelegt oder ins Kinderzimmer gestellt wurde. In etwa einer Woche werde ich Ihnen die Beinschienen anlegen, versuchsweise. Sie werden doch Beinschienen in der Rehabilitationsklinik bekommen haben? Dann werde ich mich vor Sie stellen, Sie legen Ihre Hände auf meine Schultern, es trifft sich gut, daß ich kleiner bin, und dann werden Sie den ersten Schritt tun. Sie sind weder krank noch alt. Ich vermute, daß Sie so alt sind wie meine Mutter, die Marie, aber Meinemarie sieht älter aus. Ihr Alter ist auf der Karteikarte nicht angegeben. Wenn man die Lebensläufe vergleicht – tauschen möchte da keiner. Ich habe noch niemanden erlebt, der mit einem anderen hätte tauschen wollen.«

Paula streicht und streichelt, redet weiter, selten fragt sie etwas, noch seltener erhält sie eine Antwort. »Sie können viel mehr, als Sie auch nur ahnen! Sie nutzen Ihre Möglichkeiten nicht aus. Sie nehmen nur wahr, was nicht möglich ist. Auf Usedom in diesem Heim, in dem Behinderte Ferien machten – so etwas gab es in der Ehemaligen auch –, da hatten wir ein junges Mädchen, etwa in meinem Alter. Sportunfall, auch Querschnittlähmung, eine Sprinterin mit Karriere! Was tat sie? Nicht sie, der zuständige Krankenpfleger. Er verliebte sich in sie. Vielleicht hatte er Angst vor Frauen, die weglaufen können? Das weiß man doch nicht. Das Mädchen hatte wunderschöne Augen, ganz dunkel, mit langen, weichen Wimpern. Wenn sie weinte, blieben die Tränen hängen und stauten sich in den Wimpern, wie Tau. Als sie ein Kind erwartete, haben die beiden geheiratet. Ganz in Ordnung war sie nicht, sie war beinahe eine Spastikerin.«

»Können wir uns auf meine Symptome beschränken?«

»Das können wir, aber man muß sich doch mit anderen vergleichen.«

»Das kann man vermeiden.«

»Wir«, schon sagt Paula ›wir‹, »müssen aber einer drohenden Osteoporose vorbeugen, und die droht Ihnen, und man kann vorbeugen.«

»Ich hatte ausreichend Zeit und Gelegenheit, mich mit dem auseinanderzusetzen, was mir droht.«

»Es schreckt Sie nicht? Nichts?«

»Es schreckt mich alles. Jeder Tag.«

»Wann ist es passiert? Wie lange ist es her?«

»Herbst neunundachtzig. Die Zeit der Wende. Ich hatte zu der Zeit meine persönliche Wende.«

»Frage ich zuviel? Rede ich zuviel?«

»Ja!«

Paula, immer noch auf den Knien, blickt hoch. »Sie können mich jederzeit rauswerfen. Aber das prophezeie ich Ihnen: In einer Woche, spätestens in einer Woche, werden Sie sich freuen, wenn Paula klingelt. Und wenn Sie sich nicht freuen, dann bleibe ich fort, dann will ich hier mein Leben nicht verbringen. Es ist für mich kein Job, ich jobbe nicht, ich will etwas tun, was keiner besser tun kann als ich. Ich habe ebenfalls Probleme, ich habe ebenfalls Lebensumstände. Das interessiert Sie nicht?«

»Nein!«

»Meine Probleme werden Sie noch interessieren, das prophezeie ich Ihnen ebenfalls. Früher oder später. Einmal in der Woche telefoniere ich mit Halle, mit Meinermarie, ich rufe aus einer Telefonzelle an. Meinemarie geht zu den Nachbarn. Manchmal heule ich für sechzig Pfennig, mehr kann ich mir nicht leisten!«

»Ich wünsche nicht, daß Sie meinen Apparat benutzen!«

»Das wünsche ich auch nicht. Ich war so ein Kümmerling, als ich klein war. In der Klinik nannten wir das: die ›Frühchen‹. Ich hatte dünne Löckchen auf dem Kopf, da hat Meinemarie hineingepustet und mich ›Pusteblume‹ genannt, aber umpusten kann mich keiner. Pusteblume, habe ich das schon gesagt? Das ist Löwenzahn; wenn er ausgeblüht hat, bläst der Wind den Samen weg, aber in der Erde steckt eine Pfahlwurzel, die reißt so leicht keiner aus.«

»Der Gärtner sticht im Mai den Löwenzahn aus dem Rasen.«

»In jedem Mai! Sehen Sie: ohne Erfolg, sonst würde der Löwenzahn doch nicht immer wieder blühen. Sind das Pappeln an dem Weg hinter Ihrem Grundstück? Kreist dort ein Bussard? Können Sie das sehen? Sehen Sie von Ihrem Stuhl aus dasselbe wie ich? Ich möchte wissen, ob Sie den Bussard sehen.«

»Es sind Pappeln, sie müssen alle paar Jahre geköpft werden. Einen Bussard kann ich nicht von einer Krähe unterscheiden.«

»Von den Vögeln verstehe ich etwas. Besitzen Sie ein Fernglas? Damit könnten wir uns alles ganz nah heranholen!«

»Warum sollten wir das tun? Alles bleibt, wo es ist. Die Bäume, die Vögel, ich. Decken Sie bitte das Unheil wieder zu!«

Paula zieht der Patientin Strümpfe und Schuhe wieder an und fragt, ob sie sich nun die eigenen Schuhe ausziehen dürfe, sie sei noch nie über einen echten Teppich gegangen. Eine Erlaubnis wartet sie nicht ab. »Wie Seide! Nennt man das Persischblau? Von der Schule aus haben wir eine Fahrt nach Berlin gemacht. Museumsinsel! Pergamonmuseum. Dieses berühmte Tor! Wie blaue Emaille! Kennen Sie den Pergamonaltar?«

»Von Abbildungen. Die Museumsinsel war für westliche Museumsbesucher nur schwer zugänglich. Und jetzt –« Sie bricht ab. »Der Kenner sieht am oberen Imrale, daß dieser Teppich im Zuchthaus von Brussa, dem heutigen Bursa, entstanden ist, dort befindet sich das Zentrum der türkischen Seidenproduktion. Bei dem Teppich, der zwischen den Terrassentüren hängt, handelt es sich um eine Kopie, ein Seidenstrich-Panderma aus Kayserie, sehr empfindlich, deshalb liegt er nicht auf. Interessieren Sie sich für Teppiche?«

»Mit Teppichen hatte ich noch nie zu tun.«

»Bei dem größten Teppich handelt es sich um einen Isfahan, vermutlich zwanziger Jahre unseres Jahrhunderts. Sie erkennen den Lebensbaum in der Mitte? Seide auf Seide, das Aquamarinblau ist unüblich, ebenso die Vogeldarstellung. Meine Großeltern besaßen eine bekannte Teppichhandlung in Dresden, Orientteppiche; einige besonders schöne Stücke konnten gerettet werden.«

»Da haben Sie jetzt Ansprüche zu stellen? Grundstücke in Dresden? Beste Lage? Gebäude?«

»Ich hätte – aber ich habe nicht. Meine Teppiche sind mir lieb, soweit mir überhaupt etwas lieb ist. Mein älterer Bruder ist besitzfreudig.«

Paula, die sich auf dem kleinen Teppich ausgestreckt hat, bittet: »Erklären Sie mir noch mehr!«

20

»Der kleine Knüpfteppich stammt aus Tibet, er mag annähernd hundert Jahre alt sein, er befindet sich in gutem Zustand. Das ursprüngliche Nachtblau ist etwas verblaßt. Floramotive, auch Tiermotive, Vasen, im ganzen etwas unruhig.«

»Er hat meine Maße! Ohne Schuhe. Wenn ich den Kopf nach rechts wende, liegt er auf einem Vogel, und wenn ich ihn nach links wende, wieder auf einem Vogel. Ist es ein Gebetsteppich? Wenn ich mich jetzt aufrichte und knie, bete ich Sie an!«

»Unterlassen Sie solche Bemerkungen!«

»Man darf doch nicht mit Schuhen auf diese Zaubervögel treten!«

»Je mehr die Teppiche benutzt werden, desto wertvoller werden sie. Ihr Wert steigt mit zunehmendem Alter.«

»Etwas wird durch Benutzung schöner? Ich dachte, das gäbe es nur bei Menschen, die sich liebhaben. Ich stelle mir das so vor. Erprobt habe ich es noch nicht. Kniet man beim Beten? Liegt der Teppich nach Osten hin? Wo ist Osten und Westen? – Steht auf meiner Karte wirklich ›alleinstehend‹? Eigentlich stehe ich doch gar nicht so alleine da. Durfte ich mein Fahrrad am Gartentor anschließen? Es stört das Bild.«

»Nach Ablauf der zehntägigen –«

»– mir genügen als Probezeit drei Tage.«

»Nach der Probezeit können wir darüber reden, ob Sie Ihr Fahrrad in die Garage stellen.«

»Gibt es noch ein Auto?«

»Es wurde im Winter nach dem Unfall abgemeldet.«

»Ich besitze einen Führerschein. Bisher habe ich nur

einen Trabi gefahren, und auch das nicht oft, aber ich lerne das, ich lerne schnell. Wenn wir einen Lifter anschaffen, könnte ich mit Ihnen ausfahren, in eine Gegend, in der niemand Sie kennt, wenn Ihnen das angenehmer wäre. Nein –? Verstanden! Sie haben mir das ja gesagt: eine Immobilie. Aus der Rehabilitation wird man doch nicht entlassen, bevor man nicht weitgehend selbständig ist. Hilfe zur Selbsthilfe. Aber den Ausdruck finde ich nicht gut: Man soll anderen helfen, nicht nur sich selbst, deshalb bin ich doch hier!«

»Ich bin nicht selbständig, ich tue auch nicht so, als wäre ich es. Ich bezahle alle Hilfe, genau wie in Ihrem Fall. Zuwendung, die über diese Hilfe hinausgeht, brauche ich nicht und wünsche ich nicht. Wenn Sie sich über den Grad meiner Behinderung orientieren wollen, gehen Sie in die Folterkammer, die Tür neben dem Flügel. Dort hängt das Röntgenbild. Ich nehme an, daß Sie Röntgenbilder lesen können.«

»Das kann ich! Ist dort Ihr Schlafzimmer?«

»Ich schlafe dort nicht, ich liege dort, unter meinem Galgen, mit dessen Hilfe ich mich in eine erträgliche Seitenlage bringen kann. Mein Tageslauf sieht so aus: Ich stehe um acht Uhr auf, wasche mich und erledige, was jeder Mensch am Morgen zu erledigen hat, und dasselbe wiederholt sich am Abend. Wenn ich ›aufstehen‹ sage und ›waschen‹, ist das nicht korrekt, ich müßte statt des Indikativs das Passiv benutzen. Ich werde gewaschen, ich werde aufgestanden. Die Entleerung meines Körpers ist festgelegt, ich trinke eine bestimmte Menge Flüssigkeit, nehme ballastreiche Nahrung zu mir, die Hauptmahlzeit abends; nachmittags werden

Sie die nötigen Hilfeleistungen übernehmen müssen. Ich pflege in meinem Rollstuhl eine Stunde zu schlafen. Während dieser Zeit werden Sie das Faxgerät bedienen, das Geräusch stört mich nicht, es beruhigt mich. Ich nehme wahr, daß Sie tätig sind.«

»Fax –? Sagten Sie Fax? Davon steht auf der Karte nichts. In Ordnung, ich werde das lernen.«

»Man hat mir am Telefon gesagt, daß Sie in der Bedienung eines Computers firm seien.«

»Ich werde es werden, wenn ich Übung habe. Ich besitze kein eigenes Gerät zum Üben. Ich weiß nicht, wie es kommt, daß ich immer etwas anderes tun soll, als ich gelernt habe. Ich dachte, hier würden meine pflegerischen Kenntnisse verlangt. Für Ihre Behinderungen reichen sie aus. Ich kann auch einmal etwas reparieren. Ich klettere auf Leitern. Verstopfte Regenrinnen – mache ich alles! Klo verstopft – mache ich! Eigentlich bin ich eine gute Partie für Sie!«

»Es scheinen mir unnötige Fähigkeiten für dieses Haus zu sein. Neben dem Röntgenbild, das vor meiner Entlassung hergestellt wurde, hängt eine lebensgroße Abbildung einer Wirbelsäule, inklusive sämtlicher Nervenstränge. Eine Tür führt in das Badezimmer, in dem sich eine behindertengerechte Toilette und eine ebensolche Duschanlage befinden. Sie benutzen bitte das Gäste-WC, die Tür rechts in der Diele. Achten Sie auf unbedingte Hygiene. Während des Klinikaufenthaltes wurde das Haus von Fachkräften behindertengerecht umgebaut, die Badezimmertür verbreitert, die übrigen Türen waren breit genug, die Schwelle zur Terrasse wurde beseitigt. Ich habe meine berufliche und finanzielle Selbständigkeit erreicht, körperlich bleibe ich abhängig. Die obere Hälfte ist in Ordnung, die untere wird versorgt.«

»Eine Klinik für eine Person? Ein Sanatorium! Blasentraining? Kontrollierte Abführtage? Gut! Darüber sprechen wir nicht, das findet zu anderen Tageszeiten statt. Ich soll nicht mitdenken und nicht mitfühlen, sehe ich das richtig? Sie nutzen Ihre Möglichkeiten nicht aus. Sie könnten den Türhebel bedienen und die Tür öffnen und bei freundlichem Wetter auf die Terrasse fahren. Wann Sie wollen! Sie könnten sich in der Küche selbst den Tee kochen.«

»Ich lasse die Tür zur Terrasse öffnen, und ich lasse mir den Tee kochen.«

»Sie überlegen lediglich, wie Sie es anstellen können, etwas nicht selber tun zu müssen.«

»Die Muskulatur und der Kreislauf müssen aktiviert werden. Ich weiß das alles. Sie müssen es mir nicht vorbeten. Eine weitere Operation der Lendenwirbel habe ich abgelehnt, erfolgversprechend wäre sie nicht gewesen. Die schlaffe Lähmung der Arme hat sich nach einigen Wochen gebessert, die Lähmung der Beine nicht. Die Narben am Kopf werden von den Haaren verdeckt. Hier!«

Frau Herbst hebt das Haar, das ihr ins Gesicht fällt, hoch, und Paula sagt, wie es erwartet wird: »Ooh!«

»Ein Barren für Gehübungen wird nicht angeschafft, mein Bedürfnis, mich fortzubewegen, ist verschwunden. Meine Einstellung zu meinem Körperzustand konnten Sie der Karteikarte entnehmen. ›Zustand nicht akzeptiert.‹ Elektrotherapie habe ich ebenfalls abgelehnt. Zweimal monatlich untersucht der Arzt meinen Körper nach bedrohlichen Druckstellen. Sollte durch Bewegungsmangel eine Lungenembolie eintreten, wäre ich damit einverstanden. Weitere Fragen? Fragen Sie jetzt, dann haben wir es hinter uns. Einschlägige Literatur finden Sie in der Folterkammer. Ich nehme eine Reduktionskost zu mir, Mahlzeit kann man das nicht nennen, eine Gewichtszunahme würde meinen Körper zusätzlich belasten.«

»Ich habe eine Bitte: Darf ich mich einmal auf Ihr Bett legen und die Schlingen und den Galgen benutzen? Ich möchte mich in Ihre Lage versetzen können.«

»Das wollte noch keiner, das ist zum Lachen.«

»Sie lachen doch gar nicht! Und dann möchte ich noch wissen –«

»Nichts weiter brauchen Sie zu wissen. Ich kann nicht jedem, den man mir ins Haus schickt, meine Krankengeschichte erzählen.«

»Ich bin Paula! Wissen Sie, was ich wahrnehme?«

»Ich will es nicht wissen.«

»Ich sage es trotzdem: Es sind nicht nur die Beine gelähmt. Sie sind innen gelähmt. Ihr ganzes Inneres ist gelähmt oder vereist. Wie waren Sie vor dem Unfall? Sie waren doch noch nicht alt, das sind Sie jetzt auch nicht. Sie sind reich, Sie sehen gut aus, Sie sind klug.«

»Davon wird man nicht glücklich.«

»So stell ich mir das aber vor! Gesund waren Sie doch auch, die Summe von allem muß doch glücklich machen. Sie fuhren zum Skilaufen? Sie sind im Meer geschwommen? Sind Sie geritten? Haben Sie Golf gespielt? Wenn Sie eine vollständige Familie gehabt hätten, das wäre besser gewesen, nehme ich mal an.«

»Das ist wenig wahrscheinlich. Gibt es einen Freund?«

»Und was für einen! Er wartet auf mich. Nicht geduldig, er wartet ungeduldig. Wenn ich von ihm weggehe, dann weint er, und wenn ich wieder bei ihm bin, lacht er und küßt mich ab, und wir liegen auf dem Boden und kugeln uns vor Vergnügen.«

»Geht das heute so zu?«

»Bei uns beiden!«

Es klingelt. Frau Herbst blickt auf die Uhr, erklärt, daß um diese Zeit die Blumen abgegeben werden, einmal wöchentlich, am Donnerstag. In die Sprechanlage sagt sie, daß man die Sträuße wie immer neben das Gartentor legen möge, und zu Paula sagt sie: »Würden Sie bitte, Paula!« Zum ersten Mal ›Paula‹.

Als Paula zurückkommt: »Ich werde sagen, welche Vasen geeignet sind und wo die Sträuße stehen sollen. Die alten wurden bereits heute morgen entfernt.«

»Habe ich auch bei Blumen kein Mitspracherecht?«

Paulas Jeans, das T-Shirt, die flachen Schuhe werden betrachtet; das Ergebnis der Begutachtung heißt: »Nein, vorerst nein.«

»Wenn Sie ›vorerst‹ sagen, dann ist das schon viel. Wie viele Blaus es gibt! Ich dachte, im Herbst wären die Blumen alle gelb und braun. Wenn ich wieder Geld habe, kaufe ich mir einen blauen Pullover, dann störe ich hier nicht so sehr.«

Im Zimmer flammt die Deckenbeleuchtung auf, unmittelbar darauf die Wandbeleuchtung, Paula beobachtet es mit Aufmerksamkeit. Dann rasseln die Jalousien vor der Terrassentür herunter.

»Wie geht das vor sich? Automatisch?«

»Ich bediene die Schaltanlage entsprechend der Tageszeit und den Jahreszeiten. Die Beleuchtung am Gartentor brennt bereits seit einer halben Stunde, ebenfalls die Lampen neben der Haustür. In einer Stunde werde ich das Licht in der Küche einschalten und den Rolladen schließen. Im oberen Stockwerk brennen zwei Lampen die Nacht über, keine Rolläden. Das Haus wirkt belebt. Es handelt sich um Sicherheitsmaßnahmen, die von der Polizei angeraten wurden. Es gibt einige wertvolle Kunstgegenstände; sie befinden sich in verschlossenen Vitrinen, hinter Panzerglas. Einige Fenster sind vergittert, nicht alle. Im Falle eines Brandes dürfte man nicht eingesperrt sein.«

»Aber Sie –«

»Die Maßnahmen gelten für Allgemeinfälle.«

Paula kniet wieder auf dem Teppich. Eine Weile schweigt sie, dann spricht sie weiter: »Auf Usedom, wo ich in den Semesterferien gearbeitet habe, da gab es eine Abteilung für MS-Frauen. Von einer von ihnen habe ich viel lernen können. Sie war noch nicht vierzig Jahre alt.«

»Können wir jetzt an die Arbeit gehen?«

Paula steht auf. »Wir können. Hoffentlich kann ich!«

Bevor sie an diesem ersten Tag das Haus verläßt, fragt sie: »Kann ich mich hier irgendwo kämmen? Gibt es einen Spiegel?«

»Für wen?«

»Für Paula!«

2

›Ich glaube nicht mehr an die Klassenunterschie-
de . . . Aber ich glaube, daß die Armen die Reichen
hassen und daß die Reichen Angst vor den Armen
haben. Es ist nutzlos, den einen und den anderen
Liebe zu predigen.‹

Flaubert

Drei Tage sind vergangen, zehn Tage sind vergangen.
Die beiden Frauen haben das Wort ›Probezeit‹ nicht
wieder benutzt. Sie fangen an, sich aneinander zu gewöhnen.

Seit Herbstregen eingesetzt hat, stellt Paula ihr Fahr-
rad in der Garage ab, in der ein roter Audi steht. Im
Gartenzimmer angekommen, grüßt sie, bleibt mit dem
Rücken an die Tür gelehnt stehen. »Sind Sie den roten
Audi gefahren? Haben Sie ihn einmal verliehen? Im
Herbst neunundachtzig vielleicht? Er hat kein Num-
mernschild.«

»Warum sollte er? Es ist mein Wagen. Ich verleihe
nichts. Ich bin immer Audi gefahren. Weitere Fragen?«

»Wieso kein blaues Auto? Das hält die bösen Geister
fern.«

»Ist die Farbe des Autos wichtig?«

»Für mich schon!« Da keine Rückfrage erfolgt, wiederholt Paula: »Ein roter Audi! Wissen Sie, wie viele
Audis es gibt? Viele! Viel mehr, als man denkt. Wenn
ich von weitem einen roten Audi sehe, bleibt mir das

Herz stehen. Macht ja nichts, es kann ja mal eine Weile stehenbleiben. Fangen wir mit den Beinen an?«

Paula hat sich den blauen Pullover gekauft, ›blau wie Flachsblüten‹, die sie nicht kennt, aber die Verkäuferin hat das Blau so bezeichnet. Von Frau Herbst wird der neue Pullover nicht beachtet, obwohl er ihretwegen angeschafft wurde. Seit einigen Tagen redet Paula ihre Patientin mit ›Chef‹ an, was geduldet wird. Paula sagt, daß sie bereit wäre, sich blaue Augen zuzulegen, um besser ins Haus zu passen. Auch auf diese Bereitwilligkeit erfolgt keine Entgegnung. Sie streicht und streichelt, blickt hoch, blickt in das unbewegte Gesicht und fragt: »Bekommt man schöne Augen, wenn man nur Schönes zu sehen bekommt? Das Schöne muß doch von außen gekommen sein, vom Blick in den Garten und auf Ihre Kunstwerke und Teppiche, von innen kann es doch nicht kommen. Innen sieht es bei Ihnen doch nicht schön aus – oder?« Wenn Paula eine Frage mit ›– oder‹ abschließt, deutet sie an, daß sie nicht mit einer Antwort rechnet.

Diesmal kommt eine: »Versuchen Sie nicht, in mich hineinzusehen, das gestatte ich keinem.«

»Alles, was hier steht und herumsteht, ist schön und kostbar. Haben Sie keine Angst, daß man, ich meine, ich will Ihnen keine Angst machen –«

»Alles ist gesichert, alles ist versichert. Wovor sollte ich mich noch fürchten?«

»Sie sehen niemals Schmutz, niemals Elend. Haben Sie überhaupt schon mal so jemanden gesehen, so ein ganz armes Schwein, Obdachlose, Stadtstreicher? Jetzt, wo es Winter wird, hocken sie in den Unterführungen.

Einer, den ich jeden Tag treffe, hat einen räudigen Hund bei sich und einen Futternapf für den Hund und einen Karton, in den kaum mal jemand etwas reinwirft. Aber wirklich unglücklich sieht er gar nicht aus. Wir grüßen uns, er hat damit angefangen. Solche Leute. Bei uns hat es das nicht gegeben, weiter runter geht es nicht. Der Mann muß nicht für eine Karriere kämpfen, er muß nur von Stunde zu Stunde durchkommen. Ich werde ihn fragen, wo er nachts bleibt. Keiner befiehlt ihm was, keiner jagt ihn fort, ihn nicht, seinen Hund nicht. Viel übrig habe ich nicht, alle paar Tage tue ich was in seinen Karton; ich werfe das nicht, ich steige vom Rad ab.«

»Reichen Sie mir die Geldtasche, geben Sie Ihrem armen Schwein und dem Schweinehund zehn Mark.«

»Nein«, sagt Paula, »wenn Sie so von ihm reden, dann beleidigen Sie ihn. Dann ist es besser, wenn ich fünfzig Pfennig gebe.«

»Tun Sie, was Sie wollen.«

Paula lenkt ein, lenkt ab. »Gestern«, sagt sie, »gestern habe ich mit Meinermarie telefoniert. Und was hat sie gesagt? Sie faßt immer alles in einem Satz zusammen, da ist sie jedem Politiker über. ›Erst haben wir die Vorzüge des real existierenden Sozialismus kennengelernt, am eigenen Leib, und jetzt lernen wir den real existierenden Egoismus kennen, am eigenen Leib. Es liegt nicht am System‹, sagt Meinemarie, ›es liegt an den Menschen!‹ Zweimal in der Woche fährt sie an den Hallmarkt in die Stadtbibliothek und holt sich Bücher, das hat sie auch vor der Wende getan; dort wird jetzt renoviert. Das Ausleihen der Bücher ist kostenlos, war es früher auch. Sie liest viel und legt Zettel in die Bücher.

30

Früher tat sie das, damit ich auch darin lesen sollte, ich hatte aber weniger Zeit und weniger Lust auf Bücher. Bevor sie das Buch zurückbrachte, nahm sie die Zettel raus und legte sie in einen Schuhkarton. Sie hat mehrere Schuhkartons mit Zetteln angefüllt. Wenn sie mal krank ist – sie ist ziemlich oft krank; wenn sie sich aufregt, wird sie krank und legt sich ins Bett –, dann holt sie sich eine der Schachteln und liest ihre Zettel. Da stehen nur Sätze drauf, kein Buchtitel, kein Verfassername, das tat sie aus Vorsicht, wegen dem dicken Bruder. Sie hat sich das alles einverleibt. Lesen ist für sie Arbeit. Sie zieht sich einen Stuhl an den Tisch, legt das Buch darauf, Bleistift und einen Stoß Zettel daneben, und während sie liest, gibt sie Kommentare ab. ›Falsch‹, sagt sie, ›ganz falsch.‹ Aber sie sagt auch mal: ›Recht hat er!‹, ›So isses, genau so isses!‹ Und wenn mein Vater doch mal gefragt hat: ›Was is so?‹, dann las sie weiter und sagte: ›Selber lesen macht klug.‹ Und zu meinem dicken Bruder, wenn der sich den Teller vollud, sagte sie: ›Selber essen macht fett.‹ Die Bücher kamen in Schutzhüllen, manchmal hat eine Nachbarin ihr ein West-Buch geliehen, das brauchte der dicke Bruder nicht zu sehen, obwohl Bücher vor ihm sicher waren. Einmal habe ich ihr zu Weihnachten ein Buch geschenkt, und was sagt sie: ›Was soll ich damit? Sollen wir ein Regal anschaffen? Wo soll das denn stehen? Bücher müssen gelesen werden, die gehören nicht ins Regal.‹ Als sie das Buch ausgelesen hatte, gab sie es einer Nachbarin. Wenn Meinemarie Ihre Bücherwände sähe, dann wäre sie entsetzt. Sie würde fragen: ›Wer liest das denn? Wem nutzt das denn?‹ Ob sie meint, daß Bücher in Aufruhr geraten und eine

Revolution machen, wenn sie so dicht zusammenstehen und nicht zusammenpassen? Sie denkt sich die merkwürdigsten Sachen aus. Wenn man ein Kleid ein Jahr lang nicht getragen hatte, weg damit, ohne mich zu fragen. Es gibt jetzt West-Warenhäuser in Halle, aber nicht für Meinemarie. ›Alles zuviel‹, sagt sie, ›von allem zuviel.‹ Jetzt packt sie Pakete für Rumänien und Polen und Bosnien, ich weiß nicht, für wen noch. Sie teilt und verteilt. Der einzige Kommunist in unserer Familie, das ist Meinemarie. Mein dicker Bruder? Bei dem saß der real existierende Sozialismus nur im Kopf. Genutzt hat er keinem was, und wie vielen er geschadet hat, das weiß man gar nicht. Angst machen, an der Kandare halten, mehr war ja nicht nötig. Er war bei der Stasi. Und was hat er aus der Wende gelernt? Nichts, gar nichts! Er nimmt übel. Aber er holt sich sein Arbeitslosengeld. Das kommt doch aus dem Westen, woher soll es denn sonst kommen? Meinemarie sagt: ›Arbeitslos war der doch immer. Hauptsache, er hatte Einkünfte.‹ Meist war er abends weg. Dann konnten wir West-Sender sehen. Er sah allenfalls mal eine Sportschau. Wenn jemand fragte, was er eigentlich tue, sagten wir: ›Er treibt Sport, Sport im Sitzen.‹«

Ein Blick auf ihre Patientin, und Paula sagt: »Peng, wieder passiert. Wir könnten eine Kasse einrichten, dann zahle ich Strafe; sagen wir, eine D-Mark West. Das sage ich noch manchmal: Westgeld. Soll ich Ihnen die Fußnägel schneiden?«

»In regelmäßigen Abständen kommt ein Fußpfleger, das ist nicht Ihre Aufgabe!«

»Aber ich kann das. Ich habe das doch gelernt. Ich

könnte Ihnen auch das Haar waschen und fönen. Wissen Sie, was Meinemarie tut? Sie ist auch arbeitslos, offiziell, aber sie hat sich Geräte angeschafft, Scheren und Kämme, Bürsten, Fön, das packt sie morgens in ihre Tasche und macht sich auf den Weg. Die Frauen sind froh, wenn sie ins Haus kommt. Sie hat in einem volkseigenen Betrieb, VEB, gearbeitet, sie war dort die erste Kraft. Nach der Wende brauchte man sie nicht mehr. Die Friseure sind teuer geworden, Meinemarie macht das billiger. Man kann reden, von früher, ganz früher, von jetzt und der Zukunft. Wer keine Locken hat, bekommt von ihr keine hergestellt. Sie hat Grundsätze, aber sie hat auch einen Blick. Gefärbt wird nicht. Wer graue Haare bekommt, der wird wissen, warum. Sagt Meinemarie.«

»Könnten Sie das wirklich übernehmen? Es wäre mir angenehm. Die notwendigen Vorrichtungen befinden sich im Badezimmer. Die Friseuse, die ins Haus kommt, sagt mir nicht zu.«

»Sie haben wunderschönes Haar, dicht und gelockt. Ich würde das gern tun. Ich hab es in den Händen, behauptet Meinemarie, deshalb will ich auch noch ein Examen in Krankengymnastik machen. Aber erst einmal muß ich sparen. Ab heute abend mache ich Nachtwache, unsere Wohnung liegt in der Nähe der Kliniken.«

Da Frau Herbst durch diese Mitteilungen nicht persönlich betroffen ist – zumindest ist sie dieser Ansicht –, erfolgt keine Stellungnahme.

Paula breitet die Decke über das Unheil, greift in die Tasche ihrer Jeans, zieht einen vielfach geknickten Zettel hervor, redet weiter: »Silvester – ich war dann meist weg, aber um Mitternacht war ich immer zu Hause – hielt mir Meinemarie eine ihrer Schachteln hin und sagte: ›Zieh dir einen Zettel, Pusteblume.‹ Wir sagten ›Schachtelsätze‹ dazu und lachten. Aber wir nahmen die Losungen ernst, und oft haben sie sogar gestimmt. Ein paar Zettel hatte ich auf der Flucht dabei; den einen hatte ich bei der Jugendweihe gezogen, den anderen beim Abitur.«

Sie faltet den Zettel auf, und jetzt fragt die Patientin: »Und was steht als Losung darauf?«

Paula faltet den Zettel wieder zusammen. »Es paßt nicht.« Sie schiebt den Zettel zurück in die Hosentasche. »Gestern abend bin ich gefragt worden, wer der Patient sei, bei dem ich so viele Stunden am Tag verbringe. Ich habe Ihren Namen genannt, und da hieß es: ›Herbst? Immobilien-Herbst? Das war damals ja ein Skandal.‹ Oder hat man ›Tragödie‹ gesagt? Ob ich Bescheid wüßte, sonst würde man mir die Geschichte erzählen. Ich habe das abgelehnt. Ich mag nicht, wenn man über andere redet, wenn sie nicht anwesend sind. Wenn Sie es mir nicht erzählen, ich meine, die Tragödie, dann werden Sie einen Grund dafür haben. Eines Tages sprechen Sie vielleicht doch darüber!«

»Das ist unwahrscheinlich.«

»Ich habe schon viel Unwahrscheinlicheres erlebt.«

»Was haben Sie denn schon erlebt?«

»War das eine Frage, Chef?«

»Nein.«

»Ich kann mir nicht vorstellen, daß Sie eine Mutter gehabt haben und mal eine Tochter gewesen sind. Was ich mir aber vorstellen könnte, das wären eigene Kinder. Eine Tochter! Oder, besser noch, einen Sohn. Waren Sie eine Vater-Tochter?«

Als Entgegnung erfolgt ein Hochziehen der Augenbrauen, ein Anheben der Hände. Paula versteht, nimmt es als ausreichende Antwort und spricht weiter: »Wenn ich von dem Opa und Meinermarie und dem dicken Bruder erzähle, dann tue ich das, damit Sie uns, uns aus der Ehemaligen, kennenlernen und damit Sie verstehen, warum ich weg mußte, vor der Wende, und wieso ich jetzt hier bin und jemandem die Beine streichle, die Nägel schneide, das Faxgerät bediene, Karteikarten ausfülle. Aber wenn Sie wüßten, was ich Ihnen alles nicht erzähle!«

»Können wir anfangen?«

»Wir können«, sagt Paula.

Die Patientin rollt den Stuhl an den Arbeitstisch. »Mit dem Faxgerät haben Sie sich inzwischen vertraut gemacht?«

Paula sagt auf, was sie auswendig gelernt hat: »›Blatt einlegen, Schrift nach unten. Telefaxnummer auf den blauen Zahlenfeldern eingeben. Bei Telefax nach außerhalb habe ich darauf zu achten, daß die Null der Vorwahl nicht eingegeben wird.‹ Es ist mir nicht klar, ob sich ›außerhalb‹ auf die Bundesrepublik oder auf das Ausland bezieht. Warum sagt man Bundesrepublik? Wir könnten doch jetzt Deutschland sagen. Haben wir auch Auslandskontakte?«

Paula ist beeindruckt, durch Technik ist sie leicht zu beeindrucken, aber sie bewegt sich unerschrocken auf unbekanntem Gelände.

»Was wird das denn nun? Ist das eine Kreuzung zwischen Telefon und Brief? Man hat was in der Hand, nicht nur im Ohr; sonst hat man etwas im Ohr, nichts in der Hand. Ist das mehr, oder ist das weniger?«

»Sie brauchen nicht darüber nachzudenken. Sie sollen das Gerät bedienen.«

»Ohne nachzudenken kann ich überhaupt nichts tun. Ich will soviel wie möglich verstehen.«

»Benutzen Sie das Telefon-Vorwahlbuch. Das Faxgerät wird nur zwei Stunden auf Empfang eingestellt, solange Sie hier sind. Das Telefon klingelt zweimal. Haben Sie mir zugehört?«

»Zugehört habe ich, aber ich habe nichts verstanden. Ich passe immer erst bei der Wiederholung richtig auf, beim ersten Mal bin ich nur erstaunt. Das war schon in der Schule so und in der Universität auch, damit verderbe ich mir alles.«

»Mit dem Faxgerät kann jedes Kind umgehen, heißt es. Kinder sogar am besten. Sie sind ja noch ein halbes Kind.«

»Die andere Hälfte ist schon ziemlich alt, Chef.«

»Ich habe in den Wochenendbeilagen, dort, wo es um Kunsthandel und Antiquitäten geht, angestrichen, was uns interessieren könnte. Achten Sie darauf, ob eine Faxnummer angegeben ist, und notieren Sie sie auf den Karteikarten. Auktionen – muß ich das wiederholen?«

»Bitte«, sagt Paula.

»Es wäre gut, wenn Sie die erforderliche Aufmerksamkeit für meine Tätigkeit im Kunsthandel aufbringen könnten. Was von Interesse ist, habe ich bereits mit einem blauen Punkt versehen. Diese Keramikplatte mit dem bemalten Gesicht, zum Beispiel. Sie wurde in der vorigen Woche bei Sotheby für sechzigtausend Pfund verkauft.«

Ein Blick in eine der Vitrinen, und Paula stellt fest: »Dort steht eine ähnliche Schale. Ist das auch Picasso?«

»Das ist Picasso! Ich muß Sie bitten, Ihre Kenntnis für sich zu behalten, was Ihnen vermutlich schwerfallen wird.«

»Ich kenne niemanden, der sich für Kunst interessiert. Ich habe in der Zeitung gelesen, daß es in Paris eine Picasso-Ausstellung gibt. Picasso und der Stierkampf. Die Ausstellung heißt ›Toros y Toreros‹. Man hätte Ihre Keramik dort ausstellen können! Ist das eine Corrida? Wo der Stier mit den Hörnern das Pferd in den Weichteilen angreift, den Bauch aufschlitzt und diese schönen Tiere im Sand elend verrecken? Da wird mir ganz elend. Früher dachte ich, es wäre ein edler Kampf, ich würde das später in Spanien oder Frankreich auch einmal sehen. Haben Sie einen Stierkampf mit eigenen Augen gesehen?«

»Früher. In Tijuana, ich denke, es wird Tijuana im nördlichen Mexiko gewesen sein. Man fuhr von Kalifornien dorthin. Ich habe El Cordobes gesehen, er war ein Freund Picassos. Ihm hat er einen seiner schönsten Bilderzyklen gewidmet. Sie finden das Buch bei den Kunstbänden unter P. Falls Sie sich dafür interessieren.«

»Später. Wenn ich einmal Zeit zum Anschauen von Kunstbänden und Stierkämpfen haben werde. Auf welcher Seite stand denn Picasso? Auf der Seite des Stiers? Auf der Seite des Trocaderos –«

»Picadors! In den meisten Fällen stellt er den Picador

auf dem Pferd dar. Es geht ihm um die Eleganz, die Choreographie. Er nimmt nicht Stellung.«

»Ich sehe erst jetzt, wie schön Ihr Stück ist. Ich brauche Anleitung zum Sehen, Sie müssen mir beim Sehenlernen helfen. Ich habe noch so wenig Schönes gesehen.«

»Schneiden Sie den Aufsatz aus, ich werde ihn ebenfalls lesen. Heften Sie ihn dann in der Picasso-Mappe ab, aber vergessen Sie den Literaturvermerk auf der Karteikarte nicht. Ich werde die Schale nur in Notzeiten veräußern, noch steigt der Wert. Immerhin erkennen Sie jetzt doch schon die Handschrift Picassos.«

»Ich wußte überhaupt nicht, daß es Keramiken von Picasso gibt, ich dachte, er wäre ein moderner Maler.«

»Modern ist er nicht mehr.« Frau Herbst vermutet, daß Paulas Interesse an Kunst geweckt ist, und bietet zum intensiveren Studium einen Katalog an, den Paula mit nach Hause nehmen könne, aber das Angebot wird abgelehnt. Zu Hause studiert sie anderes, ihre Lebensbereiche sind genau abgegrenzt. Sobald sie sich auf ihr Fahrrad gesetzt hat, ist es vorbei mit der Kunst. Ab heute: Nachtwache in der Klinik.

»Ist Ihnen klar, daß das Schwergewicht meiner Sammlungen auf figürlicher Keramik liegt? ›Anne L. Herbst, Agentur für figürliche Keramik des zwanzigsten Jahrhunderts‹. Gefäßkeramik ist für den Kunsthandel weniger interessant. Den Umständen entsprechend halte ich mich an kleine Formate. Wir benötigen eine Kartei. Ich werde später entscheiden, ob sie nach dem Entstehungsjahr, dem Herkunftsland oder den Künstlernamen anzuordnen ist. Nehmen wir als Beispiel eine frühe

Arbeit von Beate Kuhn. Zunächst die Biographie, dann die Auszeichnungen, dann das entsprechende Stück. Wichtig sind die technischen Angaben, ob die Figur gebaut oder gedreht wurde; Kombinationen kommen bei neueren Arbeiten häufiger vor. Angabe der Größe, bei welcher Temperatur gebrannt wurde, in diesem Fall bei 1330 Grad mit Holzofen. Wenn eine Arbeit ›ohne Titel‹ benannt ist, geben Sie in eckigen Klammern möglichst exakt an, was Sie selbst erkennen. ›Stilleben mit zwei Flaschen und halbiertem Apfel, grün‹, zum Beispiel. Lassen Sie eine Zeile frei für den Preis, den ich handschriftlich, mit Bleistift, einsetzen werde. Er ist variabel. In den meisten Fällen wird in den Annoncen VB stehen.«

»VB? Was heißt denn VB? Das klingt wie Volkseigener Betrieb, da fehlt nur das ›E‹ in der Mitte.«

»Verhandlungsbasis. Das soll heißen, ein höheres Angebot ist möglich, ein niedrigeres muß notfalls akzeptiert werden, wenn bessere Angebote ausbleiben.«

Paula entdeckt in einem der Kataloge die Abbildung einer Baßgeige, ebenfalls eine Keramik. Wie ein Kind klatscht sie in die Hände. »Das möchte ich haben. Wie groß? Wie teuer? Ist das Stück einmalig?«

»Es ist groß, es ist teuer, es ist einmalig. Sie scheinen Geschmack zu haben. Wenn ich kreativ hätte arbeiten können, wie ich es vorhatte, was auch vorbereitet war, hätte ich vermutlich in dieser Richtung gearbeitet. Statt einer Künstlerin ist aus mir eine Kunsthändlerin geworden. Ich verkaufe, was ich behalten möchte. Viele der Arbeiten aber sagen mir nicht zu, ich vertreibe sie trotzdem. Mein Name ist in Fachkreisen inzwischen eingeführt. Kommen wir zur Sache. ›Gelblichweißer Scherben, Feinsteinzeug, Oxydationsbrand im E-Ofen bei 1260 Grad C. Matte grüne Kristallglasur mit weißem Überlauf.‹ Die meisten Arbeiten tragen eine Signatur, die Initialen, oft auch den ausgeschriebenen Namen, in Ausnahmefällen ein Symbol. Die Jahreszahl ist in der Regel angegeben; wenn nicht, schreiben Sie o. J., also: ohne Jahr. Die Stücke in den beiden großen Vitrinen halte ich zurück, ihr Wert wird steigen. Ich führe ein kostspieliges Leben.«

»Das habe ich schon gemerkt. Darf ich eine der Tonfiguren einmal in die Hand nehmen, Chef? Ich fasse gern an, alles fasse ich gern an, sehen genügt mir nicht.«

Frau Herbst wünscht nicht, unterbrochen zu werden. »Meine Sammlung beschränkt sich auf Arbeiten des zwanzigsten Jahrhunderts. Die ältesten bekannten Zeugnisse auf dem Gebiet der Keramik gehen bis in die Zeit um dreiundzwanzigtausend vor unserer Zeitrechnung zurück. Aus Ihrer Schulzeit werden Sie sich an die Epoche der Bandkeramik erinnern. Die Gefäße hatten magische Bedeutung. Zurück zu Ihren Aufgaben: In der Regel muß ich mich auf Abbildungen verlassen. Der Transport der Kunstgegenstände wäre zu beschwerlich, auch zu kostspielig. Es befindet sich aber Packmaterial in der vorderen Garage, auch das Postieren wird zu Ihrem Aufgabenbereich gehören. Die Versicherungsprämien richten sich nach dem Schätzwert. Ich habe eine Haftpflicht für Sie abgeschlossen, falls Sie Schaden anrichten. Die meisten Arbeiten sind Unikate, was den Handelswert beträchtlich steigert. Es taucht nur wenig Neues auf dem Kunstmarkt auf, häufig erst nach dem

Ableben des Besitzers. An eine Arbeit von Schmidt-Reuther ist nur schwer heranzukommen. Es gibt eine Rundplastik, auf der annähernd zwanzig Möwen auf dem Rand einer Schale sitzen, jede von der anderen verschieden, keine höher als sechs Zentimeter. Oder sehen Sie sich diese Arbeit an: Sie heißt ›Utopia‹, ich hätte sie ›Traumstadt‹ genannt. Ich gedenke nicht, mich davon zu trennen, die Künstlerin zeichnet mit C. v. K. Der volle Name ist mir jedoch bekannt.«

»Schade, daß die Kuppeln nicht vergoldet und die Minarette nicht aus Silber sind«, sagt Paula. »Die Traumstadt erinnert mich an den Kreml; ich war in Moskau. Paula Wankow war in Moskau! Waren Sie auch in Moskau? Früher? Und in Rom? Und in Paris? Und in New York? Früher?«

»Ja.«

»Wenn Sie ›früher‹ sagen, denke ich immer ›später‹. Später: Rom. Später: Paris. Später: New York – das habe ich alles noch vor mir. Oder nicht? Vielleicht auch nicht. Ich stelle es mir aber vor. Sollte ich doch einmal Zeit haben, dann werde ich Sie um ein Buch über Rom bitten. Oder über Athen? Besser über Athen! Ich habe mich in die Tonfiguren verliebt.«

»Ein namhafter Keramiker, ein Deutscher übrigens, hat einmal gesagt, daß der einfachste, ärmste und reichste unter allen Werkstoffen der Ton sei, die Erde. Er heißt Max Laeuger, der Name wird Ihnen häufiger begegnen, er schreibt sich mit aeu, aber kontrollieren Sie die Schreibweise, ich könnte mich irren!«

»Sie, Chef? Sie irren sich doch nie.«

Paulas unsachliche Einwürfe bleiben unbeachtet.

»Wenn ein Tongefäß aus dem Ofen geholt wird, schlägt man, sobald es abgekühlt ist, mit dem Knöchel gegen die tönerne Wand, und dann hört der Töpfer, ob das Gefäß, die Figur heil ist.«

»Das klingt nach Musik. Ton und Ton!« Paula hält noch immer die Traumstadt zwischen den Händen. »Es ist eine düstere Traumstadt«, sagt sie.

»Sie entspricht meinen Träumen.«

»Stufen und Gänge und Treppen sind durch Bögen verbunden, als wäre alles allen zugänglich. Man kann hineinschlüpfen, und an guten Tagen könnte man auf diesem Turm eine Flagge hissen.«

»Dazu besteht kein Anlaß. Schalten Sie jetzt bitte das Faxgerät ein. Sie sind für die nächsten beiden Stunden beschäftigt, ich ziehe mich zurück. Reichen Sie mir bitte mein Tuch. Das Klappern der Maschine stört mich nicht, im Gegenteil, es beruhigt.«

Die Beruhigung überträgt sich nicht auf Paula, sie vermeidet den Blick auf die verhängte Gestalt. Das graublaue Seidentuch reicht bis zu den Hüften. Vogelkäfige verhängt man so. Sie hört die regelmäßigen Atemzüge, ein rascher Blick bestätigt den Schlaf, das leichte Tuch bewegt sich; sobald Paula aufhört zu schreiben, erwacht Frau Herbst, schlägt wohl auch einmal den Vorhang zurück.

Paula beeilt sich zu schreiben: ›E-Ofen, 1350 Grad C, braun-weißer Scherben, glänzende Kristallglasur mit hellerem Überlauf‹, schreibt ›VB‹, blickt auf die Baßgeige, erinnert sich, denkt an Prag, hört die Atemzüge unter dem graublauen Seidentuch, starrt auf das Faxgerät; es kommt kein Klingelzeichen, statt dessen schaltet sich hier und dort die Beleuchtung ein, die Jalousien rasseln herunter. Sie blickt auf ihre Uhr, sucht nach blauen Punkten auf den Zeitungsausschnitten.

›Paula Wankow, alleinstehend‹, denkt sie, sagt sie, aber nicht leise genug; ein Räuspern, als hockte ein Kakadu unter dem Tuch.

3

›Es ist nicht so gut mit Geld, wie es schlecht ohne
ist.‹

Jüdisches Sprichwort

Für die Hinfahrt zu ihrer neuen Arbeitsstelle rechnet
Paula zehn Minuten, für die Rückfahrt braucht sie nur
fünf Minuten. Die Patientin erwartet Pünktlichkeit. Zu
früh ist ebenso unpünktlich wie zu spät; auch diesen
Satz läßt Paula sich nicht ein zweites Mal sagen. Zwischen Gartentür und Haustür ordnet sie ihr Gesicht,
erst dann klopft sie kurz an die Tür zum Gartenzimmer.
Bevor sie noch »hallo« gesagt hat, wird sie mit einem
Vorwurf empfangen.

»Ich habe die angegebene Nummer angerufen, es hat
sich eine Männerstimme gemeldet.«

»Das wird Jens gewesen sein.«

»Im Hintergrund weinte ein Kind.«

»Es weinte? Warum –?«

»Sollte ich mich etwa nach der Ursache erkundigen?«

»Wenn Kinder weinen, will man doch wissen, warum
sie weinen.«

»Ich wollte wissen, ob Sie mir die neue Ausgabe von
ART mitbringen könnten.«

»ART! Ihre Art. Daran habe ich mich noch nicht

44

gewöhnt, Chef. Haben Sie die Zeitung gelesen? Haben Sie Nachrichten gehört? Es steht doch ein Fernsehgerät in Ihrem Schlafzimmer. Kinder haben ein Kind ermordet! Das Kind war zwei Jahre alt, und die beiden Jungen, die es getan haben, sind elf Jahre alt! Wir haben die halbe Nacht diskutiert, Gudrun, das ist meine Freundin, und dieser Jens, mit dem Sie gesprochen haben. Die beiden beklagten das Kindchen, das ermordet wurde, aber ich habe immer nur gedacht: Wenn mein Kind ein Mörder wäre . . . Ist das denn nicht viel schlimmer? Was sagen Sie denn? Eine Mutter, deren Kind ein Mörder ist. Wie ist so etwas möglich? Was für ein Trieb ist das? Sie sind älter, Sie haben viel mehr Erfahrung.«

»Es ist nicht mein Problem.«

»Manchmal fürchte ich mich vor Ihnen, Chef.«

Paula schreckt zusammen. »Was war das? Was ist das für ein Geräusch? Es kommt aus der Küche. Es ist doch noch früh.«

»Es ist nicht früh, es ist früher, die Tage werden kürzer, dunkler, unerträglicher. Die Rolläden und Lampen wurden heute vormittag neu programmiert. Die Reihenfolge der Schaltung wurde geändert.«

»Fangen wir an, Chef? Ich habe mein Konzept auch geändert. Ich habe mir etwas ausgedacht. Ab heute wird der gesunde, der angeblich gesunde Teil Ihres Körpers ebenfalls von mir behandelt. Sie sind zur Hälfte gelähmt, aber ich bin keine halbe Kraft. Von den Fingerspitzen bis zu den Halswirbeln! Wie nötig das ist, werden Sie in wenigen Tagen wahrnehmen, nicht in der Form von Schmerzen, sondern in der Form des Wohlbehagens. Von Wohlbehagen wollen Sie nichts hören, weiß ich. Wir werden einige Knöpfe öffnen müssen, sogar ein Kleidungsstück ablegen, sonst komme ich nicht an Sie heran. Wenn Sie mich noch lange so ansehen, Chef, wie Sie es jetzt tun, muß ich mir eine Jacke anziehen, mich friert. Ich weiß, daß Sie das alles ablehnen, aber eine Stunde lang bestimme ich, was zu tun ist, und anschließend verfügen Sie drei Stunden über mich, und dann werden Sie von mir kein Wort des Widerspruchs hören, und ich werde Sie auch nicht aus eisgrauen Augen ansehen.«

Paula nimmt die kühle Hand der Halbkranken zwischen ihre warmen Hände, widmet sich den verdickten Fingergelenken und spricht mit leiser, beschwörender Stimme von lenken und Gelenken, fragt, wem Frau Herbst die verdickten Gelenke zu verdanken habe, dem Rotwein, dem Wildbret, Portwein? Hat der verstorbene Herr Herbst eine Jagd gehabt? Hat es zu oft und zuviel Wildbret gegeben, zu schwere französische Weine? »Das sind keine Fragen, ich spreche nur ein wenig vor mich hin. Meinemarie sagt, wenn man erst einmal Körperkontakt mit einem Menschen hat, kommt man auch seiner Seele näher. Wenn du die Haare eines Menschen kennst, kennst du ihn ganz. Warum wird denn beim Barbier soviel geredet? Warum gibt es in der Oper so viele Barbiere? Von Bagdad. Von Sevilla. Von – sonst fällt mir keiner ein. In Halle bin ich manchmal ins Theater gegangen. Die Karten waren billig. Das Theater befindet sich auf der Kulturinsel, über dem Eingang steht: ›Was Du für Dich nicht selber tust, das tut für Dich auch kein anderer.‹ Es steht auf lateinisch da. Meinemarie, der ich das übersetzt habe, sagt: ›Ich glaube nicht, daß das da steht. Was du anderen tust, das tun sie auch für dich. So muß das heißen.‹ Meinemarie hat eine Weltanschauung, nach der lebt sie. Hier war ich noch nicht im Theater. Wenn ich Zeit hätte, hätte ich kein Geld für die Oper, da ist es gut, daß ich keine Zeit habe, sonst würde ich merken, daß ich kein Geld für Theaterkarten habe. Figaro! Figaro! Eine Figara gibt es nicht, und um die Nägel kümmern sich die Barbiere auch nicht, weder bei Männern noch bei Frauen. Haben Sie sich nie gewundert, daß an gelähmten Gliedmaßen die Nägel wachsen? Das ist ein Zeichen dafür, daß da noch Kräfte sind. Ich wundere mich mehr als andere Leute.«

»Es ist völlig unnötig.«

»Daß ich mich wundere? Oder daß die Nägel wachsen?«

»Glauben Sie an Wunder?«

»Glauben, Chef? Ich rechne damit. Ich habe schon so viele Wunder erlebt, blaue und andere. Jetzt sitze ich mitten in einem blauen Wunder! Vorhänge blau, Kissen blau, Blumen blau. Wissen Sie, was wir machen, Chef? Ich lackiere Ihnen die Nägel, an den Händen und an den Füßen.«

»Das ist unnötig.«

»Wenn ich immer darüber nachdenken würde, was nötig ist und was unnötig ist, säße ich mittags noch auf meiner Matratze und dächte darüber nach. Wenn etwas hübsch ist, muß es doch nicht auch noch nötig sein. Ist Kunst nötig? Wir machen das für Sie und mich, zu unserem Privatvergnügen. Ihre Füße und Hände sind blaß, aber schön geformt. Warum sollten die Nägel nicht lackiert sein? Ich kaufe Perlmuttlack, den schenke ich Ihnen. Ich möchte etwas mitbringen, ich komme immer mit leeren Händen, irgend etwas, das Sie noch nicht haben. Es ist schwierig, weil es hier alles gibt. Nötiges und Unnötiges.«

»Es wird Nagellack in mehreren Farbtönen im Bad stehen, von früher.«

»Wieder nichts! Aber lackieren darf ich? Meinemarie sagt, man dürfe nicht mit seinem Körper hadern, schon gar nicht mit den beschädigten Teilen, sie brauchen unsere Zuneigung, sonst rächen sie sich. Ihr Haar ist das Kräftigste an Ihnen. Ich traue mir zu, es auch zu schneiden. Oder sollten wir es hochstecken? Soll ich es versuchen? Soll ich einen Spiegel holen?«

»Sie werden keinen Spiegel finden, den man transportieren könnte. Der Wandspiegel in der Folterkammer genügt zur Kontrolle.«

»Bei mir hat sich die Natur oder Gott oder wer nun für unsere Grundausstattung zuständig ist, wenig Mühe gegeben. Nur der Haaransatz, der ist exakt, damit wäre etwas zu machen, sagt Jens.«

»Jens ist Ihr Freund?«

»Nein! Jens gehört meiner Freundin Gudrun. Er hat von ihr zum Geburtstag eine elektrische Bartschneidemaschine bekommen, für Dreitagebärte und für Siebentagebärte. Wenn er mir damit alle zwei Wochen die Haare schneidet, bekomme ich vielleicht etwas Apartes. Eine Reporterin im TV trägt das Haar ganz kurz. Und vielleicht schaffe ich mir einen Ohrring an, oder Gudrun leiht mir einen, sie trägt immer nur einen. Was meinen Sie, Chef?«

»Tun Sie mit Ihrem Kopf, was Sie für richtig halten.«

»Sie müssen mich vier Stunden lang vor Augen haben, da kann es Ihnen doch nicht gleichgültig sein, wie ich aussehe. Sie sind doch nur von schönen Dingen umgeben.«

»Von Dingen. An das menschliche Aussehen kann ich keine Ansprüche stellen.«

Paulas Vorschläge finden selten Zustimmung, meist aber auch keine Ablehnung, mehr kann sie, vorerst, nicht erwarten. Sie übernimmt die Pflege der Haare und die Pflege der Nägel, bestimmt die Farbe des Nagellacks. Ihre Munterkeit ist nicht immer echt, sie ist Programm. Meinemarie ist ihre zuverlässigste Hilfe.

»Meine Mutter, die Marie! Wenn Sie die kennenlernen könnten, Chef! Drei Jahre war sie alt, und dann auf die Flucht. Zweiter Weltkrieg! Sie ist auf der falschen Seite der Oder geboren; die linke, die nach Westen, war schon schlimm genug. ›Entweder-Oder‹, sagt sie manchmal, ›ich stamme aus dem Entweder. Die Wölfe! Die Wölfe kommen von Osten her, schwimmen durch die Oder, die ersten hat man im Oktober gesehen, im Oderbruch, vielleicht waren es verwilderte Schäferhunde? Wölfe hatten wir vor der Wende noch nicht‹, sagt Meinemarie, ›jetzt sind wir offen nach Westen und nach Osten, sogar für Wölfe.‹ Man hat die Oder mit Lichterketten überbrückt, wir haben das auf dem Bildschirm gesehen. Wenn man eine Kerze in der Hand hält, kann man nur mit der anderen Hand eine Hand ergreifen, das gibt gar keine Kette, das macht man uns nur vor, symbolisch. Wir sind keine Feinde mehr, wir sind Nachbarn; vorher waren wir auch keine Feinde, da hielt uns der Warschauer Pakt zusammen, und wie! Meinemarie hat kein Feindbild, ich auch nicht. Meinemarie wußte nicht einmal, wie ihr Geburtsort auf deutsch hieß, auf polnisch Slubice. Die Brücke gilt jetzt als Tor zum Osten, aber die Polen denken, es ist das Tor zum Westen. Die einen kaufen in Polen landwirtschaftliche Erzeugnisse ein, sie sind dort billiger, und die Polen kaufen Elektrogeräte im Westen, und nachts schwimmen die Asylsuchenden durch die Oder, Rumänen und Polen und Zigeuner. Es gibt Schlepperbanden, sagt Meinemarie, die Geld kassieren und die verschwinden, wenn es gefährlich wird. Die Flüchtenden werden zurückgeschickt und versuchen es an einer anderen Stelle in der nächsten Nacht wieder. Und irgendwann gerät es ihnen. Und wenn sie dann hier ankommen, was ist dann? Man stößt sie hin und her. Wenn ich das höre, wird mir ganz elend, dann heule ich ins Telefon. Das ist doch nichts, was ich tue! Für Ihr Wohlbefinden kann ich nicht viel tun, und dann zweifle ich auch daran, ob diese Tonfiguren wichtig sind. Berechtigen sie denn meine Existenz? Wenn ich Nachtwache mache, dann ist es anders. Und morgens und abends, da weiß ich, daß es ohne mich nicht geht. Vielleicht bin ich Ihre Existenzberechtigung? Für mich ist dies hier eine Zuflucht. Solange ich hier bin, kann mir nichts passieren, rundum Sicherheitsanlagen. Ich erzähle Ihnen von einer Welt, die Sie nicht kennen, und Sie erzählen mir nichts von einer Welt, die ich nicht kenne.«

Paula macht eine Pause, sitzt mit verschränkten Beinen auf dem Isfahan, zwischen den Vögeln.

Nach geraumer Zeit sagt Frau Herbst: »Meinemarie –?«

Und Paula nimmt das Stichwort auf: »Eine Geburts-urkunde hat sie nicht. Als es auf die Flucht ging, war ihr Vater, mein Opa, in Rußland, und dann hat die kleine Marie ihre Mutter verloren. Nicht die Mutter das Kind, sondern das Kind die Mutter. Man hat nie wieder etwas von ihr gehört oder gesehen. Nur das Kind war noch da. Die Mutter gilt als vermißt, bis heute. Manchmal sagt Meinemarie: ›Seine Mutter vermißt man ein Leben lang.‹ Die Vermißtenanzeige klebt an der Innenseite des Küchenschranks. Ich habe ein BDM-Mädel als Groß-mutter. Fünfzehn Jahre, schätze ich mal. Ein anderes Bild von ihr gibt es nicht. Die Vermißtenanzeige hat mein Opa aufgegeben, als er aus dem Lager kam, das heißt, erst war er noch im Lazarett, und dann hat er die kleine Marie aus dem Heim geholt, heimgeholt! Er hat sie sich unter den Arm geklemmt, unter den linken, der rechte war weg, das wissen Sie nun schon, der Stumpf mußte alle paar Jahre wieder amputiert werden. Er bekam Invalidenrente. Skat spielen konnte er. Richtige Turniere. Alles mit einer Hand. Meinemarie meint, daß ich die Fingerfertigkeit von meinem Opa gelernt hätte. Er wohnt in Kröllwitz, das ist ein Stadtteil von Halle, die Saale fließt vorbei. Haben Sie schon etwas von Burg Giebichenstein gehört? Da gibt es eine berühmte Töp-ferwerkstatt.«

»Giebichenstein? Der Name taucht häufiger auf, wenn es um Keramik geht. Dem Namen nach kenne ich Gie-bichenstein.«

»Wenn der Flieder blüht, dann ist es nirgendwo schö-ner als auf Giebichenstein, sagt Eichendorff. Von ihm gibt es ein Gedicht. ›. . . sah ich nimmer die Welt so schön‹, so heißt die letzte Zeile. Meinemarie hat mir das Gedicht beigebracht.«

»Eichendorff hatte wohl wenig Vergleichsmöglichkeiten.«

»Ach, Chef! Für mich war es dort schön. Ich habe wenig Vergleichsmöglichkeiten, vielleicht bekomme ich sie noch. Der Opa wohnt in einem Altbau an der anderen Saaleseite. Klo auf der halben Treppe, Ausguß im Flur, dritter Stock oder vierter? Ich weiß es schon gar nicht mehr. Braunkohle im Eimer rauf, Asche im Eimer runter. Jetzt wird Erdgas gelegt, sagt Meinemarie. Der Opa meint, die Rohre hielten das Haus noch zusammen. Die Balkonbrüstung hat er mit Bindfaden umwickelt und angeseilt, damit nichts abstürzt und jemanden auf der Straße erschlägt. Man hat Asbest entdeckt, und der muß entsorgt werden. Sollen sie mich doch gleich mit entsorgen, sagt der Opa, sagt Meinemarie. Seine Nachbarn meinen, wenn es wenigstens das Bein wäre, dann hätte er eine Prothese. Erst hat er sich die kleine Marie unter den Arm geklemmt und später mich. Ich habe gestrampelt und geheult, und getreten habe ich ihn auch. Ich konnte den Opa Sippe nicht leiden. Jeden Sonntag kam er an – kommt er noch immer und bleibt vom Mittagessen bis zum Abend. Beklagen will er sich, ändern will er nichts. Wie er sind jetzt viele. Der Opa hat ein Stück Land, Richtung Heide. Die Heide, das ist ein Wald mit Sandwegen und Kiefernwäldern und Birkenwegen, da ist es noch richtig natürlich. Er hat eine Laube, keine Datscha! Er gräbt und harkt, alles mit einem Arm. Manchmal hilft ihm Meinemarie, sie steckt dann heimlich Wickensamen an den Zaun. Sie hat es gern hübsch, hätte es gern hübsch gehabt, hat es aber nicht gekriegt, das Schöne holt sie sich aus Büchern. Von dem Fernglas erzähle ich ein anderes Mal. Heute habe ich mir vorgenommen, vom Opa und Meinermarie und der Wohnung zu erzählen. Wenn ich auf dem Fahrrad sitze und herfahre, überlege ich, was ich Ihnen erzählen könnte, aber meist bringe ich mich selbst aus dem Konzept. Und jetzt kommen die Beine an die Reihe!

Zurück! Zurück nach Halle-Kröllwitz! Mein Opa hat Bäcker gelernt. Wofür? Ein Bäcker mit einem Arm? Er bringt seine Schmutzwäsche und nimmt saubere mit nach Hause, aber das Waschen nutzt nichts. Der Opa hat einen schlechten Geruch. Er raucht. Die Zigarette klemmt im Mundwinkel, und der hängt schief runter, die Schultern sind auch schief, aber in der anderen Richtung, da habe ich immer hingestarrt: die rechte Schulter runter, der linke Mundwinkel runter. Meinemarie sagte: ›Guck doch nicht immer auf den Opa!‹ Wenn jemand fragte, was er von Beruf sei, sagte sie: ›Raucher.‹ Ich mußte ihm immer die Tasche bis zur Haltestelle tragen. Er hätte reisen können, er war ja ein Rentner, aber wir hatten niemanden im Westen. ›Das ist euer Glück‹, sagte der dicke Bruder, ›sonst gäbe es nämlich Ärger. Aus unserer Familie fährt keiner rüber, ist das klar?‹ Auf solche Fragen hat ihm keiner geantwortet. Es waren auch keine Fragen, es waren Drohungen. ›Kein Westler in die Wohnung, ist das klar?‹ Nach solch einem Satz sagte er immer: ›Ist das klar?‹ Und manchmal sagten wir anderen im Chor: ›Ist das klar?‹ Ganz ernst haben wir ihn nicht genommen, ernstlich getan hat er niemandem was. Er hat sich die Hände nicht blutig gemacht und schmutzig auch nicht, so drückt das Meinemarie aus. Nur Angst hat er gemacht, das genügt ja auch. Dafür hat er sogar noch Geld bekommen. Wir hatten einen Stasi in der Familie, und gewußt haben wir das auch. Und jetzt kriegt er Arbeitslosenunterstützung. Und die nimmt er an. Vom Klassenfeind. Wenn der dicke Bruder mal West-Fernsehen eingeschaltet hat, sagte Meinemarie: ›Was hält denn der Klassenfeind davon?‹ Auf solche Fragen hat er nicht geantwortet. ›Hauptsache, wir haben einen in der Familie, der uns vor dem bösen Klassenfeind schützt‹, sagte Meinemarie. Jeden West-Wagen, der in unserem Block stand, hat er notiert, ob der Besuch gemeldet und im Hausbuch registriert war. Und was hat er als erstes gekauft? Was er am nötigsten hatte. Pornos! Irgendwoher hatte er sogar Ersparnisse. Zwei Tage war er weg, gleich nach der Wende, und dann kommt er in einem Opel vorgefahren, secondhand gekauft, irgendwo an der ehemaligen Grenze. ›Wenn ihr wollt, könnt ihr meinen Trabi haben.‹

Die Neubauwohnung verdanken wir dem dicken Bruder. Ohne den hätten wir lange darauf warten können, Jahre! Er hatte sich Verdienste um den real existierenden Sozialismus erworben, aber jetzt will er sich nicht vom Kochtopf seiner Mutter entfernen. Vierundsechzig Mark Miete monatlich, mit Wasser und Heizung, achtzig Quadratmeter für vier Personen. Jetzt zahlen sie über fünfhundert, West. Und jetzt sind sie nur noch drei. Meinemarie und der Vater sind Frührentner. Dreimal Unterstützung, sie wird ja immer erhöht, aber alle Ausgaben werden auch erhöht. Chef! Gucken Sie mich doch nicht so an! Man wird doch vom Geld reden dürfen, alle tun das. Ich erwarte nichts von Ihnen, keine Zulagen, keine Erhöhung. Angst brauchen Sie nicht zu haben, daß meine Mischpoke mal vor Ihrer Tür stehen wird. Der Vater braucht erst mal neue Zähne, vorher läßt er sich nirgendwo sehen. Wenn sie dann doch mal kommen, gehen sie nur ums Haus, im Frühling vielleicht, vielleicht im Frühling. Sie bekommen hier noch ganz andere Dinge zu sehen. Als ich zum ersten Mal vor Ihrem Haus stand, da regnete es wie heute, so ein dünner Nieselregen, da las ich den Namen ›Herbst‹ auf dem Schild. Ich hätte doch Herzklopfen haben müssen, hatte ich aber nicht, ich wußte sofort: Hier bleibe ich, ganz egal, was das für eine Frau ist; verlockend waren die Angaben nicht. Ich hatte noch nie ein Dach über dem Kopf. Ein Dach aus roten Ziegeln und ein Schornstein, das kannte ich nur aus meinem Bilderbuch. Es stieg sogar Rauch auf, woher, weiß ich nicht, entwickelt Erdgas Rauch? Wir hatten Fernwärme. Wohnblock in Plattenbauweise, da dachte man immer, die fallen auseinander. Tun sie aber nicht. Man muß nur aufpassen, daß man bei Dunkelheit im richtigen Haus, in der richtigen Straße, im richtigen Stockwerk ankommt. Das erstaunliche ist, daß es so viele verschiedene Türschlösser und Türschlüssel gibt. Da müßte doch mal ein Schlüssel auch in eine andere Wohnungstür passen. Es sind doch die gleichen Türen, und die Möbel sind auch ähnlich und stehen an den gleichen Stellen, Sitzgarnitur und Schrankwand und Ehebetten; die Bewohner sind sich auch ähnlich, und in den Köpfen sah es auch ähnlich aus, tut es heute noch, will ich mal annehmen. Köpfe lassen sich nicht wenden. Damals sagte man ›Wendehals‹, das hört man schon gar nicht mehr. Haben Sie mal einen Wendehals gesehen? Das ist ein ganz besonderer Vogel! Alle hatten die gleichen Klamotten an. Das habe ich erst bemerkt, als man uns im Westen an den marmorierten Jeans erkannt hat, da brauchte ich den Mund nicht aufzumachen, da wußten sie schon, woher ich kam.

Keine Straßennamen! Block 517, Eingang 2. Als ich mich hier polizeilich angemeldet habe, mußte ich meine frühere Adresse angeben, Bl. 517, E 2. Da hat man mich gefragt, ob das eine Telefonnummer wäre oder ob ich in einem Postfach gewohnt hätte. Nein, habe ich gesagt, ich komme aus Ha-Neu. Das hatte hier auch noch keiner gehört. Das war eine selbständige Kommune, jetzt gehört Neustadt wieder zu Halle. Als es noch Halle an der Saale hieß, das klang schöner, da wußte man, wohin man gehörte. Jetzt habe ich vier Stunden am Tag ein Dach über dem Kopf, sitze im Trocknen, das war das erste, was ich Meinermarie erzählt habe. Wir wohnten ganz oben, unterm Flachdach, und bei Regen oder Schneematsch haben wir Schüsseln aufgestellt. Wenn die Flecken getrocknet waren, sollte mein Vater die Decke weißen, aber dann gab es keine Farbe, und dann regnete es auch schon wieder, und dann blieb es eben so. Man gewöhnt sich ja auch. Jetzt mokiert man sich über den Zustand der Wohnungen in den neuen Bundesländern. An Kritik gewöhnt man sich ebenfalls, im Gewöhnen waren wir gut, im Mundhalten auch. Jetzt probieren sie den Streik. Haben ja auch Grund, sagt

Meinemarie. Sie schreibt nicht. Schlechte Briefe will sie nicht schreiben, gute kann sie nicht schreiben. Ihre Schrift ist ungelenk, wo hätte sie es denn lernen sollen? Wem hätte sie denn schreiben sollen? Die Briefe hätte sie am eigenen Küchentisch gleich vom dicken Bruder zensieren lassen können. Für die Zettel reicht es, da malt sie Druckbuchstaben. Wenn sie nur ein einziges Mal am Telefon sagen würde: ›Komm mal nach Hause, Pusteblume!‹ Mit dem Zug sind es nur noch vier Stunden. Sagt sie aber nicht! Als ich weg bin, hat sie gesagt: ›Sieh zu, daß du auf eigenen Beinen stehen kannst, schön sind sie ja, aber stabil sind sie nicht, das müssen sie noch werden.‹ Sie sagt nicht: ›Komm!‹, und darum muß ich auch nicht lügen. Ich kann überhaupt nicht von hier weg.«

Es fehlt nicht an Gelegenheiten zu Rückfragen. Aber Rückfragen erfolgen nicht. Dieser Chef sagt nicht: Die Station wird eine Vertretung schicken. Diese Frau fragt nach niemandem. Daran wird es liegen, daß keiner nach ihr fragt, zumindest erklärt sich Paula so das Ausbleiben von Privatbriefen und das Ausbleiben von privaten Telefonanrufen.

Bevor sie die Strümpfe wieder behutsam hochrollt, gibt Paula auf einen der großen Zehen einen raschen Kuß. »Welcher ist heute dran, der rechte? Macht nichts, wenn Sie es nicht spüren, dann brauchen Sie auch nicht abzuwehren. Einen Kuß am Tag muß jeder Mensch bekommen, das müßte gesetzlich geregelt werden oder zu den Zehn Geboten gehören. Ich kann sie gar nicht auswendig, aber ich lerne sie noch. Vom Küssen ist nicht die Rede, das weiß ich. An Küssen hat es mir nicht gefehlt, nie, aber Ihnen, Chef, das merkt man. Und jetzt werden wir einige Lockerungsübungen machen, gegen die Verspannungen. Das tut mir so wohl wie Ihnen, und das Erzählen tut mir auch wohl, dann bin ich fast wieder zu Hause. Eigentlich müßte ich jedesmal ›danke‹ sagen, wenn ich hier weggehe. Ihre Kunst kann noch eine Weile warten, auch wenn man es bei den modernen Objekten nicht so genau weiß. Die meisten steigen gar nicht im Wert, sondern verschwinden wieder vom Markt, man muß einen Blick haben. Den habe ich noch lange nicht.«

»Paula!«

»Ja, Chef?«

»Wäre es denkbar, daß Sie täglich ein oder zwei Stunden länger hierblieben?«

»Denkbar schon, aber nicht machbar.«

»Ich würde es entsprechend honorieren.«

»Ach – Chef! An meiner Abendstelle bin ich unentbehrlich, da muß ich auf die Minute pünktlich sein, sonst gibt es Geschrei.«

»Muß ich es aussprechen, Paula? Sie machen sich auch hier unentbehrlich.«

»Sagen Sie das doch noch einmal. Aussprechen schadet doch nichts, nutzt aber auch nichts – es geht trotzdem nicht. Den Grund werden Sie noch kennenlernen. Aber so weit sind wir noch lange nicht. Sie meinen, weil Sie den Opa Sippe und Meinemarie und den dicken Bruder kennen, da wüßten Sie Bescheid. Von der Flucht haben Sie noch nichts gehört und von Prag nichts, den Jens kennen Sie nur dem Namen nach –. Wäre das etwa eine Herkunft für eine künftige Ärztin? Von meinem

Studium erzähle ich vielleicht morgen oder übermorgen. Ich wäre allenfalls eine Hilfsassistenzärztin geworden, allenfalls, aber lebenslänglich. Wie ich, so sieht doch keine Stationsärztin aus. Meinemarie wollte, daß ich Ärztin werde, was Besseres. Sie, Chef, waren von klein auf etwas Besseres. Aber ob es nun so viel besser war? Sie in Ihrem gepolsterten und fahrtüchtigen Stuhl und ich auf den Knien vor Ihnen? Und dann rolle ich mich hoch, und nachher trolle ich mich und komme klatschnaß und durchfroren zu Hause an. Schaffe ich es denn überhaupt? Gudrun, das ist meine Freundin, die ist auch von drüben, sie sagt: ›Du machst dir zu viele Sorgen.‹ Dabei mache ich mir die Sorgen gar nicht, ich habe sie doch.«

Es dämmert. Paula blickt in den Garten. »Ist Ihnen das aufgefallen, Chef: Die Krähen bleiben aus! Unten auf den Pappeln haben sie an jedem Nachmittag ihren Schlafplatz gesucht, ich habe das doch gesehen, und heute sind sie nicht gekommen, sie verschmähen uns. Vielleicht stört es die Vögel, wenn die Jalousien herunterrasseln?«

»Ich habe mich für die Verhaltensweise der Krähen nie interessiert.«

»Da entgeht Ihnen etwas! Vorhin habe ich eine Elster gesehen. Meinemarie sagt: ›Eine Elster kommt selten allein.‹ Als wir am vorigen Freitag telefoniert haben, habe ich für vierzig Pfennig geheult, wegen der Vögel. Die Eltern waren in unserem Vogelparadies gewesen, es war noch einmal ein sonniger Herbsttag. Meinemarie hat aufgezählt, was sie alles gesehen haben. Die Kraniche sind längst fort und die Schwarzstörche auch. Kraniche sind ihre Lieblingsvögel. Ich bin gar nicht oft mitgefahren; die beiden blieben stundenlang sitzen und guckten durch ihre Fernrohre. Mein Vater hat ein Fernrohr mit Stativ, ASIOLA oder so ähnlich, von Carl Zeiss, Jena, mit einem auswechselbaren Okular, das vergrößert 1 : 45. Oder 1 : 26? Meinemarie hat es ihm geschenkt. Sie gucken und gucken und sagen kein Wort und zeigen nur mal auf einen Tümpel oder einen Busch oder in den Himmel. Meinemarie hat auch ein Fernglas, auch von Zeiss. Es wurde gar nicht alles exportiert! Der Wind war eisig, sagt sie, da muß sie vorsichtig sein, sie bekommt Neuralgien, dann kann sie den Fön nicht hochhalten, und das muß sie doch. Haben Sie nie von unseren NSG gehört, Naturschutzgebieten? Uferschnepfen und Graureiher und Schwarzstörche, davon bekommt man hier nie etwas zu sehen oder zu hören; es war gar nicht alles verdorben, nur in Leuna sieht es schlimm aus. Als ich einmal im Frühling mitgefahren bin, da sind die ersten Lerchen aufgestiegen und haben gesungen, sie können das gleichzeitig, fliegen und singen. Wenn ich noch einmal auf die Welt kommen sollte, was man ja nicht weiß, dann als Lerche, dann fliege ich und singe ich. Wenn sie hoch in den Lüften sind, legen sie sich auf den Wind und lassen sich treiben. Es muß eine Lerchengrenze geben, bei zweihundert Metern, vielleicht noch höher? Die anderen Vögel sind immer auf Nahrungssuche, auf der Jagd nach Insekten. Aber wer singt, der frißt doch nicht! Kiebitze, ganze Schwärme von Kiebitzen habe ich gesehen! Wenn man zu nahe an ihr Gelege kommt, greifen sie an, sie nisten auf der

Erde wie die Lerchen. Kennen Sie Kiebitzeier? Sie sind grün und schwarz, scheckig. Wenn die Jungen ausgeschlüpft sind, dann findet man manchmal halbe Kiebitzeier. Meinemarie sammelt sie, und zu Ostern stellt sie einen Korb mit den Eierschalen auf den Tisch, legt Birkenzweige darunter. Das sieht schön aus, das weiß ich erst jetzt. Ob ich ihr das nie gesagt habe? Ob ich lieber Nougateier gehabt hätte? Bösewig! Dahin fahren die beiden oft. So ein hübsches kleines Dorf, warum heißt es so? Ganz in der Nähe soll die Frau von August dem Starken in einem Schloß gelebt haben, dort liegt sie auch begraben. Kein Mensch weiß das mehr, aber Meinemarie, die streift überall herum. Früher war in dem Schloß ein Heim für verlassene Kinder, das waren Kinder, deren Eltern in den Westen geflohen waren. Jetzt steht es leer, für den Fall, daß die Nachkommen Augusts des Starken Ansprüche stellen! Was macht man jetzt mit den Kindern? Guck dir die Nestpflege der Vögel gut an, das hat Meinemarie oft gesagt, wenn ich im Frühling mit nach Bösewig gefahren bin. Da war kein Mensch weit und breit. Man muß sich ruhig verhalten, das habe ich in dem Vogelkindergarten gelernt. Ich kann stundenlang in der Hocke sitzen. Wenn Meinemarie mir das Fernglas reichte, habe ich abgewinkt, ich wollte das nicht aus der Nähe sehen. Aber hier, wenn ich mal aus dem Fenster blicke, und die Krähen hocken auf den Schlafbäumen –. Wenn wir ein Fernglas hätten und ein Vogelbuch, könnten wir uns eine ganze Menge heranholen.«

»Wenn wir das wollten! Es gibt ein Vogelbuch, es gibt ein Fernglas, vielleicht ist es von Zeiss, Jena.«

»Natürlich, es gibt hier ja alles. Aber wir wollen das nicht aus der Nähe sehen?«

»Nein!«

»Bei den Eisvögeln ist das so: Wird auf der Reise in den Süden oder in den Norden ein Vogel müde, dann fliegt ein anderer unter ihn und trägt ihn eine Weile während des Fluges mit seinem Körper.«

»Wir sind keine Eisvögel.«

4

Paula hat geklingelt, die gewohnte Stimme hat im ge-
wohnten Ton aus der Sprechanlage gefragt: »Ja, bitte?«
Und Paula sagt: »Hier steht die klatschnasse und todmüde Paula und möchte hereingelassen werden.«

Sie denkt sich täglich andere Adjektive aus, um wenigstens die Sprechanlage zu erobern, sagt »tatkräftig«,
»gutwillig«, »freundlich«, »unternehmungslustig«, diesmal also »klatschnaß und todmüde«. Es ist nicht anzu-
nehmen, daß Frau Herbst auf die Auswahl der Beiworte
achtet.

Kaum ist Paula im blauen Gartenzimmer angekommen, macht sie den Vorschlag, daß man zusammen eine
Tasse Tee trinken könnte, noch besser wäre Kaffee.

»Warum sollten wir das tun? Ich pflege zu dieser Zeit
nichts zu mir zu nehmen.«

»Und ich –? Ich mache schon seit sieben Tagen
Nachtwache, auf zwei Stationen, ich habe mich vierzig
Minuten hinlegen können zwischen drei und vier; da
werden die Patienten ruhiger, die meisten schlafen sogar.«

»Was habe ich damit zu tun?«

»Sie haben mit Paula zu tun, und Paula hat mit Ihnen zu tun, nicht viel. Sie sind mein bester und bequemster Arbeitsplatz.«

»Sie wissen, wo die Küche ist. Sie werden sich zurechtfinden, die anderen Hilfskräfte tun es auch.«

»Ich finde mich überall zurecht, Chef.«

»Gehen Sie bitte vorsichtig mit dem Geschirr um.«

»Sie müssen mich nicht ermahnen, vorsichtig zu sein, ich bin dafür ausgebildet, nichts kaputtzumachen, sondern heil zu machen, ich versuche das rund um die Uhr. Und nun brauche ich keinen Tee mehr. Fangen wir mit den Beinen an, wie immer.«

Sie läßt sich auf die Knie fallen, tut, was sie immer tut, streicht und streichelt, aber: sie schweigt.

Die Deckenbeleuchtung brennt bereits, Jalousien rasseln in kurzen Abständen herunter, Wandlampen schalten sich ein.

Nach einigen Minuten fragt Frau Herbst: »Nun, was sagt Meinemarie?«

»Meinemarie sagt, daß man die Sparkasse in Kröllwitz überfallen hat. Der Täter hatte eine weiße Tüte aus Plaste – sie sagt immer noch Plaste – über dem Kopf. An Banküberfälle müssen sie sich drüben auch erst gewöhnen. Es ist eine Filiale in Kröllwitz, der Opa Sippe hat sein Geld dort, falls er was hat. Viel ist da nicht zu holen, aber ab wann ist ›viel‹ viel? Zwanzigtausend, damit kommt man doch eine Weile aus. Wir zumindest. Sie nicht! Wenn Sie sich nun einen Hund anschafften, jemanden, der Tag und Nacht bei Ihnen bleibt und nicht nach Ihrem Zeitplan kommt und geht? Der Hund legt seinen Kopf auf Ihre Knie, und Sie könnten ihn streicheln, und Sie müßten sich nicht nur von Paula streicheln lassen. Und wenn irgendwo ein Geräusch wäre, würde er anschlagen; vor Hunden haben Einbrecher Angst, mehr als vor Schußwaffen. Ich könnte ja ein paarmal mit ihm ums Viertel gehen, und morgens tut das auch jemand, und nachts liegt er neben Ihrem Bett, und wenn er nicht zu groß ist, liegt er vielleicht am Fußende und wärmt Ihre Füße, die sind doch immer kühl. Was soll er an Ihren Füßen – Entschuldigung!«

Paula läßt die Hände sinken, legt sie sich ins Kreuz, unterbricht ihre Tätigkeit und ihren Hundevorschlag. »Moment, Moment mal, Chef, es geht nicht weiter. Mein Kreuz tut weh, mir ist schlecht, mir ist hundsmiserabel schlecht. Wie ich aussehe, das habe ich heute morgen im Spiegel gesehen, als ich aus dem Nachtdienst kam. Gudrun sagt: ›Du gehörst ins Bett!‹ Vor Ihnen kann man auf den Knien liegen und sich vor Bauchweh krümmen, und Sie nehmen das überhaupt nicht wahr. Warum meinen Sie denn, daß ich soviel rede? Ich unterhalte nicht nur Sie, ich unterhalte mich selbst, ich versuche mir klarzuwerden über Osten und Westen, über den Unterschied zwischen dem real existierenden Sozialismus und dem real existierenden Egoismus. Ich habe Bauchweh! Erinnern Sie sich, daß Frauen in regelmäßigen Abständen Bauchweh haben und sehr behindert sind, zum Beispiel beim Radfahren. Dabei muß ich doch froh sein, daß die Regel bei mir die Regel ist, aber was ist denn das für eine Sorte von Frohsein-müssen? Bei Gudrun ist die Regel die Ausnahme, sie führt ein anderes Leben als ich, aber Gudrun ist in

Ordnung! Könnte es sein, Chef, daß Sie einen Arznei-mittelschrank besitzen, in dem es Schmerztabletten gibt? Ich bin knapp bei Kasse, außerdem ist Mittwoch, und die Apotheken sind geschlossen; ich konnte mich zu Hause keine zehn Minuten ausruhen.«

»Wenn Sie mal eine Pause einlegen würden, könnte ich sagen, daß im Badezimmer ein Arzneischrank hängt, in dem sich vermutlich Schmerztabletten befin-den. Achten Sie auf das Verfallsdatum, und dann ko-chen Sie sich meinetwegen einen Tee, wenn es Ihnen nutzt.«

»Und nachher, wenn Sie unter Ihrem Vorhang schla-fen, kümmere ich mich um den Kunstmarkt. Ich inter-essiere mich ja auch dafür, so gut ich kann.« Paula spricht schneller und schneller. »Aber jetzt muß ich mich erst einmal trockenlegen; es ist ein ziemlich dunk-ler Tag heute, und bei Ihnen ist es ziemlich kühl. Wenn man keine Decke auf den Knien liegen hat und wenn man übermüdet ist, dann friert man leicht, es geht mir nicht schlecht, Chef, es geht mir sehr schlecht –«

Sie bricht ab. Solange sie redet, weint sie nicht, sie weint auch jetzt nicht, sondern heult, was nicht lange andauert.

Als sie aus dem Badezimmer zurückkommt, redet sie weiter: »Ich bin gereizt, Chef, und dickköpfig, entschul-digen Sie. Wenn ich meinen Dienst im Hedwig-Kran-kenhaus antrete, gehe ich von einem Zimmer ins andere und von einem Bett zum anderen und frage freundlich: ›Wie geht es denn heute?‹ Und morgens, wenn ich Fieberthermometer verteile und Puls fühle, frage ich: ›Konnten Sie ein wenig schlafen?‹ Ich mache freundliche kleine Sätze, streichle auch mal über eine Decke oder über den Handrücken, obwohl man das eigentlich nicht tun soll; keine unnötigen Körperkontakte! Ich lächle. Meist bekomme ich kein Lächeln zurück. Noch nie hat mich ein Patient gefragt: ›Wie geht es Ihnen denn, Schwester? Sie sehen heute aber blaß aus. Gab es viel zu tun, sind Sie nicht zur Ruhe gekommen?‹ Dunkle Ringe unter den Augen, so wacklig auf den Beinen, daß ich mich an der Bettstange festhalten muß, aber das Befinden der Nachtschwester interessiert keinen, auch die Ärzte nicht, deren Dienst ist noch länger, aber sie haben doch mal eine Pause, Ärzte müssen geschont werden. Wenn es ruhig ist, traue ich mich nicht zu schlafen, ich würde die Klingel nicht hören. Ich schlafe wie tot, wenn ich erst mal schlafe; zu Hause muß man mich wach rütteln, das tut man auch, und wie! Ich brauche nicht viel Schlaf, ich bekomme auch nicht viel Schlaf. Ich werde einfach zwei Jahre früher sterben und mich ausschlafen, das wird doch genügen. – Das haben Sie nun auch mal erlebt, Chef, einen Anfall von Selbstmitleid. Das passiert sonst nur, wenn ich allein bin, und allein bin ich nie, oder mal für vierzig Pfennig im Telefonhäuschen, bei Meinermarie, die kennt das, sie nimmt das nicht tragisch. ›Heul du nur‹, sagt sie. Ich weiß nicht, wie viele Tränen man mitbekommt, wie lange das Reservoir reichen muß und ob es sich immer wieder füllt. Ihres scheint leer zu sein, wundern würde mich das nicht. Dieses Häufchen Elend, das vor Ihnen auf den Knien liegt, wollte mal Ärztin werden! Die Patienten würden mich doch nur für eine Hilfskraft halten, und das bin ich ja auch geworden, eine unterbezahlte Hilfskraft. Eine abgebrochene und zusammengebrochene Ärztin, eine unfertige Krankenschwester.«

Ein neuer Tränenschwall. Es hat sich viel angestaut. »Gucken Sie weg, Chef, hören Sie einfach nicht zu, es geht vorüber. Jetzt sehen Sie durch mich durch, wie es mein dicker Bruder getan hat, wenn er gesagt hat: ›Deinetwegen lasse ich doch meinen Kaffee nicht kalt werden.‹ Das brauchte er gar nicht, aber zu sagen brauchte er es doch auch nicht; Sie tun das nicht, Sie sehen nur so aus. Ich laufe nur deshalb nicht von hier weg, weil ich mich schäme, daß ich weglaufen kann, und Sie können es nicht. Ob Ihnen niemals mehr etwas unter die Haut geht? Ich meine, von dem, was ich Ihnen alles erzähle. Nein –? Bei mir geht so viel unter die Haut, sie muß dünner sein. Pusteblume.«

»Am besten wird es doch wohl sein, wenn Sie jetzt nach Hause gehen, Paula. Bis zum Abend kann ich mich behelfen.«

»Für Sie wäre es das beste, Chef, aber nicht für mich. Mein Tag ist auch programmiert, da darf man nichts durcheinanderbringen. Es regnet, auf dem Fahrrad wird man sehr naß. Wenn ich eine Weile auf dem Teppich liegen und mich in eine Decke einrollen dürfte, dann wirkt die Tablette, dann mache ich alles, was ich tun soll. So gut wie hier habe ich es doch sonst nicht. Manchmal kontrolliere ich die Angaben auf Ihrer Karteikarte. ›Wohlhabend‹. ›Schwierig‹. ›Kontaktarm‹. ›Alleinstehend‹. Als ich Sie dann gesehen habe, beim ersten Mal, da habe ich zum ersten Mal das Wort begriffen; es stimmt gar nicht, Sie können ja nicht allein stehen, und da habe ich beschlossen, ich wollte Sie liebgewinnen, aber Sie lassen das ja nicht zu. Wenn Sie Kinder hätten, würden Sie die auch nicht liebhaben? Sie sehen durch mich hindurch, als warteten Sie auf jemand ganz andern.«

»Das tue ich. Ich warte auf den Tod.«

»Da können Sie lange warten. Er wartet auf uns, lauert uns auf, der ist schon bei der Geburt dabei, und vor allem vorher, bei der Zeugung, da erwischt er die meisten, oder bei der Fristenlösung. Aber später, später läßt er auf sich warten, das erlebe ich in den Altenpflegeheimen, wo ich die Fußpflege mache. Als ob der Tod eine Abneigung gegen alte, kranke Menschen hätte. Am liebsten hat er Sportunfälle, Autounfälle – peng! Wieder passiert. Entschuldigung. Wenn ich über Sie, über diesen Unfall Bescheid wüßte, passierte mir das nicht. Sie sind dem Tod entwischt, und jetzt, wo Sie ihn haben wollen, rächt er sich.«

»Woher kommen Ihnen solche Gedanken?«

»Gedanken kommen vom Denken. Ich sehe mich ja auch um. Ich habe mal zwei Monate auf einer Unfallstation gearbeitet, als Hilfskraft. Hilfskräfte sehen viel und können wenig helfen. Ich sah Krankenwagen, hörte Martinshörner. Im Morgengrauen fuhren die Leichenwagen aus dem Klinikgelände, und ich dachte: Wer liegt drin? Habe ich ihn gesehen? Hätte ich bei ihm bleiben müssen? Wird er vermißt? Ist es besser, wenn er vermißt wird? Oder ist es besser, wenn keiner trauert? Ich kenne einen Pfarrer, mit dem rede ich manchmal. Eigentlich redet er mit mir. Neulich hat er eine Frau beerdigt, er sagt immer ›beigesetzt‹, und da war gar keiner da, und dann hat er ein Gebet gesprochen, und die beiden

Totengräber haben sich neben ihn gestellt. Manchmal denke ich, das wäre doch ein Beruf: Leidtragende. Die fehlenden Leidtragenden ersetzen. Wäre ich nicht ein geeignetes Klageweib? Wenn es drauf ankommt, heule ich drauflos. Jetzt hätten Sie beinahe gelacht, Chef. Ich könnte doch stellvertretend weinen, irgend etwas hat man doch immer zu weinen. Neulich habe ich Ihnen von den Elfjährigen erzählt, die einen kleinen Jungen ermordet haben. Ich versuche immer, die Rollen zu tauschen. Wenn Sie nun am Steuer gesessen hätten, und jetzt säße Ihr Mann, wo Sie sitzen. Wäre das denn besser? Ich frage doch nur, Chef, eine Antwort erwarte ich nicht.

Ist es schon Zeit, daß ich das Faxgerät einschalte? Mit der Kartei bin ich bald fertig. Soll ich Ihnen Ihre Verdunkelung reichen? Ich fürchte mich manchmal, ich denke, es hockt ein großer Vogel darunter, und gleich wird er einen entsetzlichen Schrei ausstoßen. Wenn Sie atmen, bewegt sich das Tuch. Wie kann man sich denn nur vor Ihnen fürchten?«

Paula holt das leichte Tuch, hängt es über ihren eigenen Kopf. »Fürchten Sie sich jetzt vor mir, Chef? Nein –? Niemand fürchtet sich vor Paula.«

Sie verhängt die Patientin, schaltet das Faxgerät ein und nimmt ihre Tätigkeit auf.

5

‹Jeder Mensch muß den Widerspruch ertragen,
sich als Mittelpunkt der Welt zu erleben, aber genau zu wissen, daß er völlig überflüssig ist.›

Horkheimer

Paula schließt ihr Fahrrad am Gartentor an, hängt sich
den wasserdichten kleinen Rucksack über die Schulter,
aus dem sie in der Diele den dicken Aktenordner zieht.
Dann erst klopft sie, sagt »hallo« und im selben Atemzug: »Bitte! Ich will nicht Einblick in die Akte Herbst
nehmen, ich habe sie ungelesen wieder mitgebracht. Es
ist jetzt soweit. Ich werde mich auf den Teppich setzen,
und ich werde Sie nicht unterbrechen. Ich werde warten, bis Sie anfangen. Die Pausen werde ich einhalten
oder aushalten, ich werde es zumindest versuchen. Sie
müssen mich nicht schonen, ich halte was aus. Es gibt
doch eine Vorgeschichte? Eine Geschichte vor der Geschichte? Was war vor dem Unfall? Wo wollten Sie
denn hin? Sie haben einmal angedeutet, zumindest habe
ich es so verstanden, als ob jener Herr Herbst gar nicht
hier gewohnt hätte. Ich habe mir etwas zusammengereimt, Chef.«

»– gereimt? Gereimt hat sich nichts. Gut, bringen wir
das hinter uns. Reichen Sie mir das Tuch. Ich muß für
mich sein, sonst spreche ich nicht.«

71

Als sie unter ihrem Tuch verborgen ist und Paula auf dem Teppich Platz genommen hat, dauert es noch Minuten bis zum ersten Satz.

»Der Termin beim Landgericht war auf elf Uhr dreißig angesetzt. Herbst gegen Herbst. Er holte mich ab, ich hätte mit meinem eigenen Wagen fahren können. Später wurde ich danach gefragt, warum nicht. Ich weiß es nicht. Es wurde von Tötungsabsicht gesprochen. Mord. Aber wenn ein Mord geplant war, dann ist aus dem Mord ein Selbstmord geworden, auch das war nicht nachzuweisen; ein technischer Fehler an seinem Wagen konnte nicht festgestellt werden. Menschliches Versagen, darauf kommt schließlich alles heraus. Scheidung, Unfall, Tod, Rollstuhl. Herbst ist auf ein – genauer unter ein – stehendes Müllauto gefahren, in hohem Tempo, Bremsspuren ließen sich nicht feststellen. Herzversagen des Fahrers? Vielleicht. Sein Herz versagte leicht.«

Schon mischt Paula sich mit einer Frage ein: »Hinten auf dem Müllauto stehen doch immer die Müllmänner –«

»Vermutlich standen sie zu diesem Zeitpunkt nicht dort. Wir steckten im Müll. Schneidbrenner, Wasserschläuche – so habe ich es mir vorgestellt. Man hat die Patientin geschont. ›Verschonen wir sie mit Details.‹ Ich habe mir später die Zeitungsberichte aushändigen und diese Akte anlegen lassen. Als ich mir selbst ein Bild von dem Unfall gemacht hatte, habe ich gefragt, den Professor, den Anwalt, die Pfleger, die Schwestern: ›Warum hat man mich nicht auf die Müllhalde gekippt?‹«

Paula rutscht zum Rollstuhl, legt ihren Kopf auf den gefühllosen Schoß. »Das kann ich mir nicht vorstellen, das will ich mir nicht vorstellen! Wie ging es weiter? Ihr Mann war auf der Stelle tot, und Sie wurden seine Witwe und nicht die geschiedene Frau Herbst?«

»Man hat mich mit einem Hubschrauber befördert, auf das Dach jener Klinik, in der ich einige Monate verbracht habe. Wenn ich später hörte, daß wieder ein Hubschrauber landete, habe ich mir vorgestellt, wen man einliefert, gefragt habe ich nicht, man hätte mir auch nicht geantwortet. Drei Monate habe ich fest gelegen, später hat man angefangen, mich zu mobilisieren. Der Professor sagte: ›Wenn Sie Auskünfte wollen – ungefragt stelle ich keine Prognosen.‹ Aber ich habe nicht gefragt. Was hätte mir die Wahrheit genutzt? Allmählich, ganz allmählich und manchmal auch in großen Schüben bin ich dahintergekommen. Man hat meine Handtasche gefunden, den Hausschlüssel gefunden, jemand hat mir einen Koffer gebracht mit den Dingen, die man in einer Klinik braucht: Hausschuhe, Bademantel, Toilettenartikel. Ich brauchte sie nicht. Ich brauchte keine Nachthemden, ich brauchte keinen Kamm.«

»Wer war der Jemand?«

»Ein andermal. Ein andermal erzähle ich vielleicht von dem Jemand, vermutlich werde ich es aber nicht tun.«

»Das müssen Sie aber! Wann setzt Ihr Bewußtsein, Ihre eigene Erinnerung ein?«

»Ich tauchte auf und erkannte, daß ich auf einer Intensivstation lag, die kennt man vom Bildschirm.

Intensivstationen sind beliebte Schauplätze. Ich sah als erstes einen Apparat und dachte: Das ist eine Kamera, die sich auf mich richtet. Dann beugte sich ein Kopf über mich, fragte: ›Wie heißt sie?‹ Rief dann mehrmals laut meinen Namen, klopfte auf meine Wange, ich hörte von weit her: ›Herbst! Herbst! Herbst!‹ Und dann sackte ich weg. Es gelang mir später, Bewußtlosigkeit zu simulieren, auch während der Visite. ›Die Patientin ist nicht ansprechbar.‹ Der Stationsarzt war ein Perser. Es dauerte einige Zeit, bis ich herausfand, daß ich in jener Klinik lag, an der ich oft vorbeigefahren bin, von innen kannte ich sie nicht, ich kannte überhaupt keine Klinik von innen; ich war eine ungelernte Patientin. Die Pfleger schlugen meine Decke zurück, der Professor sagte: ›Wenn die Patientin bei Bewußtsein ist, verständigen Sie mich, ich werde es ihr persönlich mitteilen.‹ Es – was für ein ›es‹ war das? Ich nahm jene Körperteile wahr, die schmerzten, das waren viele. Fraktur des rechten Hüftgelenks, Rippenfrakturen, Fraktur des linken Handgelenks, der rechten Schulter, Prellungen, Kopfverletzung. Drei, manchmal vier Pfleger waren nötig, um die Lage meines Körpers zu verändern. Ich nahm Hände wahr, Gerüche, Gespräche. Man unterhielt sich über mich hinweg. Wann war Tag, wann war Nacht? Dann stand eine Schwester an meinem Bett und sagte, daß ich nach Ansicht des Professors vernehmungsfähig sei. Da war mir der Tatbestand der Querschnittlähmung bereits bekannt. ›Oberkörper und Arme werden Sie vermutlich frei bewegen können.‹ Vermutlich, alles mit dem Zusatz: vermutlich. Man erkundigte sich, wen man verständigen solle, kurze Besuche seien jetzt gestattet. Ich war die Patientin von 257, ich hieß monatelang ›die Patientin‹. Vor meiner Zimmertür fanden Gespräche über mich statt, Stationsarzt, Stationsschwester, Pfleger orientierten den Chef, der orientierte seinerseits den Pulk der begleitenden Assistenzärzte. Einmal habe ich mich erkundigt, ob man diese Gespräche über mich nicht in meiner Gegenwart führen könne, was abgelehnt wurde. Im Interesse der Patientin. Der Chefarzt teilte den Zuschauern und Zuhörern mit, daß nun alles vom Lebenswillen der Patientin abhänge. Er sah seine Zuhörer an, nicht mich. Ich galt als kompliziert, labil, der fehlende Lebenswille wurde beanstandet. Jemand sagte: ›In den Beinen hat sie dann wenigstens keine Schmerzen.‹ Als ich wieder allein war, habe ich mit der Hand, die ich bewegen konnte, nach meinen Beinen getastet, nichts gespürt und endlich begriffen. So etwa am fünften oder sechsten Tag hat der Professor ›übrigens‹ gesagt, er fing die meisten Sätze mit ›übrigens‹ an. ›Übrigens ist Ihr Mann nicht mit dem Leben davongekommen.‹ Er erwartete eine Reaktion. Ich fragte zurück: ›Mein Mann?‹ – ›Ihr Mann. Die Unfallursache ist noch ungeklärt, für diese Fragen bin ich nicht zuständig. Wenn Sie Auskünfte haben wollen, ungefragt stelle ich keine Prognosen.‹ Der Satz wiederholte sich. Ich habe nicht gefragt. Was hätte mir die Wahrheit genutzt. Einige Zeit habe ich wohl noch gehofft, daß die Lähmungen verschwänden wie ein Spuk. Sehr viel später erinnerte ich mich, daß Herbst im Auto gesagt hatte: ›Bringen wir es rasch hinter uns.‹ Vermutlich hat er nichts weiter gesagt, und ich habe dazu geschwiegen, wie meist.«

»Im Schweigen sind Sie sehr gut! Bitte, bitte reden Sie weiter. Ich will das alles wissen! Ganz genau!«

»Es wäre besser gewesen, wenn ich umgekommen wäre. Als mir das klargeworden war, habe ich geweint, es hat aus mir herausgeweint. Eine der Schwestern hat gesagt: ›Wenn Sie so weitermachen, müssen wir Ihnen den Tropf häufiger erneuern.‹ Die Patientin weint so viel! – Lassen Sie sie weinen, das ist ein Reinigungsprozeß des Körpers. Irgendwann hatte ich ausgeweint. Die Tränen waren versiegt, so nennt man das wohl. Seitdem keine Träne mehr. Die Fleischwunden heilten, die Frakturen waren gerenkt, genagelt, gegipst. Wenn eine Schwester ins Zimmer kam und ›hallo‹ sagte, habe ich ›hallo‹ gesagt, wenn sie ›tschüs‹ sagte, habe ich ›tschüs‹ gesagt. ›Es bemühen sich viele um Sie, gnädige Frau‹, sagte der Professor, er redete mich mit ›gnädige Frau‹ an, vermutlich hat er sich meinen Namen nicht gemerkt. Ich habe, das war bei einer Abendvisite, gesagt: ›Heute waren es siebzehn.‹ Er fragte: ›Siebzehn – was?‹ Ich sagte, daß sich heute siebzehn Pflegepersonen um mich bemüht hätten, ich sei allerdings noch nicht zur Nacht versorgt worden, ihn hätte ich nicht mitgezählt. Was sollte er darauf antworten? Ich hatte eine Feststellung gemacht, nicht gefragt. Weiterhin wurde über mein Bett hinweg in der dritten Person von mir gesprochen. Die Patientin. Alle drei Stunden wurde meine Lage verändert. Ein Pfleger, zwei Schwestern. ›Dann wollen wir mal wieder‹, und dann faßten sie zu. Rückenlage, Seitenlage, Spritzen, Verbandswechsel, Röntgen, Ultraschall, EKG, Blutdruck. Ein Herzspezialist wurde zu Rate gezogen, der Chefarzt für Stoffwechselerkrankungen wurde zu Rate gezogen; eine Privatpatientin hat Anspruch auf Chefärzte, Balkonzimmer, Dusche, WC. Was letzteres angeht – ein Pfleger hat gesagt: ›Wenn sie oft genug in ihrer eigenen Scheiße gelegen hat, lernt sie es. Nur so!‹ Zum Wochenende wurden regelmäßig Blumen von jemandem geschickt, der Jahreszeit entsprechend.«

»Von jenem Jemand?«

»Von jenem Jemand. ›An der nötigen Pflege fehlt es Ihnen nicht?‹ Diese Frage wiederholte sich, wurde von mir mit: ›Mehr als nötige Pflege erwarte ich nicht‹ beantwortet. Die Pfarrer beider Konfessionen schauten bei mir herein. Der protestantische Pfarrer sagte, daß unsere Kirche einen besonders schönen Choral habe, in dem es heißt: ›Führst Du uns durch rauhe Wege, gib uns auch die nöt'ge Pflege.‹ Sie ließen Fotokarten mit einem passenden Spruch zurück, stellten sie auf den Tisch, auf dem sie das Bild eines lieben Angehörigen vermißten. Gebirgsbächlein, Brünnlein und wiederholt Fußspuren am Strand, daran erinnere ich mich. Zwei Fußspuren, zwei Menschen, nah beieinander, eine Spur verschwand für kurze Strecken. Wer das Symbol nicht selbst erkannt hatte, bekam es auf der Rückseite erklärt. Die eine Fußspur war die des Schutzengels, der uns auf allen unseren Wegen begleitet, und dort, wo man nur eine Spur sah, dort hat er uns getragen. Sehr passend war es nicht ausgewählt, man hätte die Radspuren eines Rollstuhls fotografieren sollen. Wenn der Sand feucht und fest ist, kann man vermutlich auch am Strand fahren, falls der Anblick eines Behinderten die Erholungssuchenden nicht verletzt. Oder das Salzwasser den Spei-

chen schadet. Ich bin – früher – gern am Strand radge-
fahren, manchmal war ich im September ein oder zwei
Wochen auf Spiekeroog.«

»Wo liegt das?«

»Eine ostfriesische Insel, Nordsee. Herbst, ich spreche von meinem früheren Mann, bevorzugte Sylt, er
hatte dort potente Kunden, potent war eines seiner
meistgebrauchten Adjektive.«

»Ist das alles im Hedwig-Krankenhaus passiert? Ich
mache dort Nachtwache, pro Monat zehn Nächte. Erzählen Sie weiter! Alles hört sich anders an, wenn Sie es
schildern. Ich habe manchmal gedacht, man müßte als
Schwester für kurze Zeit Patient in der eigenen Klinik
sein, beide Arme in Gips. So eine Patientin haben wir
dort. Sie kann sich nicht die Nase putzen, kann nicht
kratzen, wenn es juckt, von anderen Bedürfnissen brauchen wir gar nicht zu reden, jetzt kann sie mit zwei Fingern die Klingel bedienen. Die Patienten meinen, das
Abwischen des Hintern sei das Schlimmste in unserem
Beruf, dabei ist das Routine, da denkt man sich nichts,
das muß eben sein.«

»Kann ich –?«

»Bitte.«

»Nach einigen Wochen hat mir eine Schwester das
Haar gewaschen, vorher hatte man lediglich Dreck und
Blut rausgeschnitten. Es hieß: Sie haben ja Naturlocken!
Diese Feststellung wurde mehrfach gemacht, lobend, als
trüge es zu meiner Genesung bei. Man bewilligte mir
wenig Schmerzmittel. Die Patientin darf nicht abhängig
werden! Irgendwann wurde dann das Wort Rollstuhl
gebraucht. Die Krankengymnastin ließ mich in den

Gymnastikraum bringen. ›Dort sind die Gegebenheiten besser, dort bekommen Sie andere Kranke zu sehen, die genauso dran sind, die meisten schlimmer, das wird Ihre Energien beleben.‹ Auf jedem Behandlungstisch ein Behinderter, ein Behandelnder daneben. Kommandos. Locker lassen, ausrichten, anheben, gegendrücken, rechts – rechts! Man wußte nicht genau, wem der Befehl galt. Meine Krankengymnastin sagte: ›Bitte‹, jedes dritte Wort war ›bitte‹. Rechts, bitte! Locker lassen, bitte! Von der Unfallstation in die Orthopädie, später in die Rehabilitation. Jemand sagte: ›Jetzt wollen Sie bestimmt an das Grab Ihres Mannes fahren. Das wird dann Ihr erster Ausflug sein!‹ Ich sagte, das sei ein guter Gedanke. Man stellte mir Fallen, man wollte sehen, wie ich reagiere. Natürlich habe ich an Selbstmord gedacht. Aber wie –? Am besten, man geht ins Wasser, heißt es. Man geht. Das fiel aus. Der Sprung von der Brücke: fiel aus. Erfrieren, in Eis und Schnee und vorher Alkohol, das hatte ich gelesen – wie kommt man dahin? Ich gehe nicht einmal vor die Hunde, draufgegangen bin ich auch nicht. Alle Tätigkeitsworte mit ›gehen‹ fielen aus. Ich wurde so empfindlich, daß ich die übliche Frage: ›Wie geht's?‹ nicht mehr beantwortet habe; es ging eben nicht. Nichts. Bei den Eskimos wickelt man die Alten in warme Tücher, gibt ihnen Schnaps zu trinken, legt sie in ein Boot und schiebt das Boot aufs Meer hinaus, Betrunkene erfrieren leicht. Ich bin kein Eskimo, ich bin nicht alt. Aber die Todesart ist einleuchtend. Wenn es regnete, hieß es: ›Sie versäumen nichts!‹ War Glatteis, konnte ich doch froh sein; ich hatte mir die richtige Jahreszeit ausgesucht, besser im Herbst als im Frühling. Eine der

Nachtschwestern schien mich gern zu haben. Als sie mir eine weitere Beruhigungsspritze gegeben hatte, blieb sie einen Augenblick an meinem Bett stehen. ›Sie muß man doch gern haben, auch gegen Ihren Willen, es heißt doch gern-haben-müssen.‹ Darüber habe ich nachgedacht. Am nächsten Abend fragte ich sie nach ihrem Namen, sie hieß Schwester Bertie. Einmal hat sie mein Gesicht in ihre Hände genommen und gesagt: ›Besser wird es werden, gut wird es nicht.‹ Ihr Mann saß auch im Rollstuhl, nach einem Betriebsunfall. Nachts brauche er sie nicht, Nachtdienst würde besser bezahlt, seine Rente sei nicht hoch. Ich habe mir ausgerechnet, wann sie wieder Dienst haben würde. Nach meiner Entlassung wollte sie mich besuchen. Ich habe dann aber jegliche Verbindung zwischen der Klinik und diesem Haus abgelehnt. Man hatte mir ein Rundfunkgerät hingestellt, man hat mir ein Fernsehgerät angeboten. ›Sie versäumen die deutsche Einheit! Sie nehmen nichts von der unblutigen Revolution wahr!‹ Das Personal redete von Leipzig, vom Fall der Mauer in Berlin. Eine der Krankenschwestern war an ihrem freien Tag in Berlin gewesen; sie brachte ›allen ihren Kranken‹ ein Stück der Mauer mit, es lag dann auf meinem Nachttisch, bis jemand fragte, ob er es haben könne. Warum nicht? Die Wende! Ich hatte meine eigene Wende. Meine Interesselosigkeit am Weltgeschehen wurde beanstandet, wurde aber auch gelobt. ›Die Kranke konzentriert sich auf die Wiederherstellung der eigenen Person.‹ Was noch? Ich besaß ein Seidentuch, das ich mir eigenhändig über das Gesicht legen konnte, damit nicht jeder hineinstarrte, der ins Zimmer kam.«

»Dieses Tuch?« fragt Paula. »Dasselbe, das ich Ihnen immer überhängen muß?«

»Dasselbe.«

»Sie wollen nicht, daß ich Sie anstarre?«

»So ist es.«

»Ich habe noch nie einem Schlafenden ins Gesicht geblickt«, sagt Paula, verbessert sich aber: »Stimmt nicht! Nachts tue ich das immer. Ich muß kontrollieren, ob der Kranke lebt und schläft oder –. Und weiter?«

»Jeder Pfleger und jede Krankenschwester soll sich bei jedem Patienten auskennen, das hat man mir erklärt. Ich habe nicht den Versuch gemacht, diese Sigis und Sonjas und Uwes auseinanderzuhalten, an manchen Tagen waren achtundzwanzig Personen für mich zuständig.«

»Ich war einmal drei Tage in einem Krankenhaus, da war ich schon seit neun Monaten im Westen, keine richtige Patientin und schon gar keine Privatpatientin.«

Eine Rückfrage erfolgt nicht. Was sind drei Tage, wenn es um Monate geht?

»Keine Raucherin! Keine Alkoholikerin! Der Heilvorgang wurde gelobt. Trotzdem hatte ich den Eindruck, daß ich den reibungslosen Ablauf des Klinikalltags störte. Patienten waren hinderlich, ohne uns hätte alles besser funktioniert.«

Paula lacht auf. »Das stimmt! Das haben wir manchmal gesagt: ›Wenn nur die Kranken nicht wären!‹ Das war noch drüben, in Halle.«

»Ich war übrigens nicht nur für die Ärzte ein interessanter Fall, sondern auch für die Versicherungsgesellschaften. Wer war zuständig? Ein Sachbearbeiter der

Lebensversicherungsgesellschaft machte mir einen Besuch, nach erfolgter Rücksprache mit dem Stationsarzt und nach Anmeldung bei der Begünstigten. Eine persönliche Inaugenscheinnahme sei nötig, es ginge ja auch um meine Lebenserwartung, die sich nach schweren Unfällen –. Ich habe das alles eingesehen. Ich war eine Witwe, die Scheidungsklage kam zu den Akten. Sela. Psalmenende.« Sie streift das Tuch beiseite, es fällt zu Boden.

Paula hebt den Kopf. »Ich habe mir inzwischen doch noch einiges zusammengereimt. Dieser Jemand ist eine Frau, dieser Jemand war die Scheidungsursache. Unterbrechen Sie mich, wenn es ganz falsch ist! Dieser Jemand war eine Mitarbeiterin von Herbst, Immobilien. Sie führt das Büro weiter, sie hat den Umbau dieses Hauses veranlaßt? Sie ist es, die die Blumen schicken ließ und weiterhin jeden Donnerstagnachmittag schicken läßt? Diese Frau bringt das Geld ein, und Sie sind so etwas wie ein stiller Teilhaber. Nennt man das so?«

»Ein sehr stiller Teilhaber.«

»Ohne arbeiten zu müssen?«

»Mein Geld arbeitet.«

»Schon wieder ein Kapitel im real existierenden Egoismus gelernt! Ich meine: Kapitalismus! Diese Frau arbeitet jetzt allein, lebt allein?«

»Beides nicht. Es gibt Mitarbeiter. Sie lebt vermutlich mit dem Notar zusammen, der die schwierige Rechtslage geklärt hat.«

»So geht das vor sich? Hatte dieser Notar denn keine Lust auf Sie und dieses Haus? Je reicher man ist, desto komplizierter wird alles, habe ich das richtig verstanden?«

»Ich war nie arm, die Art von Armut, die Sie meinen, habe ich nie kennengelernt.«

»Kann ich mich mal zwischen die blauen Vögel legen und nachdenken, Chef?«

»Sie waren gewarnt, Paula.«

»Mich kann man gar nicht genug warnen. Es muß alles anders werden mit uns. Mit Ihnen und mir geht es ja schon ganz gut, und in unserer Wohngemeinschaft geht es oft sogar sehr gut. Mit der Welt, meine ich! Ich bin schon wieder in ein System hineingeraten. Alle kümmern sich nur um die eigenen Angelegenheiten, Sie um Ihre Tonfiguren und den Kunstmarkt, ich –. Demnächst erzähle ich Ihnen, um was ich mich kümmere. Hier ist Ihr Tuch, verhüllen Sie sich wieder, und ich liege jetzt mindestens zehn Minuten lang zwischen den blauen Vögeln.«

Sie reicht das Tuch, streicht über das verborgene Gesicht, legt sich auf den Teppich und sagt nach einiger Zeit des Schweigens: »Ich muß noch mal etwas fragen. Was hat Sie mit diesem Mann zusammengebracht? War er reich, war er schön, war er verliebt?«

»Er liebte schöne Häuser und schöne Frauen, an dieses schöne Haus konnte er nur durch meinen Erwerb kommen. Ob er verliebt war? War ich verliebt? Ich erinnere mich nicht mehr. Ich konnte dieses kostspielige Haus nicht halten, ich hatte eine Trennung hinter mir, ich wollte mich nicht auch noch von diesem Haus trennen. Ich hatte einen guten Blick für Häuser. Ich konnte sehen, ob ein Haus und ein Mensch zusammenpassen. Oft kam der entscheidende Satz von mir, meist bei einem festlichen Essen, darauf verstand er sich, ich meine: Herbst. Den geschäftlichen Teil machte er. Ich war ihm vermutlich überlegen –«

»Bestimmt!«

Die Patientin schlägt das Tuch zurück. »Bringen wir das Kapitel Herbst zu Ende. Er gehörte zu den Männern, die Bewunderung brauchen und keineswegs im Schatten einer Frau stehen wollen. Es gab eine junge Mitarbeiterin, tüchtig und zur Bewunderung bereit. Ich habe davon sehr spät erfahren, mißtrauisch bin ich nicht. Als ich es endlich wußte, bestand ich auf Trennung, dann auch auf Scheidung. Die notariellen Abmachungen sollten anschließend erfolgen. Wir hielten das beide für richtig. Ich wollte unmittelbar nach der erfolgten Scheidung verreisen. Ein letztes gemeinsames Essen mit Herbst hatte ich ausgeschlagen. Meine Koffer waren bereits gepackt, standen in der Diele. – Ich ließ ein Schild an der Tür meines Klinikzimmers anbringen: ›Keine Besuche‹. Es kam wohl auch keiner oder nur wenige, die Freunde hatten sich schon früher zurückgezogen. Ein Ehepaar, das in Scheidung lebt, ist wenig beliebt. Unglück steckt an, Angst vor einem solchen Unfall ebenfalls. Wer will das sehen? Wer will denn gewarnt werden? Wie soll man sich ans Steuer setzen, wenn man gerade einen Verkehrsteilnehmer in Gipsverbänden, den Galgen über dem Kopf, vor Augen gehabt hat? Am meisten hat alle der Müllwagen erschreckt. Die Blumen ließ ich in die Aufenthaltsräume und Besucherecken stellen. Der Klinikpsychologe gab mir den Rat, mein Schicksal zu akzeptieren und eine positive Haltung einzunehmen. Der Klinikpfarrer sagte, daß niemand wissen könne, warum Gott solche Prüfungen auferlege, er selbst wisse es auch nicht. Täglich komme ihm soviel Leid vor die Augen, vor allem vor die Ohren, es sei ein schwerer Beruf, es ginge ihm vieles, er müsse das einmal aussprechen, zu Herzen. ›Sie müssen mir das abnehmen‹, sagte er, und ich habe zurückgefragt, was ich ihm abnehmen solle. Damit war das Gespräch beendet, er ließ eine seiner Karten mit einem mittelalterlichen blumengeschmückten Marktbrunnen zurück. Es stand darauf: ›Gott, Deine Güte reicht so weit, so weit die Wolken gehen.‹ Wolken sind überall, es gibt ein Theaterstück mit diesem Titel.«

»Sie fühlen sich nicht als Witwe, sondern als geschiedene Frau?«

»Der Tod hat diese Ehe getrennt, das stand ihm nicht zu. Ich habe nicht aufgehört zu fragen: Warum ich?«

»Haben Sie sich auch einmal gefragt, warum nicht Sie? Ich meine, wer denn sonst? Wüßten Sie einen? Richtig mit Namen zu nennen, bei dem es nicht darauf ankäme? Der wäre vielleicht arm und könnte sich keine Betreuer leisten. Oder ich wäre es? Natürlich könnte ich mir theoretisch jemanden vorstellen, der seelisch damit besser fertig würde, doch, das könnte ich, jemanden, der eine Aufgabe erkennt und –. Hören Sie, das ist keine Kritik, es sind nicht alle Menschen so reich ausgestattet, die einen haben den Reichtum innen, die anderen außen, manche haben überhaupt keinen, die sind einfach nur arm dran, das sind die meisten, aber die meisten von den meisten merken es nicht, und das ist eine große Gnade.«

»Als ich nach einer der späteren Operationen aus der Narkose aufwachte, die Augen aber noch nicht geöffnet hatte, hörte ich den Satz: ›Todesgefahr bestand nur am Unfallort.‹ Besser tot als halb tot. Es wäre besser gewesen, wenn ich umgekommen wäre, viele werden das gedacht haben. Er, Herbst, Leonard Herbst, hätte das Immobiliengeschäft auch vom Rollstuhl aus führen können. Mobil, was man unter mobil versteht, war Herbst nie. Immobilien paßten zu ihm. Er ging selten zu Fuß, er ist nie geritten, er spielte selten Golf, er schwamm nicht, lief nicht Ski. Er saß am Schreibtisch, saß an der Bar. Dieser Jemand hätte auch den Rollstuhl gefahren.«

»Haben Sie Golf gespielt?«

»Nein, vermutlich hätte ich das eines Tages getan, es entsprach der gesellschaftlichen Stellung. Ich bin eine nicht zu veräußernde Immobilie von Herbst-Immobilien.«

»Und was wollten Sie nach der Scheidung tun?«

»Warum wollen Sie das wissen?«

»Das weiß ich auch nicht. Aber wissen muß ich das, ich muß mir doch einen Überblick über das Leben verschaffen, ich bin doch erst fünfundzwanzig Jahre alt. Ich kann doch nicht alles selbst erleben!«

»Nun: Nach dem abgebrochenen Studium hatte ich eine Töpferlehre angefangen, ebenfalls abgebrochen. Ich galt als künstlerisch begabt. Ich habe Phantasie, die Werkstatt war bereits eingerichtet.«

»Befindet sich die Werkstatt hinter der Tür, die von der Garage ausgeht?«

»Ich verfolge nicht nur den Kunstmarkt, sondern auch den Stellenmarkt. Sobald ich von einer jungen begabten Töpferin höre, die sich selbständig machen möchte, werde ich ihr die Einrichtung überlassen. Was noch fehlt, ist die Töpferscheibe und der Brennofen. Ich würde die Finanzierung übernehmen, bisher ist mir niemand bekannt.«

»Chef! Immer denke ich, wenn es Kinder gäbe, eines –«

»Fangen Sie nicht wieder davon an, Paula!«

»Das ist ein wunder Punkt bei Ihnen, ich weiß. Es gab niemanden, den Sie, sagen wir mal, in petto hatten nach der Scheidung, nach geklärten finanziellen Verhältnissen –«

»Jetzt gehen Sie zu weit, Paula!«

»Und der Mann ist verschwunden! O verdammt! O verdammt! Der eine ist tot, der andere weg. Aber jetzt haben Sie Paula! Und die läuft nicht weg, die heult jetzt nur für vierzig Pfennig.«

6

›Et kütt, wie et kütt‹

Motto des Kölner Karnevals

Paula hat inzwischen versucht, sich theoretisch über die psychischen Folgen einer Querschnittlähmung zu unterrichten. Was sie liest, trifft auf ihre Patientin nicht zu. Sie wird sich weiterhin auf ihre eigenen Wahrnehmungen verlassen müssen. Sie ist entschlossen, die Sperrmauer einzureißen, die von der Halbkranken in mehreren Jahren errichtet worden ist. Ihre großen Entschlüsse verkleinern sich, sobald sie in die Nähe des Hauses kommt. Vorerst setzt sie das Hilfsmittel, das Ablenkung heißt, ein.

Kaum hat sie das Gartenzimmer betreten, fragt sie: »Wie weit bin ich gekommen? Soll ich weitererzählen, wo ich aufgehört habe? Ich bin ein Fortsetzungsroman, jeden Tag ein Kapitel aus dem Leben der Paula Wankow. Gestern habe ich mit Meinermarie telefoniert. Sie fragt immer nach Ihnen. Ich habe gesagt, daß ich so etwas wie eine Gesellschafterin wäre, wie man das in alten Romanen liest: Ich schreibe Briefe, bediene ein Faxgerät, schlage im Lexikon nach, schreibe Karteien und lerne Kunst und erzähle von ›drüben‹, davon weiß meine Patientin so gut wie nichts. Wissen Sie, was Meinemarie dazu sagt? Sie sagt: ›Manche Menschen muß man weichreden. Man muß die Wörter leicht einhämmern, als wären es Regentropfen: gegen Regen kann man sich auch nicht immer abschirmen.‹ Und da ist mir eingefallen, daß ich ein einziges Mal nackt im Sand gelegen habe, an der Ostsee.«

»Usedom?«

»Usedom! Viel mehr kenne ich von der Welt noch nicht. Es fing an zu regnen, alle anderen liefen weg, ich blieb liegen. Meine Haut hat die Tropfen getrunken, ein paar sind auf dem Hautöl stehengeblieben, andere in den Sand gesickert, und dann kam die Sonne wieder und hat mich getrocknet. Ich war allein mit mir, dem Sand, der See, der Sonne. Ich bin nur selten allein mit mir, da fehlt mir etwas: die Eigenerfahrung. Das, was Sie zuviel haben. Ich sage ja nichts weiter! Ich habe zu Meinermarie gesagt: ›Eine Frau Doktor wird nicht aus deiner Pusteblume, gewöhn dich daran. Abends mache ich Kurse, und oft mache ich Nachtwache im Kranken-haus, vielleicht wird mal eine Heilpraktikerin aus mir.‹ – ›Heulst du wieder?‹ hat sie gefragt. – ›Warum sollte ich denn heulen? Ich hab's doch gut. Ich wär nur manchmal gern zu Hause. Kommt ihr denn durch? Und die Miete? Schafft ihr es denn?‹ Beide Männer sind arbeitslos. Mei-nemarie verschafft sich Arbeit, die Männer sitzen am Tisch und warten, daß sie wieder hungrig werden, so stelle ich mir das vor. Meinen Vater haben sie zum Frührentner gemacht. Mein dicker Bruder hat keine Initiative, gelernt hat er mal Elektrotechnik. Die ande-ren Stasileute machen längst wieder mit, nur woanders, sie müssen über Geldmittel verfügt haben; unser dicker Bruder hockt zu Hause. Achthundert Mark oder noch mehr fürs Herumsitzen. Meinemarie sagt, der Junge hat keine Fenster, man kann nicht in ihn hineingucken, und herausgucken kann er auch nicht. Sie meint, ein Mensch müsse Fenster haben. Vielleicht muß er das gar nicht? Sie haben auch keine, Sie lassen niemanden reinschauen und schauen nicht raus. Haben Sie früher auch nur das Nötigste gesagt? Wenn man erst anfängt, darüber nachzudenken, kommt man mit ganz wenigen Worten aus. Vielleicht, wenn ich noch lange genug bei Ihnen bin, dann höre ich auch auf zu sprechen.«

Paula blickt hoch, wartet auf eine Reaktion, die dann auch kommt.

»Ich dachte, Sie wollten mir von dem erzählen, was man ›die Wende‹ nennt.«

»Es geht mir wie dem Opa Sippe. Wenn ich ihn als Kind gefragt habe: ›Erzähl mir, wie du die kleine Marie aus dem Lager geholt hast‹, wußte er es nicht und hat es doch selber erlebt. Jetzt geht mir das auch so. Womit fing es überhaupt an? Wie ging es weiter? Wie kam es dazu? Die Medizinstudentin Paula Wankow kennen Sie auch noch nicht. Was nutzt einem Kind in einem Arbeiter-und-Bauern-Staat die Note 1,3 im Zeugnis, wenn alle anderen Voraussetzungen fehlen? Ich bin ein Arbeiterkind. Nach wenigen Semestern bin ich abgefallen wie eine Pflaume –. Wieso sage ich denn Pflaume? Ich konnte nicht mithalten. EOS Karl Marx, das war eine erweiterte Oberschule; verdient gemacht hatte ich mich beim Roten Kreuz. Ich verfügte über Pluspunkte. Das praktische Jahr, das man vor dem ersten Semester ableisten muß, da war ich in der Uni-Klinik, das lag mir; aber es kamen mir dort schon die ersten Bedenken, ob es nicht wichtiger wäre, die Kranken zu pflegen. Eine ältere OP-Schwester hat mal zu mir gesagt, man müßte die Augen eines Arztes und die Hände einer Krankenschwester haben. Nach dem ersten Studienjahr habe ich mein Praktikum in einem Behindertenheim gemacht. Da war ich schon klüger, da habe ich mir ein Heim an der Ostseeküste ausgesucht, das wissen Sie jetzt schon, Insel Usedom. Zweihundertfünfzig Mark monatliches Stipendium, davon habe ich Meinermarie hundertfünfzig Mark gegeben, und sie hat mir das Geld nach Bedarf wieder zugesteckt. Davon wußte der dicke Bruder nichts, der bekam nur zu hören, daß seine Schwester hundertfünfzig Mark gibt. Es war an der Uni in Halle nicht wie hier. Überfüllte Hörsäle kennt man nicht. Zweihundertfünfzig Studenten wurden im Bereich Humanmedizin zugelassen, ich war die zweihundertfünfzigste, ich war so ziemlich das Letzte. Ich mache doch nichts her, ein Arzt muß doch was hermachen. Es gab welche, die studierten Chefarzt, das sah man schon im ersten Studienjahr. Wo etwas fehlt, laufe ich, hole ich; wäre ich eine Schachfigur, wäre ich ein Läufer oder ein Springer. Damit macht man sich beliebt und verdächtig. Einmal bin ich in Berlin gewesen, bis an die Mauer kam man nicht, aber man wußte: Da ist die Mauer, da ist unsere Welt zu Ende. Dreh dich um, Paula, im Osten steht uns die Welt offen.

Im ersten Studienjahr fing das schon an mit der Rotlichtbestrahlung, so nannten wir das. Da wurden wir politisch unterrichtet: morgens, von sechs Uhr dreißig bis acht Uhr, im Keller der Anatomie. Marxistisch-leninistische Philosophie. Bis zur Abschlußprüfung bin ich nicht gekommen, über politische Ökonomie habe ich nichts gelernt; unzureichend in Politik und unzureichend in Ökonomie. Einiges lerne ich jetzt im Westen, wie man an Geld kommt, wie man damit umgeht. Gewählt habe ich auch schon zweimal. In der Kabine. Früher wußte ich, was ich wählen mußte, jetzt stehe ich da und kaue am Bleistift. Aber in der Kabine! Meine Partei gibt es gar nicht, ich könnte in einen Farbtopf springen. Grün? Rot? Gelb? Gegen ein christliches Schwarz hätte ich ja nichts, wenn ich das Christliche nur erkennen könnte. Wir diskutieren manchmal, Gudrun und Jens und der Vater von Jens, der Pastor. Die lernen Sie alle auch noch kennen!

Halle im Sommer neunundachtzig. Wer weg wollte und einen Antrag auf Ausreise gestellt hatte, der traf sich mit den Gleichgesinnten am Samstagnachmittag in der Marktkirche, das ist die Hauptkirche von Halle, neben dem berühmten Roten Turm. Das Bild von Feininger, das kennen Sie? Dacht ich mir doch! Wer sich dort sehen ließ, machte sich schon verdächtig. Unser Zahnarzt, von dem wußten alle, daß er einen Antrag laufen hatte, der hatte sogar Marktverbot. Mein dicker Bruder sagte: ›Zu dem Zahnarzt geht keiner, ist das klar? Und wenn euch alle Zähne ausfallen.‹ Meinemarie hat auch schlechte Zähne. Sie ließ sich nichts sagen. Wir waren unterversorgt mit Ärzten und Zahnärzten, viele waren schon im Westen. Deshalb sollte ich ja studieren. Krank werden die Leute immer; je besser es ihnen geht, desto kränker werden sie, behauptet Meinemarie. Sie war stolz, daß ich eine Studentin war, und ihretwegen habe ich versucht, alles zu lernen. Sie wollte mich abfragen, aber sie konnte das nicht, ich mußte ihr alle lateinischen Wörter übersetzen. Sie wurde böse, richtig böse, weil sie so dumm war, dabei ist sie gar nicht dumm.

Meine Freundin hat mich zu den Bittgottesdiensten in die Marktkirche mitgenommen, das war immer montags. Warum am Montag? Das weiß ich schon nicht mehr. Vielleicht weil man sich in Leipzig am Montag traf? Ich bin aus Neugier mitgegangen. Ich war vorher noch nie in einer Kirche gewesen. Ich bin nicht getauft, ich bin nicht konfirmiert. Jugendweihe, das ja. Ich saß gerne auf der Kirchenbank, man rückte nahe zusammen, und was der Pfarrer sagte, das sagte mir sogar was. Das Wort ›Fürbitte‹ hatte ich noch nie gehört! Von Schweigeminuten hatte ich schon gehört, aber erlebt hatte ich das noch nie. Wir standen da und haben geschwiegen, alle, wir schwiegen und wärmten uns die Hände an dem Licht der Kerzen. Wo kamen bloß die vielen Kerzen her? Sie wurden verteilt. Draußen schlug manchmal ein Hund an; man hätte den Hunden die Maulkörbe abgenommen, hieß es. Wir haben ›we shall overcome‹ gesungen, wir wußten alle nicht, woher wir den Text konnten. Das Mikrofon war schlecht. Wenn wir aus der Kirche herauskamen, haben wir die Kerzen in die Nischen gestellt, Blumen standen da auch, jeden Tag mehr Blumen und mehr Kerzen. Wachen wurden aufgestellt, alles ganz ruhig, aber auch festlich. Die Funkstreifenwagen und die Mannschaftswagen fuhren langsam durch die Straßen. Zu unserer Sicherheit! Wer aus der Kirche kam, wurde angehalten. Fahndungskontrolle! Die Ärzte und Schwestern aus einem Krankenhaus, in ihren weißen Kitteln, boten Hilfe an, die Autofahrer hupten, später gab es Hupverbot und Strafgelder, und auf einmal waren auch Randalierer da, die waren gefährlicher als die Polizei, aber wir wurden mit denen fertig. Keine Krawalle! Auf der einen Seite die Demonstranten mit Blumen und Kerzen, auf der anderen Gummiknüppel, Hunde und Schußwaffen. Wer das mitgemacht hat, der vergißt das nie! Dachte ich. Aber Meinemarie sagt am Telefon, die meisten hätten alles vergessen, den Mut und die Freude. Es sollte doch alles anders werden, weg wollten wir doch gar nicht! Und jetzt? Die Gewalttätigkeit steigt, die Zahl der Verkehrsunfälle steigt, es wird nicht mehr geheiratet, es werden kaum noch Kinder geboren, die Mieten steigen, Arbeitslosigkeit steigt, wer keine Stasi-Akten vorweisen kann, der ist jetzt so schlecht dran wie die anderen vorher. Mein dicker Bruder war wie ein Hefekloß, der drehte nicht mal den Kopf, aber er horchte, er hörte alles, und abends verschwand er. Manchmal hat er gesagt: ›Macht ihr nur so weiter!‹ Dabei haben wir doch gar nichts gemacht, man wird doch Blumen und Kerzen tragen dürfen. Als es die Friedenskundgebungen gab und die Bittgottesdienste, da habe ich schon mal was erzählt, wenn ich nach Hause kam, da war ich ganz angefüllt, da konnte ich den Mund nicht halten. Meinemarie sagte: ›Das geht alles den sozialistischen Bach runter.‹ Und wenn der dicke Bruder dabeisaß, ließ sie einfach das ›sozialistisch‹ weg. Aber er drehte trotzdem den Kopf und sah sie an, mehr nicht. Manchmal gab es Streit zwischen den beiden. Sie sagte: ›Zieh doch aus!

Was hockst du immer noch hier herum? Du bist alt genug für eine eigene Familie.‹ Und er sagte: ›Dann zieht ihr mal, die Wohnung geht auf meinen Namen.‹ Irgendwie haben wir uns dann auch wieder vertragen. Sonntags kam der Opa Sippe mit dem einen Arm. So ein Leben, besser keines, habe ich damals gedacht, aber er dachte nicht so. Er war der, der am meisten gelacht hat. ›Da kann man doch nur lachen‹, sagte er und schlug sich mit der linken Hand gegen den Kopf. Und er lachte wirklich, lachte über unsere Friedensdemonstrationen und die Bittgottesdienste.

In Halle war es nicht wie in Leipzig. Aber Schußwaffen sind bei uns auch verteilt worden, da war ich aber schon weg. Mich haben die Hunde vertrieben. Als ich aus der Kirche kam und die Hunde sah, habe ich meine Kerze weggeworfen und bin losgerannt, und ein Hund hinter mir her, er hat mich gepackt. Meine besten Jeans! Er hat sich festgebissen, ich flog hin und her, wurde den Hund nicht los, dann kam einer von der Polizeistaffel und riß dem Hund das Maul auf, und seines riß er auch auf: ›Mach, daß du fortkommst, sonst geht es ab in den »Roten Ochsen«.‹ Das ist das Gefängnis, nicht weit vom Botanischen Garten. Aber Sie kennen Halle nicht. Ich war schon zweimal drin, immer nur für ein paar Stunden, so eine halbe Portion wie mich haben sie nicht für voll genommen. Das eine Mal hatte ich ein Transparent getragen, auf dem nichts weiter stand als ›Gewaltfrei‹, dagegen war doch nichts einzuwenden. Ich bin nach Hause gerannt, das war eine ziemliche Strecke. Als Meinemarie die zerrissenen Hosen sah und das Blut, das mir über den Hintern lief und auf den Boden tropfte, hat sie gesagt: ›Jetzt wird es Zeit, du mußt weg, du reißt uns alle rein.‹ Ich habe geheult. Ich wollte doch gar nicht weg, und sie hat auf den Stuhl gezeigt, auf dem mein dicker Bruder immer saß, aber der Stuhl war leer. Da wußte ich: Der ist auch dabei, der treibt die friedlichen Demonstranten zusammen, wie man Vieh zusammentreibt, und wenn er einen Schlagstock in die Hand kriegt, dann schlägt er zu. Meinemarie blieb besonnen. Sie hat mich verbunden und gesagt: ›Du kommst überall durch, auch durch Maschendraht.‹

Ich war in der Marktkirche dabei, andere sind zu einer anderen Kirche gezogen, die Sankt Georg heißt, dort haben sie auch Mahnwachen aufgestellt, und es wurden Betten verteilt und noch mehr Kerzen gebracht, heißer Kaffee und Blumen. Angst habe ich nur vor den Hunden gehabt, sonst war alles schön und festlich. Angst haben gehört wohl zum Leben, Sie haben auch Angst, aber Sie sagen es nicht. Siebzigmal kommt das Wort ›Angst‹ in der Bibel vor. Sind Sie überrascht, Chef? Aber das Wort ›Freude‹ kommt dreimal so oft vor! Oder noch mehr. Woher ich das weiß? Drüben, wenn ich ›drüben‹ sage, meine ich Halle, bei einer der stillen Demonstrationen, habe ich jemanden kennengelernt, wahrscheinlich war es ein Student, der hieß Jochen, mehr weiß ich nicht. Ich sähe aus wie ein erzgebirgischer Leuchterengel, hat er gesagt. In jeder Hand eine brennende Kerze. Ich habe gelacht, weil ich Angst hatte, er hat das erkannt und mir von der Angst und der Freude erzählt, und am nächsten Tag haben wir uns wieder getroffen, gleich neben dem Portal der Marktkirche. Ich habe die Arme um ihn gelegt – mit den Kerzen – und ›gewaltloser

Widerstand‹ gesagt. Vielleicht wäre er der Richtige gewesen? Am nächsten Tag bin ich weg, Richtung Prag. Reicht das für heute?«

»Woraus schließen Sie eigentlich, daß ich mich für Ihre Geschichten interessiere?«

»Weil es das Leben ist. Ohne Glasuren, einfach Ton. Aber gebrannt!«

Das Gespräch war damit beendet, es wurde am nächsten Tag nicht wiederaufgenommen.

Paula sagt: »Guten Morgen, fangen wir gleich mit den Streckübungen an.« Dann schweigt sie, ihr kleines Gesicht hat sich verschlossen.

Das dauert eine halbe Stunde, dann fragt Frau Herbst: »Und – Paula, wie ging es weiter? Mit Ihrer Marie, mit Ihrer Wende?«

»Heute geht es überhaupt nicht weiter.«

»Sind Sie nachtragend?«

»Ich bin verletzlich, Chef. Darf eine Hilfskraft das sein? Hier haben Sie Ihren Vorhang, ziehen Sie ihn zu, ich kümmere mich um die hochgebrannten Glasuren.«

7

›Wie geht's, sagte der Blinde zum Lahmen. Wie Sie
sehen, antwortete der Lahme.‹

Lichtenberg

Der Novembertag ist hell. Paula meldet sich mit: »Hal-
lo!« Sie hat frischgebrannte Mandeln mitgebracht. »Der
Weihnachtsmarkt wird schon aufgebaut! Ich habe
Glühwein getrunken!«

Der Duft der Mandeln breitet sich im Gartenzimmer
aus, verändert es.

»Sagen Sie nicht wieder ›nein danke‹, Chef, sagen Sie
einmal ›ja, bitte‹, wenn Paula Ihnen eine Freude machen
möchte.«

»Ja, bitte! Aber mein Zahnarzt wäre entsetzt, ich
kann mir kein Risiko erlauben.«

»Es handelt sich um gebrannte Mandeln und nicht
um Risiken.«

Frau Herbst sagt: »Die Mandeln sind noch warm.«
Und Paula sagt: »Körperwarm, sie kommen aus dem
tiefsten Inneren meiner Hosentasche.«

Paula beißt auf eine gebrannte Mandel, Frau Herbst
beißt ebenfalls auf eine gebrannte Mandel. Ein knak-
kendes Geräusch, der linke Eckzahn. Frau Herbst
holt ihn aus dem Mund, hält ihn hoch. »Da ist er

ja schon. Es handelt sich um meinen einzigen Stiftzahn.«

Paula geht in die Knie, schlägt mit den Fäusten auf
den Boden. »Verdammt, verdammt! Es kann doch auch
mal gut ausgehen, was gut gemeint ist. Verdammt!« Sie
muß getröstet werden und wird getröstet. »Was haben
Sie gesagt, Chef, ein Zahn mehr oder weniger, darauf
käme es nicht an?«

Frau Herbst fügt hinzu, daß der Zahnarzt den Rest
des Zahnes hier im Hause würde entfernen können.

»Eine Lücke? Die mich dann ständig erinnert? Nein!
Wir fahren zum Zahnarzt, ich organisiere das, man
kann einen Stiftzahn wieder aufsetzen. Ich habe auch
einen Stiftzahn, den habe ich einer Walnuß zu verdanken. Ich hätte doch aus Schaden klug werden können.«

»Wir müssen das nicht heute entscheiden. Geben Sie
mir eine weitere Mandel, zwei Zähne wird es doch nicht
kosten.«

Wäre Paula nicht so verstört gewesen, hätte sie eine
Veränderung in der Stimme und den Gesichtszügen
ihrer Patientin wahrgenommen, statt dessen verweigert
sie die weitere Mandel. »Ich werde die Tüte in den
Mülleimer werfen, ich will die Mandeln nicht mehr
sehen und schon gar nicht mehr riechen.«

»Gut! Fangen Sie mit Ihrem Programm an. Wie heißt
die Fortsetzung des heutigen Tages? Die Flucht?«

»Prag, das heutige Kapitel heißt Prag. Kennen Sie
Prag? Sie kennen doch alles von früher.«

»Ja, ich war während des Prager Frühlings in Prag. Ich
erinnere mich gut.«

»Chef! Wissen Sie, wie Sie jetzt aussehen? Als ob Sie

die Moldau rauschen hörten. Wenn ich Sie erst einmal weichgeredet habe, dann erzählen Sie mir, wie es damals in Prag war. Den Ausdruck ›Prager Frühling‹ kannten wir überhaupt nicht. Ich wußte nur, daß dort einmal ein Aufstand gewesen war, der von Panzern des Warschauer Paktes niedergeschlagen wurde. So wie in Ungarn und dreiundfünfzig bei uns. Wir, die DDR, waren auch beteiligt. Ihr Prager Frühling, mein Prager Herbst. Das Datum weiß ich schon nicht mehr, Ende September wahrscheinlich. Ich mußte weg. Aber wohin? Warschau –? Meinemarie sagte, daß die Richtung falsch sei, nicht nach Osten! In die Botschaft der Bundesrepublik in Ostberlin? Da war keine Chance, das wußten wir vom Fernsehen. Budapest? Dann doch lieber Prag. Wir stopften ein paar Sachen in meine Reisetasche, Meinemarie ging nicht mal mit zur Haltestelle. Also allein zum Bahnhof, Rückfahrkarte gekauft, Kekse, eine Flasche Limo. Der Eilzug nach Leipzig ging so gegen elf Uhr abends, der wurde von vielen benutzt, die tagsüber in Prag einkaufen wollten. In Leipzig dann der Kurswagen nach Prag. Ich hatte eine Adresse, die hatte ich mir aus dem Telefonbuch abgeschrieben. Natürlich hat man mich gefragt. Volkspolizei. ›Die Ausweise bitte! – Wankow, Paula, wohin soll's denn gehen, junge Frau?‹ Ich habe den Namen genannt, den konnte ich auswendig, die Straße auch. ›Ich habe einen leiblichen Vetter in Prag! Er wohnt in der Apolinářská, Jaroslaw Hollar.‹ Den Zettel vorgezeigt und gesagt, daß wir uns mal auf einem Weltjugendtag kennengelernt hätten. Weltjugendtag war immer gut. Wenn ich aufgeregt bin, rede ich zuviel und zu schnell. Man hätte nicht weiterfragen dürfen, tat man auch nicht. Vielleicht wäre mir doch was eingefallen. Dann kam die Sache mit der Pille. Meinemarie hatte mir eine frische Packung in die Jackentasche gesteckt. Sie hatte immer Sorge, daß ich mal nicht aufpasse. Die volle Packung Antis in der Hand des Vopos! Mit Lachen war nichts zu machen, das habe ich probiert, ein bißchen mit den Augen gerollt – auch nichts. ›Für drei Tage, Genossin Wankow?‹ – ›Bei Jaroslaw brauche ich überhaupt keine, so was habe ich nicht vor. Der macht sich nichts aus Frauen. Der ist anders!‹ Ich reagiere impulsiv. Fenster auf und raus damit. Da gab es neuen Ärger: Man wirft nichts aus dem Zugfenster! Der eine Vopo packt mich bei den Armen, hält meine Handgelenke auf dem Rücken zusammen. Festhalten darf man mich nicht! Ich habe ihn angefunkelt und angeschrien: ›Ich fahre mit dem nächsten Zug zurück. Eine Rückfahrkarte habe ich!‹ Der andere Vopo sagte: ›Laß die Zimmtzicke doch laufen.‹ Das war der letzte Satz, den ich in der Deutschen Demokratischen Republik zu hören bekommen habe. Dafür habe ich mehr als zwanzig Jahre meines Lebens dort verbracht.«

Paula läßt die Hände in den Schoß fallen, macht eine Pause.

»Moment, Chef, ich muß erst reinkommen, das erste Kapitel meines Lebens geht zu Ende. Ich war hellwach, ich war mir auch bewußt, was diese Flucht bedeutete, ich war ein Produkt des real existierenden Sozialismus, war Mitglied der FDJ, natürlich war ich das.«

Und jetzt macht Paula die Augen zu, konzentriert sich, zitiert: »Die FDJ erzieht ihre Jugend auf der Grundlage des wissenschaftlichen Kommunismus zur Liebe zur Arbeit und Achtung der Arbeiterklasse und ihrer Partei, der SED ... Und dann: Die FDJ leistet einen wichtigen Beitrag im Kampf zur Überwindung des Imperialismus ... Das kann ich im Schlaf aufsagen. Das ist gelernt und noch lange nicht vergessen. Zweimal habe ich an einem Pfingsttreffen teilgenommen. Sonderzüge, Sonderbusse, und immer war Pfingstwetter, wir hatten Spaß, das waren nicht nur Aufmärsche und Wettkämpfe. Alles gut organisiert: Fahrt, Unterkunft, Verpflegung, Musik, Tanz. Und: international! Kommunistische Jugendverbände aus Frankreich, auch aus der Bundesrepublik. Beim letzten oder vorletzten Pfingsttreffen hat Gudrun ihren Jens kennengelernt. Die beiden sind aufeinander geflogen. Der Kommunismus ist weg, die Liebe ist geblieben. Zweimal haben sie sich am Plattensee getroffen. Da genügte ihnen schon der Kommunismus zu zwein. Wenn mir auch mal so was passiert wäre! Nicht nur verlieben, das ist mir oft passiert, das klingt nach verlaufen und vergessen. Das ist keine richtige Liebe. Große Liebe! So was hat es für Paula nicht gegeben, mit einer Liebesgeschichte können Sie nicht rechnen, Chef. – Die Deutsche Demokratische Republik hatte ich hinter mir, ich war in Prag. Aber: Ich war in der ČSSR, immer noch Warschauer Pakt. In Freiheit war ich noch lange nicht. Das Abenteuer fing erst an.«

An dieser Stelle wird sie unterbrochen: »Bevor Sie weiterreden, Paula, gehen Sie doch bitte an das zweite Bücherregal von rechts, holen Sie den Band Brecht, Gedichte, es wird der dritte Band sein.«

»Stimmt«, sagt Paula, »diese Ausgabe kenne ich, Aufbau-Verlag, bei meiner Freundin steht sie auch. Ich weiß schon, was Sie suchen. Das Lied von der Moldau, Gudrun singt das manchmal. ›Das Große bleibt groß nicht und klein nicht das Kleine. Die Nacht hat acht Stunden, dann kommt schon der Tag‹ – stimmt's?«

Sie wird verbessert: »»Zwölf Stunden‹!«

»Da war Brecht aber schlecht unterrichtet! Zwölf Stunden habe ich noch nie gehabt, jetzt schon gar nicht. Ich lerne Gedichte rasch. Eine Kassette von der anderen Moldau, der Moldau von Smetana, hat Gudrun auch. In Prag habe ich nichts von Brecht gehört und nichts von Kafka, und gesehen habe ich auch nicht viel. Aber die Moldau! Über die Karlsbrücke hin, über die Karlsbrücke her, und einmal bin ich gerannt wie ein Hase, hinter dem die Hunde her sind. Mit der Metro unter der Moldau! Davon später. Erst mal mußte ich an dem Morgen der Ankunft in die Botschaft der Bundesrepublik Deutschland. Lobkovický palác. Die Vlašská runter, da waren schon alle Straßen verstopft mit DDR-Autos, Trabis, sogar Wartburgs. Die Leute, die weg wollten, ließen ihre Wagen stehen, ließen die Autoschlüssel stecken oder warfen sie einfach weg, stopften ihr Ostgeld in Rote-Kreuz-Büchsen oder legten es in den Kirchen in die Opferstöcke, bevor sie über den Zaun kletterten; am Portal kam schon keiner mehr rein. Die Unterkunft sei menschenunwürdig, hat man in den Zeitungen geschrieben. Niemand sagt einem, was menschenwürdig ist, immer nur ›menschenunwürdig‹. Auf zwei Feldbetten, die man aneinandergeschoben hatte, war Platz für sechs Personen; als ich ankam, gab es auch keine Sechserbetten mehr. Das Rote Kreuz, ich meine die Helfer, brachten immer noch mehr Decken und Matratzen und Lebensmittel, es wurde enger und enger. Zwei Männer in meinem Alter drehten durch, die wollten raus, die wollten mich mitnehmen, die versprachen sich etwas davon, wenn ein Mädchen dabei war; da wurde ich mißtrauisch. Die Slowaken wären freundlicher zu den Deutschen als die Tschechen, das hinge mit der Geschichte zusammen. Sie wollten durch die Donau schwimmen. Und ich vorweg als Lockvogel! Schwimmen kann ich, aber bei Strömung und bei Nacht? Beinahe hätte ich mitgemacht, es klang nach Abenteuer, und mir war nach Abenteuer, ich habe noch so wenig erlebt. Daraus wurde nichts.

Der Zaun war zwei Meter hoch, und ich bin doch nur gerade eins sechsundsechzig, oben drauf waren Zacken, man mußte gelenkig sein. Registriert wurde nicht mehr. Von Tausenden war die Rede. Als ich drin war, sollte ich mich da frei und in Sicherheit fühlen? Ich war eingesperrt! Angst und Freude, alles durcheinander, aber keine Panik. Tags sah ich zu, daß ich in die Nähe des Zauns kam, und nachts hatte ich einen Platz auf der Treppe, dritte Stufe von oben; ich hatte PAULA mit Lippenstift draufgeschrieben. Das zweite Paar Jeans unterm Kopf, die Tasche zwischen den Beinen, schlafen kann ich überall, wenn ich nur erst mal liege. Wir halfen denen, die auch noch reinwollten, jeden Tag kamen ein paar hundert dazu. Dann setzte der Regen ein, die Zelte im Schlamm. Sanitäre Einrichtungen? Wie denn? Es war leichter, was zu essen und zu trinken zu bekommen, als es wieder loszuwerden. Der Gestank! Aber keiner hat gemeutert. Wie die Schafe im Pferch. Wir haben immer nur gedacht: Wir müssen raus, zurück gehen wir nicht! Was hat man uns alles versprochen, wenn wir freiwillig in die DDR zurückkehrten. Straffreiheit! Und nach einem halben Jahr könnten wir offiziell ausreisen. Einige wurden dann auch schwach. West-Touristen gab es auch in Prag, die besichtigten uns und steckten uns Schokolade und Zigaretten durch die Stäbe. Wie im Zoo. Ein Mann fiel mir auf. Eigentlich fiel mir der Kasten auf, den er mit sich herumschleppte, schneeweiß und groß wie ein Sarg. Ich bin ihm auch aufgefallen, wodurch, weiß ich nicht. ›Komm raus!‹ rief er mir zu. ›Wenn man reinklettern kann, kann man doch auch rausklettern.‹ Er hat mir nichts versprochen. Was ich von ihm erwartete, konnte er nicht ahnen. Wann mir der Gedanke gekommen ist, weiß ich nicht mehr, der Gedanke wurde zur fixen Idee. Er sagte: ›Ich zeige dir Prag, wer weiß, wann du mal wieder nach Prag kommst.‹ Als ich draußen war, habe ich als erstes gefragt, ob er den Kasten immer mit sich herumschleppe. Er sagte: Immer, davon trenne er sich nie, aber einen Arm hätte er frei für mich. Er war Musiker. Kontrabaß. Kein Jazz, klassische Musik. Das Auto hatte er in der Uferstraße geparkt, er wollte nur mal mit eigenen Augen sehen, was sich in der deutschen Botschaft abspielte, vom Bildschirm kannte er das schon. Ich habe kein Fernsehteam zu sehen bekommen, man muß mit versteckter Kamera gearbeitet haben. Von den Wachposten hat mich keiner beobachtet, die mußten mehr übersehen als sehen, sie guckten immer woanders hin. Er war ein Bundesbürger, so habe ich ihn angeredet, das Wort ›Wessi‹ gab es noch nicht, nehme ich mal an. Er fuhr einen roten Audi. Ich wollte gar nicht ins Auto, ich wollte laufen, zu Fuß gehen, ich sagte: ›Steck mich bloß nicht ins Auto, ich bin schon tagelang eingesperrt.‹ Er hatte in Prag ein Konzert gegeben, und am nächsten Tag mußten sie zurück; ein Quintett, wo die anderen Musiker waren, weiß ich nicht. Er legte seinen Kontrabaß auf den Rücksitz, stopfte mich auf den Beifahrersitz, schnallte mich an: ›Jetzt fahren wir erst mal ein Stück!‹ Viele Straßen waren verstopft, er fuhr einfach dort, wo man fahren konnte. Die Sonne schien mal wieder, wir fanden es komisch. Ein paarmal sind wir ausgestiegen, er wieder den weißen Sarg unter dem Arm. Wir haben unter dicken Kastanienbäumen gesessen, Knödel gegessen und Bier und auch Schnaps getrunken. Er sagte: ›Mit dem Alkohol nehmen wir es nicht so genau wie ihr.‹ Irgendwie ärgerte mich das, und ich fing an, das Land, aus dem ich geflohen war, zu verteidigen. Verrückt! Als ich es merkte, habe ich gelacht und die Baßgeige angesehen, vielmehr den Kasten. Nachher waren wir dann noch an der Moldau. Treppen runter, auf eine Insel, da war kein Mensch, die Sonne schien immer noch und vergoldete alles. Das goldene Prag! Das habe ich mit eigenen Augen gesehen. Im linken Arm den Kontrabaß, im rechten mich. Ich verliebe mich leicht mal, und er sah sehr gut aus, mein Bundesbürger. Der erste Beste. Und dann sind wir noch mit der Metro gefahren, unter der Moldau durch. Ich war noch nie unter einem Fluß. Elbtunnel, davon hatte ich schon gehört. Die Fahrgäste haben auf den Kasten gezeigt, jemand konnte Deutsch, der sagte: ›Musik! Mach Musik!‹ Und da hat er doch wirklich die Baßgeige aus dem

Kasten geholt. Und ich konnte sehen, wieviel Platz darin war. Es würde reichen. Was wird er gespielt haben? Smetana, die Moldau. Und da werden die Tschechen ja weich. Als mein Bundesbürger den Bogen in der Hand hielt, veränderte sich sein Aussehen, er legte den Kopf in den Nacken, und sein Blick verlor sich, irgendwo weit weg. Er war kein Held. Er war so ein Ohne-mich-Wessi. Er sagte, ich dürfte mich gar nicht offiziell in der ČSSR aufhalten. Ich habe ihm versichert, daß ich mich ebenfalls als Tourist in Prag aufhielte und die DDR ein Abkommen mit der ČSSR hätte –. Und dann hat er mich gefragt, warum ich überhaupt im Palais Lobkowitz wäre, und ich habe ihn verbessert: ›Lobkovický palác heißt das!‹ Beinahe hätte es Streit gegeben. Dann hat es wieder angefangen zu regnen, wir wußten nicht, wohin, wir saßen wieder im Auto. Er parkte, ich fragte. Er sagte, daß es in diesem Haus eine Pension gäbe und er da ein Zimmer hätte. Den Namen weiß ich nicht, habe ich nie gewußt. Kleinseite, nehme ich an, den Hradschin habe ich überhaupt nicht aus der Nähe gesehen. Er zog mich aus dem Auto, klemmte mich unter den Arm, wie es der Opa immer getan hatte. Ich rief: ›Der Kasten!‹ Er stellte mich ab, holte den Kasten.

Also, um es mal so auszudrücken: Es gab da ein Mißverständnis. Ich wollte in den weißen Sarg und in den Westen, er wollte mich ins Bett. Ich hätte mir das denken können, habe ich sicher auch, ich war nur so durcheinander, und dann immer ›Na zdravi, Bundesbürger‹ und ›Prost‹, und dann wieder Bier, unten im Haus war eine Kneipe. In seinem Zimmer habe ich dann erst mal seine Baßgeige aus dem Kasten genommen und aufs Bett gelegt und bin in den Kasten gekrochen. ›Du nimmst mich mit‹, habe ich gesagt, ›das ist die einfachste Sache der Welt, du entführst mich!‹ Ich habe gelacht und getan, als machte ich Spaß. ›Sonst komme ich nicht aus dem Kasten heraus.‹ An der Grenze hätte er mich doch im Kasten lassen können. Aber er! Niemals! Mein Instrument! Meine Karriere! Meine Existenz! Immer nur ›mein‹, ›mein‹, ›meine‹. ›Bei uns wird für Künstler nicht so gesorgt wie bei euch.‹ Plötzlich wieder ›wir‹ und ›euch›. Aus Liebe sollte er es ja nicht tun, aber ein wenig verliebt hatte er sich, und ich hatte es auch. Jetzt passiert mir das nicht mehr so leicht wie früher. Er war ziemlich groß, stark war er auch, ein kleines Handgemenge, dann hatte er mich auf dem Bett und den Kontrabaß im Kasten. Mein erster Bundesbürger war ein Feigling, ein schöner, musikalischer Feigling. Ich war rasch wieder nüchtern, raus aus dem Bett, rein in die nassen Klamotten, raus aus dem Haus, die Richtung wußte ich, so etwa wenigstens. Wäre ich eine Stunde später gekommen, hätte ich den Abtransport aus der Botschaft verpaßt. Jemand rief: ›Das ist doch die Paula aus Halle!‹ Sie haben mich noch mal über den Zaun gezogen, und dann war ich wieder drin. Meine Tasche stand noch auf der Treppe. Der Fußmarsch ging los. Nicht zum Hauptbahnhof, den kannte ich ja. Ein Vorortbahnhof, Lieben oder so ähnlich, das liegt im Norden von Prag. Ich hatte keine Ahnung, wo Norden oder Süden war. In den vorletzten Zug kam ich rein. Wir waren wie die Verrückten, als wären wir alle total besoffen, viele waren es auch oder wurden es während der

Fahrt. Manche hatten Sekt, und alle teilten alles mit allen. Wir lagen uns in den Armen, gesungen haben wir auch, und Sprechchöre: ›Gorbi sei Dank!‹, ›Freiheit‹, ›Perestroika‹, ›Solidarność‹. Es wurde gelacht und geweint. Mein Bundesbürger war längst weit weg und vergessen, der Traum vom roten Audi und dem weißen Kontrabaß war ausgeträumt. Dachte ich. Ein paar hundert Menschen blieben dann doch zurück, die trauten dem Transport nicht, lieber wollten sie den Versprechungen glauben und in ihrem Auto und mit ihren Möbeln im Westen vorfahren. Was aus denen geworden ist? Es kam ja dann alles ganz anders. Am Zug stand ›Sonderzug‹ und ›Dresden‹. Dresden! Aber angekommen sind wir in einem Ort, der hieß Hof.

Monate später hat man mich gefragt, ob ich mir wenigstens das Autokennzeichen gemerkt hätte. Kein Name? Keinerlei Kennzeichen? Blöde wie ein Ossi. So wichtig war mir dieser Ohne-mich-Wessi ja auch nicht. Ich hatte ihn vergessen und nicht mehr an den Kontrabaß gedacht, aber später! Bei jedem roten Audi zucke ich zusammen. Vermutlich ist dieser Bundesbürger immer auf Tournee, hätte ich mir seinen Paß zeigen lassen sollen? Mir genügte das große D am Auto, das war der Buchstabe der Zukunft. Er war ein Mann für Prag. ›Der Tag hat zwölf Stunden, dann kommt schon die Nacht . . .!‹«

Paula schweigt, sie hat aufgehört, die blassen Beine zu behandeln, die Hände liegen im Schoß.

Frau Herbst zitiert: »›. . . doch wenn du mich im Arme hast, dann sei nicht zu geschwind . . .‹«

Daraufhin bekommt Paula einen ihrer kurzen, heftigen Tränenausbrüche, wird nicht getröstet, keine Hand legt sich auf ihren Kopf, was ja möglich gewesen wäre, statt dessen legt Paula ihren Kopf auf den nahen Schoß, der daran nicht gewöhnt ist und nichts spürt.

»Nun habe ich das Wichtigste vergessen! Ich habe noch nichts von Gudrun erzählt. Wir haben uns im Eisenbahnabteil kennengelernt. Nebenan sangen sie ›So ein Tag, so wunderschön wie heute‹, ich kannte das Lied vom Opa Sippe. Slibowitz gab es auch, alle tranken aus der Flasche. Neben mir saß ein Mädchen, das kam aus Dessau. Sie gefiel mir, und ich gefiel ihr. Dunkle Locken und dunkle Augen. Sie klopfte sich mit den Fäusten auf die Brust, sie hat einen richtigen Busen, und sagte: ›Er wartet! Er wartet! Er hat gesagt, er wartet!‹ Immer dasselbe, und dann habe ich gefragt, und sie hat erzählt, und ich habe erzählt, und als wir dann ankamen und der Zug hielt, da stand er da. Stand da schon lange! Die beiden fielen sich in die Arme. Ich stand mit meiner Tasche daneben. Auf Paula hatte keiner gewartet, wer denn auch? Ich kannte ja niemanden im Westen. Gudrun sah mich herumstehen. ›Nimm sie auch mal in die Arme‹, sagte sie, ›das ist Jens, und das ist Paula. Paula ist in Ordnung.‹ Und zu mir sagte sie: ›Der Jens ist in Ordnung.‹ Das hatte ich aber schon selbst gesehen. ›Wenn du nicht weißt, wohin, komm erst mal mit uns. Alles findet sich. Einer ist schwach, zwei sind stärker, drei sind noch stärker.‹ Und wir haben gelacht und auf dem Bahnsteig getanzt, alle umarmten alle. Fremde Leute brachten heißen Kaffee in Thermosflaschen und Kuchen und Obst, und es sah aus, als ob im Westen alle auf uns gewartet hätten. Seit vier Jahrzehnten gewartet!

Alle wollten alles mit uns teilen. Komm! Kommt! Wir machen eine Fete – nein, sie sagten Party. Wir machen eine Party, Leute wie ihr drei, die fehlen uns noch. Irgend jemand nahm uns mit nach Hause. Wir wurden in das Familienschlafzimmer gesteckt. Was da los war! Die beiden! Und ich habe mich verkrochen und bin eingeschlafen.

Ein Freudentaumel! Das glaubt einem heute keiner mehr, auch wenn man es an den Gedenktagen auf dem Bildschirm besichtigen kann. Später, als es die erste richtige Wahl gab, da hieß es: Wir, die Ehemaligen, wir hätten eine Bananenwahl gemacht, wir hätten uns den Imperialismus überstülpen lassen. Bei mir hat das sogar gestimmt, die Bananen, meine ich. Von dem Begrüßungsgeld kaufte ich mir als erstes ein Kilo Bananen, beste Sorte, Chiquita. Ich aß das Kilo auf, und dann spuckte ich das ganze Kilo wieder aus. Seitdem brauche ich keine Banane mehr zu essen.«

Paula schweigt.

Es vergeht geraume Zeit, dann sagt die kühle Stimme abschließend: »Die Flucht muß ein starker, bleibender Eindruck gewesen sein.«

»Ja«, sagt Paula und hat ihren Adam vor Augen und wiederholt: »Bleibend und stark. Wie es weitergegangen ist, drüben, mit dem Demokratisierungsprozeß? Einmal gab es auf dem Bildschirm auch Bilder aus Halle, und da habe ich wieder geheult, und keiner wußte, warum. Ich hätte doch lachen sollen; meine Freundin, die Gudrun, die lachte. Wir waren doch im freien Westen. Vorher hatte ich gar nicht gemerkt, wie arm wir dran waren. Aber nachträglich, da packt mich noch heute der Zorn, da bin ich wie eine Furie! Gudruns Mutter hat uns einen Zeitungsausschnitt geschickt, der klebt an der Tür zwischen unseren Zimmern, darauf ist Karl Marx abgebildet, und darüber steht: ›Proletarier aller Länder, vergebt mir.‹

Nach der Wende und nach der richtigen Wiedervereinigung der beiden Deutschland, da hat bei uns, ich meine drüben, keiner an eine Gefängnisstrafe für den Genossen Erich Honecker gedacht, sagt Meinemarie, und wie sie denkt, denken viele. Er hätte eine Wohnung bekommen müssen für sich und seine Frau, so eine, wie der Opa Sippe eine hat, Ausguß und WC im Flur, Braunkohle rauf, Asche runter, dreihundert Mark Rente. Hatte denn vorher jemand danach gefragt, ob die Inhaftierten im roten KZ krank waren? Haftunfähig? Hat er uns zur Beerdigung unserer nächsten Angehörigen in den Westen reisen lassen? Gudruns Vater ist hier gestorben, und sie hat ihn nicht mal begraben dürfen. Die Eltern lebten getrennt. Aber Honecker! Der hatte eine Tochter in Chile, der war ja krebsleidend. Der arme alte Mann! Er hat wie ein Kapitalist gelebt und uns den ganzen Sozialismus kaputtgemacht. Wir haben doch daran geglaubt. Meinemarie hat daran geglaubt! Sie hat bestimmt, worüber bei uns geredet werden durfte und worüber nicht. Und zu meinem dicken Bruder hat sie gesagt: ›Wie wir an dich gekommen sind, das möchte ich wissen!‹ Mein Vater blickte vom Teller auf und sagte: ›Eigentlich müßtest du das doch wissen!‹ Und dann haben die beiden gelacht. Worüber –? Weiß ich nicht! Die beiden haben sich gern, das spürt man, auch wenn nicht darüber geredet wird. Mein Vater war kein

Drückeberger, dazu hat man ihn erst gemacht. Es muß da was vorgefallen sein, beim Aufstand am siebzehnten Juni, wo Sie Ihren Feiertag hatten. Er war noch ein halbes Kind. Er hat mit Steinen nach den russischen Panzern geworfen. Sie haben ihn eingelocht, sicher auch im ›Roten Ochsen‹, wie seine Tochter. Oder in der Kleinen Steinstraße, da war das U-Gefängnis, das erfährt man alles erst hinterher. In meiner Familie, da sind die Männer dick und die Frauen dünn. Die beiden Kater sind auch dick. Meinemarie kann nichts mit ihnen anfangen, sie sind ihr zugelaufen, als die Leute unten aus dem Haus in den Westen gegangen sind, Katzen bleiben im Haus. Sie füttert die beiden, Dick und Doof sagt sie zu ihnen. Sie sagt: ›Eßt!‹ und sagt: ›Freßt!‹ Sie hat in einem volkseigenen Betrieb gearbeitet. Die Frauen gingen jede Woche zum Friseur. Das gehörte zu den preiswerten Vergnügungen. Jetzt haben sie kein Geld mehr für Dauerwellen und Färben. Die meisten Betriebe haben geschlossen. Sie arbeitet schwarz, nimmt die alten Preise, hat zu tun, hört was, die meisten Kunden wohnen in Ha-Neu. Zu den anderen fährt sie im Trabi, nun gerade, soll sie sich für den Trabi schämen? Es gibt genug, wofür man sich schämen muß.«

»Sie haben das bereits früher erzählt, Paula.«

»Wiederhole ich mich, Chef? In was für Wohnungen kommt Meinemarie! Es ist gut, daß sie nichts zum Vergleichen hat. Nach der Wende gab es weiterhin Montagsdemonstrationen. Das Emblem hatte man aus den Fahnen rausgetrennt, aber man sah's, und man sollte es auch sehen. Es gab nicht nur Wendehälse bei uns! Wenn Jens sagt: ›Wir gehen alle auf die Demo‹, dann streike ich. Hier bekommt man Geld, wenn man streikt! Und wir haben tags gearbeitet und abends unsere unblutige Revolution gemacht. Daß es eine Revolution war, wußten wir nicht. Wir wollten doch nur einen besseren Sozialismus. Meinemarie sagt: ›Was soll ich denn bei euch im Westen?‹ Wissen Sie, was Meinemarie sagt, wenn man von Ossis und Wessis und Besserwessis redet? ›Besser wissen, das ist kein Kunststück, besser machen muß man es, das tut man hier nicht und da nicht, oder vielleicht doch? Man hört immer nur, was alles nicht funktioniert.‹ In unserer Straße, ich meine, in dem Wohnblock, in dem ich mal gewohnt habe, da gibt es noch fünfundzwanzig Trabis, aber über sechzig West-Autos. Das liegt nicht nur am Geld, das ist auch politisch gemeint. Wohin gehöre ich eigentlich? Jens sagt, ich wäre ein ›Wossi‹, aber nur, wenn wir eine Auseinandersetzung haben. Meist sage ich dann: ›Ich bin Paula, verstanden?‹ Ich hätte meinen DDR-Ausweis abgeben müssen, habe ich aber nicht. Es steht darauf, daß er zwanzig Jahre Gültigkeit hat. Hier, wollen Sie ihn sehen?«

Sie holt aus der linken hinteren Hosentasche den Ausweis.

»Det Emblemm‹, Betonung auf der ersten Silbe, amtlich hieß es ›Hammer und Zirkel im Ährenkranz‹, sprich Arbeiter-und-Bauern-Staat. Mal hat jemand gesagt: ›Bei uns wird so lange gezirkelt, bis die letzten Ähren unterm Hammer sind.‹ Dafür wird er wohl einige Jahre Knast bekommen haben, weitererzählt wurde es trotzdem, auch wenn's gefährlich war. So feige waren wir gar nicht, wie man es uns nachsagt. Den Ausweis der Bundesrepublik Deutschland, den trage ich in der rechten Hosentasche, hier! Gültigkeit zehn Jahre. Ich sehe mir ähnlich, immer dieselbe, Paula Ost, Paula West. Drüben haben die meisten Bewohner noch den alten Ausweis. Er gilt ja noch.«

Paula schweigt, steht auf, holt das leichte blaue Tuch. »Hier, Chef, ziehen Sie Ihre Vorhänge zu. Ich mache am Katalog weiter. Fortsetzung folgt.«

8

›. . . wie das Gras stärker ist als der Stier: es richtet
sich wieder auf.‹

Bertolt Brecht

Paula steht vor dem Gartentor. Sie zögert, nimmt sich
dann zusammen, drückt auf den Klingelknopf. Wie an
anderen Tagen wird gefragt: »Ja, bitte?« Aber diesmal
antwortet sie: »Hier stehen Paula und Adam, können
wir hereinkommen?«

Paula schiebt Adam vor sich her. »Sagen Sie nichts!
Bitte sagen Sie vorerst noch nichts.«

»Was soll das? Wem gehört das Kind?«

»Das ist Adam! Das ist mein Sohn. Sie haben mich nie
nach meinen Lebensumständen gefragt, nicht ein einziges Mal, und ich bin schon seit Monaten bei Ihnen.
Krankheit macht egoistisch, das wird einem bei der
Ausbildung warnend gesagt, das habe ich oft genug
erfahren. Während ich hier bei Ihnen bin, wächst Adam,
und wenn ich nicht aufpasse, wird er ein Problemkind.
Wenn er hier unerwünscht ist, müssen wir beide gehen.
Es wird nach Möglichkeit nicht wieder vorkommen,
garantieren kann ich dafür nicht. Ich werde Ihnen später
seinen kurzen Lebenslauf erzählen, aber nur, wenn Sie
das wollen. Gudruns Mutter ist krank, sehr krank.

116

Deshalb ist Gudrun gestern nach Dessau gefahren; sie sorgt immer nachmittags für die Kinder.«

»Gibt es mehrere Kinder?«

»Es gibt Adam, und es gibt Eva. Sie sind am selben Tag geboren, das erzähle ich alles noch, sie sind wie Zwillinge. Gudrun hat ihr Evchen mit nach Dessau genommen, aber den Adam konnte sie nicht auch noch mitnehmen, und Jens, der über Mittag für die Kinder sorgt, steckt im Examen. Wenn Sie nur ein bißchen freundlich zu Adam sind, dann wird er Sie nicht stören. Ich habe Spielzeug mitgebracht und Kekse und Bananen, das mümmelt er, er bekommt die Backenzähne, aber es ist ein zufriedenes Kind.«

Paula hebt Adam hoch und sagt ihm ins Ohr: »Jetzt zeige ich dir alles.«

Adam ist aber nicht an ›alles‹ interessiert, er fragt: »La-la?« und zeigt auf die Frau im Rollstuhl.

»Das ist der Chef«, sagt Paula.

»La-la«, sagt Adam.

»Das geht nicht«, sagt Paula, »der Chef muß immer in dem Stuhl sitzen und muß immer sagen, was die anderen tun sollen.«

Mit »sieh mal die großen schwarzen Vögel auf den Bäumen« kann man das Kind nicht ablenken, es wünscht unter die Decke zu gucken und in die Speichen des Rollstuhls zu greifen. Adam faßt nach der Hand der Kranken, zieht an den Fingern, die ihm entzogen werden, läßt sich auf den Teppich fallen und scheint entschlossen, ebenfalls nicht zu laufen, keinen Schritt.

Paula blickt sich um und sagt: »Ach, es ist Donnerstag! Die Blumen wurden ausgewechselt. Sind das alles

Parmaveilchen in dem Korb? Und was sind das für Blumen in der Schale? Die weißen?«

»Das sind Christrosen, im Winter gibt es wenig blaue Blumen.«

»Das wußte ich gar nicht. Drüben gab es selten Blumen, meist nur Nelken, da konnte man auf die Farben gar nicht achten, und jetzt haben wir kein Geld für Blumen. Man entbehrt sie auch nicht, überall liegt Spielzeug, liegen Bücher und Poster. Jens – Sie wissen, wer Jens ist? –, der behauptet, daß Menschen, die Blumenfreunde sind, sich so ähnlich verhalten wie Tierfreunde, die einen und die anderen hätten sich von den Menschen abgewandt. Tiere sind einfacher zu halten als Menschen, sie sind nicht nachtragend, und Blumen danken einem die Pflege besser, als Menschen das tun.« Paula redet noch schneller als an anderen Tagen. »Jens hat eine Oma im Allgäu, die gießt ihre Balkonblumen mit verdünnter Milch, die Fenster stehen voller Blumen, es kommt kaum Luft in die Stube, die Luft wird vorher von den Petunien und Geranien und Fuchsien und was da alles blüht eingeatmet; der Opa, der schon seit zwei Jahren das Bett nicht verlassen kann, für den hat sie weniger Zeit. Bei Blumen weiß man, was denen guttut, bei alten Männern weiß man das nicht. Sie weiß das nicht, sagt Jens. Als Kind hat er dort seine Ferien verbracht, und er meint, daß wir im Sommer alle hinfahren könnten, das Haus sei groß genug. Unsere ganze Wohngemeinschaft, nötig hätten wir es. Ich sage immer noch Wohngemeinschaft, eigentlich sind wir aber eine große Familie. Bevor wir die Ferien planen, sage ich in der Sozialstation Bescheid, damit man eine Vertretung für

Sie hat. Manchmal frage ich mich, ob Sie mich überhaupt von den anderen Hilfskräften unterscheiden.«

»Ich kenne Ihre WG zumindest mit Namen, es gibt eine Gudrun, es gibt einen Jens, es gibt – nun habe ich den Namen vergessen.«

»Das Kind heißt Eva. Und meines heißt Adam!«

Adam hat sich auf den Bauch gelegt und ist eingeschlafen.

»Demnach leben Sie zu fünft in einer Wohnung. Vier Räume?«

»Drei! Es hat auch nicht jeder ein eigenes Bett, einige müssen zusammen schlafen, tun es aber gern. Meist schlafen Adam und Eva zusammen, und manchmal schlafen Paula und Gudrun zusammen, und dann nehmen sie Jens in die Mitte.«

»Ersparen Sie mir Einzelheiten.«

»Da entgeht Ihnen aber etwas, Chef.«

»Es entgeht mir vieles.«

Inzwischen hat Paula mit der Behandlung begonnen. Nach längerem Schweigen fragt sie: »Wie gefällt Ihnen mein Adam?«

»Nun, wer Kinder mag. Er wird sich von anderen Kindern seines Alters wenig unterscheiden.«

»Haben Sie wirklich nie eigene Kinder haben wollen, Chef? Das kann ich mir nicht vorstellen. Ich wollte immer Kinder haben, allerdings später, nicht jetzt. Aber jetzt haben wir jetzt, und jetzt habe ich den Adam. Wie es kommt, ist es richtig. Man kann das nicht alles selber entscheiden. Planwirtschaft: Jetzt nicht, dann ja. Das Thema Kinder ist tabu, ich weiß, ich höre schon auf. Ich habe mir gedacht, daß ich heute die Keramiken, die zur

Ausstellung sollen, verpacke, das mache ich in der Garage. Dem Adam ziehe ich eine Jacke an, dann stören wir Sie nicht. Morgen fahre ich die Pakete zur Post. Ist das recht, Chef?«

»Wie sind Sie an das Kind gekommen?«

»Seit Wochen bin ich dabei, Ihnen das zu erklären. Ich wollte Sie allmählich auf Adam vorbereiten, und dann wollte ich Sie fragen, ob ich ihn einmal mitbringen dürfte, damit er weiß, wo ich bin, wenn ich nicht bei ihm bin. Und Sie sollten erfahren, warum ich nicht fünf Minuten länger bleiben kann. Dran gekommen bin ich an ihn auf die übliche und sehr natürliche Weise, das wissen Sie schon. Der Bundesbürger in Prag, mit dem Kontrabaß und dem roten Audi. Ich wollte Sie nicht mit dem Adam überrumpeln, obwohl er mich auch überrumpelt hat. Ich habe von Halle erzählt und von den Antis, die ich aus dem Zugfenster geworfen habe, und von Prag und von dem Empfang im Westen, und dann wollte ich Ihnen von unserer kleinen Familie erzählen. Ein Vater, zwei Mütter, zwei Kinder! Dann erst wollte ich Sie fragen, ob Sie Adam kennenlernen wollen.«

»Haben Sie mit meinem Einverständnis gerechnet?«
»Nein.«

»Etwa mit meinem Mitleid?«

»Auch nicht, aber mit Ihrem Egoismus. Besser Paula und Adam als ganz ohne Paula, dachte ich.«

»Sie sollten das Kind anders ernähren. Es ist zu dick.«

»Alle Männer in meiner Familie sind dick. Das sind Windeln und Jäckchen und der Overall, damit er hier nicht friert, bei Ihnen wird man kühl gehalten.«

In kurzen Abständen sagt Frau Herbst: »Paula, Sie sollten das Kind . . .« oder »Dieses Kind müßte . . .«

Schließlich sagt Paula: »Dieses Kind soll nichts und muß nichts und darf so wenig. Ihre Ratschläge nützen mir gar nichts.«

»Ich habe Pädagogik studiert, ich hatte allerdings wenig Gelegenheit, das Erlernte auszuüben.«

»So«, sagt Paula, »das erfahre ich zufällig und nebenbei. Seit Wochen sitze ich hier und rede und rede und warte, daß Sie auch einmal etwas von sich hergeben. Gudrun fragt an jedem Tag, sobald ich in die Wohnung komme: ›Nun, was hat sie gesagt?‹ ›Sie‹, das sind Sie, und dann sage ich: ›Nichts‹ oder ›So gut wie nichts‹, und dann nimmt Gudrun an, daß ich ihr etwas verschweige, weil es das doch gar nicht gibt: jemand, der sprechen kann und nicht spricht. So gut wie nicht.«

»Man kann sich das Sprechen abgewöhnen.«

»Wenn ich es mir auch abgewöhnen soll, müssen Sie es mir nur sagen, Chef.«

»Haben Sie einmal darüber nachgedacht, daß ich unter meiner Sprachlosigkeit leiden könnte?«

»Oh«, sagt Paula, schlägt sich gegen die Stirn, »ich denke zuwenig, ich denke zuwenig nach.«

Adam hat sich auf den Rücken gerollt und blickt um sich.

»Sei brav, Adam, spiel mit deinen Klötzern.«

Aber Adam hat andere Absichten, er stemmt sich hoch und macht sich, breitbeinig und leicht schwankend, auf den Weg zum Flügel, bekommt ein Bein zu fassen, patscht dann mit beiden Händen auf den Deckel.

»Er wird doch nicht etwa musikalisch sein?« sagt Paula. »Darf ich mal den Deckel öffnen?«

Bevor die Anfrage verneint werden könnte, hat Adam den Klavierhocker zu fassen bekommen und festgestellt, daß er sich drehen läßt; er dreht den Hocker und dreht sich mit dem Hocker, ist damit einige Zeit beschäftigt, macht sich dann auf den Weg zu den Türen, faßt nach der Klinke, klinkt auf, klinkt zu, klopft aber vorher an, und Paula erklärt, daß er gewohnt sei anzuklopfen. Im Anfang habe man in der WG alle Türen ausgehängt, davon sei man abgekommen. Adam steht inzwischen vor der verschlossenen Tür, klopft mit beiden Fäusten an.

»Jetzt möchte er wissen, was sich hinter der Tür verbirgt. Ich möchte das auch wissen, aber ich stelle möglichst wenig Fragen, bei denen mit keiner Antwort zu rechnen ist.«

Bevor Adam auch nur das Gesicht verziehen kann, hat Paula ihn schon auf dem Arm und erzählt im Märchenton: »Es war einmal ein wunderschönes großes Haus, das gehörte einer reichen, schönen Frau, und diese reiche, schöne Frau mußte immer still in ihrem Sessel sitzen wie auf einem Thron. Ihr Thron hatte Räder, und sie konnte herumrollen, hierhin und dahin. Das Haus hatte viele, viele Türen, aber eine Tür war immer verschlossen, und nur wer –«

Adam ist an den Versprechungen seiner Mutter nicht interessiert, er hat die Schale mit den weißen Blumen entdeckt. Er strampelt, wird hingestellt, macht sich auf den Weg, zieht die erste Blume aus der Schale, bringt sie einem der blauen Teppichvögel, holt die zweite Blüte, bringt sie einem anderen Vogel, die dritte.

»Sie müssen eingreifen, Paula! Er wird die Schale umwerfen, es ist Wasser in der Schale.«

»Ich greife möglichst wenig ein. Sieht es nicht wunderschön aus? Adam ist fröhlich und beschäftigt, nachher sammle ich die Blüten ein und stecke sie, so gut ich kann, zwischen die Kiefernzweige; falls das Kiefern sind, im Blumenanordnen habe ich keine Erfahrung.«

»Es sind Christrosen, auch Schneerosen genannt, die Blumen sind giftig. Passen Sie auf, daß er die Stengel nicht in den Mund nimmt –«

Schon passiert! Paula erwischt den Stengel, fährt vorsichtshalber mit ihrer Zunge durch seinen Mund, und Adam wirft sich zornig auf den Teppich und strampelt mit den Beinen.

»Es handelt sich um ein Nieswurzgewächs«, sagt Frau Herbst, »in Alpengebieten wächst es im frühen Frühling wild, am Ende des Winters. Ich habe einmal einen Wald, einen Zauberwald voller –«

»Entschuldigung«, sagt Paula, »ich muß mich um Adam kümmern.«

»Sie könnten die Christrosen mit nach Hause nehmen.«

»Ich habe doch schon den Adam und sein Spielzeug. Ich muß vorsichtig fahren, es ist glatt. Den Helm, den er auf dem Fahrrad tragen müßte, habe ich noch nicht gekauft, die Läden sind schon geschlossen, wenn ich auf dem Rückweg bin. Gudruns Reise und Jens' Examen haben alles durcheinandergebracht. Wir müssen selber planen und selber tun. Sie brauchen nur zu organisieren, die Ausführung besorgen andere. Wir machen an jedem Abend einen Plan und verteilen die Aufgaben und teilen und verteilen Zeit und Geld, meist klappt es ja auch, und wenn nicht, taucht der Vater von Jens auf und macht den Babysitter. Er ist Pfarrer, protestantischer Pfarrer, er hat uns gern, nicht nur seinen Sohn und die Gudrun, auch mich und meinen Adam. ›Ich kriege euch alle noch‹, sagt er und lacht. ›Wir haben ja Zeit, die Kirche kann warten. Ich traue euch und taufe euch. Gudrun und mich muß er ja auch noch taufen, nicht nur die Kinder. Aber erst soll Jens sein Examen haben, und eigentlich hatte ich ja gehofft, daß ich bis dahin einen Vater für Adam gefunden hätte, dann könnte er uns auch noch trauen. – Adam! Spiel mit den Klötzern! Das Haus ist nicht kindergerecht, das wußte ich ja. Adam kann laufen, essen, trinken, schlafen, lachen, weinen, schmusen, aber sauber ist er noch nicht, reden kann er auch noch nicht, sonst würde er ›bitte‹ und ›danke‹ sagen. Er sagt nur ›bah-bah‹, ›Ma-Ma‹ und ›la-la‹. Wenn er einen Mann sieht, der ihm gefällt, ruft er gleich: ›Papa!‹ Er kann nur einen einzigen Vokal, das ist das A. Jens sagt: ›Der Kammerton A, den hat ihm der Kontrabaß vererbt.‹ Er wird schon noch lernen, B zu sagen. Ich habe es auch gelernt.« Sie hält Adam in Augenhöhe, sagt: »B-b-b. Er lernt und lernt. Jeden Tag lernt er etwas hinzu. Seit gestern spielt er mit den Klötzern: aufbauen, umstoßen, aufbauen, umstoßen. Adam! Komm, spiel mit den Klötzern!«

Sie stellt ihn hin, er bleibt breitbeinig stehen, macht ein andächtiges, törichtes Gesicht.

»So«, sagt Paula, »das auch noch! Tagelang keine

Verdauung, und dann hier! Du Miststück, du süßes stinkendes Miststück!«

»Mußte das sein?«

»Offensichtlich, Chef. Ich gehe mit ihm in die Garage, da ist es eiskalt, aber da steht wenigstens der Packtisch.«

»Benutzen Sie unseren Arbeitstisch, ich werde, wenn Sie fertig sind, die Terrassentür öffnen.«

»Die Rolläden sind schon unten, Chef. Dieses Stinktier.«

Bald darauf kommt Paula aus dem Badezimmer zurück, schwenkt den nackten Adam, zeigt ihn vor. »Wie finden Sie ihn denn im Naturzustand? Klein sind sie doch am schönsten, überall, besonders: überall.«

Der frisch verpackte Adam setzt seine Erkundigungen fort; sein Interesse gilt der Frau im Rollstuhl. Er nimmt einen Zipfel der Decke, die die Beine verbirgt, zieht daran, blickt der Kranken fest in die Augen und sagt sein erstes vollständiges Wort: »Raus!«

Er wünscht hier rauszukommen. Sofort! Falls Paula gehofft haben sollte, daß die erste Begegnung erfreulich verlaufen könnte, hat sie sich getäuscht.

»Sie wollten mir von einem Schneerosenwald erzählen, ach, Chef!«

Paula nimmt den Adam bei der Hand, den Sack mit seinem Spielzeug in die andere Hand. »Wir machen am besten, daß wir hier fortkommen. Wir gehen in die Garage.«

Es gibt dann doch noch eine Überraschung. Paula wird zurückgerufen. »Sie können in Ruhe die Packarbeiten erledigen, lassen Sie das Kind bei mir.«

Die Frage wird von Paula an Adam weitergeleitet, und der sagt sein erstes Wort ein zweites Mal: »Raus!«

»Chef! Man muß bei der ersten Begegnung freundlich sein, später ist der erste Eindruck schwer zu korrigieren. Kinder sind noch nachtragender als Erwachsene. Bevor ich gehe, komme ich noch einmal herein, den Adam lasse ich dann besser draußen.«

»Und was ist morgen und später? Wie lange soll das dauern?«

»Ich muß mit Adam sprechen.«

9

›Ratschläge geben ist wie küssen, es kostet nichts
und ist eine erfreuliche Tätigkeit.‹

Shaw

Drei Tage bleibt Paula fort. Von der Station hat man eine
Vertretung geschickt. Als sie dann ins Gartenzimmer
tritt, wird ihr Gruß nicht erwidert. Sie läuft, kniet vor
dem Rollstuhl nieder, faßt nach den Händen. »Was ist
los? Sie sind wieder eine Immobilie! Sie wollen nicht
sprechen? Kein Wort zu Paula?«

»Ich habe Sie entbehrt. Etwas Schlimmeres konnte
mir nicht passieren. Ich will nie wieder einen Menschen
entbehren.«

»Sie müssen mich doch auch gar nicht entbehren! Ich
komme doch. An jedem Tag komme ich. Ich werde an
allen Weihnachtstagen kommen und zu Silvester, immer komme ich! Gudruns Mutter war nicht todkrank,
sie hatte nur Sehnsucht, sie wollte endlich ihr Enkelkind
sehen. Wenn Jens erst sein Examen hat! Es läßt sich alles
einrichten, es ist nur etwas schwer zu organisieren.
Ihnen gerät es doch auch. Adam kann laufen, ich kann
laufen; wenn ich vor Ihrem Rollstuhl knie, denke ich,
das wichtigste ist, daß man laufen kann, hinlaufen,
weglaufen. Ich bin viel zuviel weggelaufen. Warum gibt

es denn keine Wunder? Warum können Sie sich denn nicht an irgendeinem wunderbaren Tag erheben –«

»Hören Sie auf, Paula, es ist töricht, was Sie sagen.«

»Ich befinde mich wieder im Märchenalter. Ich erzähle den Kindern abends Märchen, auch dem Evchen, aber sie hört nicht so gut zu wie mein Adam. Ich denke mir die Märchen aus, wenn ich mit dem Rad nach Hause fahre. Adam ist eifersüchtig auf Bücher, er schlägt sie mir aus der Hand, nicht nur die Bücher, die ich zu meiner Weiterbildung lesen muß, auch das Märchenbuch. Die meisten Märchen, die ich erzähle, spielen hier in Ihrem Haus, und aus Ihnen habe ich eine Königin gemacht, und der König ist in ein fernes Land geritten, hat den Königssohn mitgenommen, sie reiten auf Kamelen, und sie reiten auf Elefanten und auf Dinosauriern, und die Königin sitzt auf ihrem rollenden Thron. Adam blickt mich an, als erwarte er, daß die Königin aufsteht und dem Königssohn entgegengeht. Chef! Es gibt nicht mal in meinen Märchen ein gutes Ende. Sie sitzen auf Ihrem rollenden Thron, und dann klingelt es am Gartentor, und dann fragt die Königin durch die Sprechanlage: ›Wer ist dort?‹ Und dann mache ich eine Pause, und dann ruft Adam: ›Mama! Mama!‹«

»Können wir das Thema wechseln? Gibt es keine Fortsetzung? Sie sind in Ihrer Geschichte erst bis nach Hof gekommen.«

»Wollen Sie das wirklich alles wissen? Ich hatte vor, Sie mit meinen Geschichten auf Adam vorzubereiten. Wo war ich stehengeblieben? Ach, ich bleibe doch gar nicht stehen, ich knie doch, oder ich hocke vor Ihnen und versuche, Sie zu beleben.

Ankunft in der Bundesrepublik! Als wir drei so leidlich wieder bei Verstand waren, ganz nüchtern waren wir in den ersten Tagen selten, das lag aber nicht am Alkohol. Wir machten Pläne. Wir sagten von Anfang an ›wir‹, als ob auch ich dazugehörte. Wir machen eine deutsch-deutsche Vereinigung im kleinen. So hat Jens das ausgedrückt. Das Verhältnis zweimal Ost und einmal West, zwei Frauen, ein Mann erschien uns günstig. Gudrun und ich, wir brauchten einen Vorsprung, und Jens ließ uns den. Am Anfang entschuldigte er sich immer dafür, daß er aus dem Westen stammte, aus bürgerlichen Verhältnissen, der Vater ein Akademiker, die Mutter eine Akademikerin und er auf dem Wege. Er staunte, daß wir eine Waschmaschine bedienen konnten und eine Kassette in einen Recorder legen. Um ihm eine Genugtuung zu verschaffen, behaupteten wir, daß wir die Waschmaschine nicht abstellen könnten. Er bekam den erwarteten männlichen und westlichen Vorsprung, so etwas sagen wir heute noch manchmal. Meist fällt er darauf rein, manchmal merkt er es, dann lachen wir ihn aus, das macht ihm aber gar nichts. Wir kugeln uns vor Lachen. Gudruns Lachen steckt uns an. Manchmal brüllen wir uns auch an mit dem Erfolg, daß Adam und Evchen ebenfalls brüllen, nur ausdauernder. Die beiden haben uns gut erzogen. Meist gehen wir liebevoll und verständnisvoll mit ihnen um. Gudrun behauptet, daß mir noch Flügel wachsen würden, dann könnte ich meinen Sohn unter meine Flügel nehmen und mit ihm davonfliegen. Wäre das nicht wunderbar? Fragt sich nur, wohin. Wo hätten wir denn einen besseren Platz? Wo hat man denn auf Paula und Adam gewartet?

Am Anfang habe ich Sozialhilfe in Anspruch genommen. Wenn man das tut, muß man sozial denken, so sehe ich das. Es ist doch nicht selbstverständlich, daß man eine abgebrochene Medizinstudentin aus der Ehemaligen unterstützt. Warum tut das der Staat? Muß ich mich da nicht auch sozial verhalten? Ich habe mir das vorgenommen. Ich muß mich so rasch wie möglich in eine Lage bringen, in der ich das Geld, das ich bekommen habe, in Form von Steuern zurückzahle. Ich will nicht wieder abhängig sein, vom Staat, meine ich, das war ich lange genug. Ich war ein Untertan, wir haben alle gelebt wie Untertanen, das ist mir inzwischen aufgegangen. Jetzt muß ich alles selbst entscheiden. Wenn ich die Rechte eines Rechtsstaates in Anspruch nehme, muß ich auch meine Pflichten wahrnehmen. Hier wird zuviel von Menschen-Rechten gesprochen. Solche Ansichten beziehe ich von Jens. Und viel zuwenig von Menschen-Pflichten! Rechte und Pflichten sind durch das Wort ›und‹ miteinander verbunden wie Sonne und Regen. Nur so zum Beispiel. Nachtwache im Krankenhaus wird gut bezahlt. Bei Ihnen verdiene ich auch gut. Ich bezahle Steuern, aber nicht viel. Ich bin krankenversichert. Adam auch. Es ist nicht gut, daß alle, die etwas für Sie tun, dafür Geld bekommen. Einer müßte Ihnen nur aus Zuneigung helfen, am besten wäre natürlich eine Tochter. Wie alt wäre sie jetzt? In meinem Alter?«

»Hör auf! Misch dich nicht ein, fang nicht wieder davon an!«

Paula ist klug genug, das erste ›du‹ nicht wahrzunehmen.

»Weiter im Text! Jens wohnte in einer WG, den Ausdruck kannten Gudrun und ich nicht. Er wohnte da schon im zweiten Jahr; vorher hatte er ein Jahr lang in einem Kibbuz gearbeitet, und in den Entwicklungsländern war er auch schon. Er hatte seine Mitbewohner darauf vorbereitet, daß er seine Freundin an der Grenze abholen würde. In der allgemeinen Aufregung und Begeisterung waren alle damit einverstanden gewesen. Daß er dann mit zwei Frauen ankam, dämpfte die Begeisterung, ›dämpfte‹ ist falsch, es ging ziemlich laut zu. Noch jemand, der duschen wollte, aufs Klo mußte, die Küche benutzte. Ich bekam eine Matratze in den langen Korridor gelegt, da schlief ich wie ein Hund; sie stiegen und stolperten über mich weg. Aber ich: immer freundlich, und wenn sie mich traten, habe ich mich entschuldigt, daß ich im Weg lag. Mit meiner Freundlichkeit habe ich den einen richtig fertiggemacht, der zog aus; da wurde ein Zimmer frei, aber die Miete konnte ich nicht bezahlen. Wir haben eine ehemalige Besenkammer ausgeräumt, da stand alles drin, was andere zurückgelassen hatten, eine Rumpelkammer, und ich das Rumpelstilzchen. Gudrun kam mit in Jens' Zimmer, das war kein Problem. Wir haben die Rumpelkammer ausgemalt, hübsch bunt, kleine Orangen, große Orangen, eine richtige Apfelsinenkiste. Matratze, Decken, ein Tisch, alles fand sich, sogar ein Schaukelstuhl. Kein Fenster. Es handelte sich um einen Altbau, Gründerjahre, nehme ich mal an. Die Zimmer sind vier Meter hoch, aber da oben nutzt einem der Platz nichts, man hätte eine Galerie einbauen können, aber diesen Vorschlag haben wir dem Hausbesitzer gar nicht erst gemacht. Damals waren die Türen noch ausgehängt,

Licht und Luft bekam ich; von beidem nicht viel. Es wurde mir eng, manchmal wurde mir schlecht, aus Luftmangel. Kann man in einer Wohnung eigentlich hausen? Wir hausten, richtiges Wohnen war es gar nicht.

Meinemarie hatte dafür gesorgt, daß ich Bescheinigungen und Zeugnisse vorlegen konnte, ich mußte mich ausweisen. Manchmal genügte es, wenn ich sächsisch sprach, und an den marmorierten Jeans konnte man uns auch erkennen. Man wußte gleich, woher. Inzwischen wurden es immer mehr DDRler, und die vielen waren dann schon weniger beliebt. Die erste Begeisterung galt den Flüchtlingen, die aus den Botschaften kamen. Meinemarie schickte Pullover und Wäsche, und in alle Taschen hatte sie Zettel mit ihren Losungen gesteckt. Die Sprüche aus dem Zettelkasten. Ich habe sie erst so nach und nach entdeckt, gesucht habe ich nicht; ich kenne doch Meinemarie. Ich sollte sie finden und nicht suchen.

Abends hockten wir vorm Bildschirm. Der Apparat steht auf der Erde. Einmal wurden auch Bilder aus Halle gezeigt. Marktkirche, Roter Turm, Lichterketten. Über mich kam das Heimweh, und die anderen sagten: ›Sei doch froh‹, und das war ich ja auch, aber in einer anderen Schicht. Dann der neunte November. Was für ein Datum das wurde, ahnten wir nicht. Eine Geschichtszahl. Die Mauer fiel. So heißt das immer: ›Fall der Mauer‹. Sie wurde durchbrochen! Und es fiel kein Schuß! Sie ahnen gar nicht, was das für uns bedeutete! Es gab – drüben – ein Lied, das kannte jedes Kind: ›Bau auf, bau auf, freie deutsche Jugend, bau auf! Für eine bessere Zukunft bauen wir die Heimat auf.‹ An dem Abend haben wir drei das umgedichtet. ›Reiß ein, reiß ein, ... und für eine bessere Zukunft reißen wir die Mauer ein.‹ Wir sind durch die Wohnung marschiert, im Gleichschritt, Gudrun mit einem Kochtopf vorweg, auf den schlug sie mit einer Kelle den Takt. Jetzt waren alle frei!

Der Morgen danach! Gudrun war der Meinung, jetzt kommen alle, jetzt wollen alle im Westen Geld verdienen. Wir haben den kleinen Vorsprung, also los. Jens studierte, er hatte ein Stipendium, er war versorgt; als Ernährer wollten wir ihn nicht ausnutzen, davon war nie die Rede. Gudrun hatte eine abgeschlossene Ausbildung. Mit Titel! Ingenieur-Ökonom! Klingt gut? Die Ausbildung ist auf das sozialistische Wirtschaftssystem ausgerichtet. So stand es hier in der Zeitung, im Westen. Es ist überholt, es nutzt ihr gar nichts, man lacht sie aus. Dabei hat sie eine Facharbeiterprüfung und dann die Fachschule. Abitur hat sie nicht, aber den Abschluß an einer POS, das ist eine Polytechnische Oberschule. Gewesen! Ihr volkseigener Betrieb hat sie zum Studium für Textiltechnologie delegiert. Drüben war das mal eine sichere Sache. Aber hier! Sie fand eine Halbtagsstelle in einem Warenhaus, Herrenabteilung, vormittags, das war schlecht. Man hätte sie nachmittags dort arbeiten lassen sollen und Samstag vormittags und an den verkaufsoffenen Tagen, wenn die Herren persönlich kommen und sich ihre Unterwäsche aussuchen. Gudruns Typ mögen die Männer, aber nachmittags verkaufte die Abteilungsleiterin persönlich, vor ihr genierten die Herren sich, wenn sie was Ausgefallenes haben wollten. Und Gudrun versuchte, vormittags um elf, den braven Ehefrauen verwegene Slips für ihre braven Ehemänner zu verkaufen. Ich war als Hilfsschwester, aushilfsweise, in der Klinik untergekommen. Einen ordentlichen Abschluß konnte ich nicht vorweisen, und bei allem, was ›Ehemalige‹ hieß, war man zwar freundlich, aber auch skeptisch.

Es hatte sich alles schon ganz gut eingespielt, da kommt Gudrun eines Tages später als sonst zurück. Sie weint, sie lacht, lacht, weint. Jens fragt, ich frage: ›Was ist los, sag doch, was los ist.‹ – ›Ich kriege ein Kind, ich kriege ein Kind!‹ Und der Jens gleich: ›Wir kriegen ein Kind, verstanden?‹ Zunächst hatte Gudrun gedacht, es läge an der Naturkost, die Jens uns morgens verabreicht, für das Frühstück ist er zuständig. Mir bekam sie auch nicht, morgens war mir oft übel, mich steckt so was an. Erst rannte Gudrun ins Klo, und drei Minuten später rannte ich. So reagiere ich immer. Wenn in der Klinik jemand kotzt, kann mir das auch passieren. Wir haben uns beraten. Jens, der eine Weltanschauung hat, ließ nicht mit sich reden. Das Kind soll leben! Manchmal wird er pathetisch, er sagte: ›Ein Kind der deutschen Einheit, das müßt ihr euch mal klarmachen.‹ Wir sollten das symbolisch nehmen. Er sagte nie ›dein Kind‹, auch nicht ›unser Kind‹, sondern ›das Kind‹. Am Ende lagen wir auf den Matratzen und kugelten uns vor Lachen über das deutsche Einheitskind. Wir rechneten aus, woher, und rechneten aus, wann es zur Welt kommen würde, viel zu rechnen gab es da nicht. Es würde in den Sommer hineingeboren, das fanden wir praktisch. Gudrun würde nicht, wenn es heiß wäre, mit einem dicken Bauch herumlaufen müssen. Die beiden überlegten, wie das mit dem Mutterschutz sei, wie wir finanziell durchkommen sollten. Gudrun ist so ein runder, weicher Typ, nicht dick, aber rund. Man möchte sie immer anfassen, viele tun das auch. Manchmal ärgert man sich, weil sie faul ist, aber alle haben sie gern, sie lacht viel, sie ist etwas träge. ›Wenn es euch stört, räumt auf! Putzt Staub! Wenn ihr aus dem Fenster sehen wollt, macht es doch auf!‹ Sie hatte geerbt, nicht viel, aber doch etwas, von ihrem Vater, der im Westen gelebt hat. Eine Waschmaschine, ein Farbfernsehgerät, praktische Sachen, die unpraktischen haben wir gleich weiterverkauft. Was sollen wir mit einer Sitzecke, gepolstert? Gardinen! Ein Sparbuch zu ihren Gunsten gab es auch. Das kam alles zum Vorschein, das hing mit der Wende zusammen. Die Frau, mit der ihr Vater bis zu seinem Tod zusammengelebt hatte, erwies sich als großzügig, er wird wohl auch großzügig gewesen sein. Die letzte Frau steht sich immer am besten. Wir hatten ein kleines Grundkapital. Gudrun hat Phantasie, früher hatte sie keine Gelegenheit, sie anzuwenden, aber jetzt. Sie muß sie auch für die finanziellen Unternehmen anwenden, Jens läßt ihr nichts durchgehen. Sieh zu! Von Anfang an: Du sorgst für die eine Hälfte des Kindes, ich für die andere. Später habe ich dann manchmal gesagt: ›Und ich?‹ – ›Du schaffst das‹, hieß es dann, ›du bist ein Energiebündel. Du könntest noch für mehr Menschen sorgen.‹ Als er das gestern sagte, hockte ich gerade auf der Matratze, Adam brüllte, weil ein Zahn nicht kommen wollte, das steckt mich an; wenn Adam heult, heule ich auch, das dauert aber nie lange, dann lache ich mich aus. Es müßte mehr geweint werden, dann würde auch mehr gelacht. Und jetzt komme ich endlich zu den Decken. Gudrun mit ihren Einfällen! Sie weiß aber auch, wie man sie umsetzen muß. Als erstes hat sie einen Zettel an den nächstbesten Baum gehängt: ›Steht bei Ihnen eine Nähmaschine herum? Wenn Sie sie nicht brauchen, ich könnte sie gut gebrauchen.‹ Darunter stand ›Gudrun‹ und unsere Adresse. Zwei Tage später hatten wir bereits fünf Maschinen, zwei davon elektrisch. Ich dachte, nun muß sie wieder einen Zettel an den Baum hängen. Nichts da – sie stellte die Maschinen in eine Ecke und sagte: ›Wartet mal ab!‹ Dann ist sie losgezogen und hat Stoffreste gekauft, Dekorationsstoffe, die kleineren Reste hat man ihr geschenkt. Berge, ganze Berge von Stoffresten. Dann hat sie ein Zimmer ausgeräumt und ihre Werkstatt aufgemacht. Sie näht Patchwork-Bezüge, das kam in jenem Winter in Mode. Geschmack hat sie, nähen hat sie gelernt. Man braucht in die Bezüge nur leichte Wolldecken einzuziehen, waschbar sind ihre Bezüge auch. Die Arbeitsstunden und den Stundenlohn darf man nicht rechnen. Aber sie arbeitet zu Hause! Heimarbeit, das ist doch für Frauen mit Kindern das beste! Aber es wird ausgenutzt. Meinemarie hat das am Telefon gesagt. Die West-Firmen lassen jetzt die Heimarbeit von Frauen im Erzgebirge machen und zahlen ihnen drei Mark oder vier Mark in der Stunde, und hier, im Westen, da haben sie vierzehn Mark gezahlt. Und die Frauen sagen auch noch danke, weil die Männer arbeitslos sind und zehn andere ihre Arbeit gern machen würden. Das darf doch nicht sein! Was sagen Sie dazu, Chef?«

»Meine Meinung dazu interessiert keinen. Die Firmen könnten in Billigländern arbeiten lassen, dann gäbe es die drei oder vier Mark auch nicht. Überlassen wir das den Politikern.«

»Chef! Das hat man bei uns vierzig Jahre getan, und wie stehen wir da? Und nun wieder? Ich höre schon auf. – Am Anfang hat Gudrun sich eine fertige Decke über den Arm gehängt und ist damit in die Boutiquen gegangen, mal mit Erfolg, mal ohne. Manchmal wurde sie ihre Decke schon unterwegs los. ›Wo kann man das kaufen?‹ – ›Bei mir! Am besten gleich jetzt, sonst überlege ich es mir noch. Aber Sie gefallen mir, und dies ist meine schönste Decke.‹ Sie hätte gut in einen Basar gepaßt – ich meine die Decke. Aber Gudrun auch.« Paula unterbricht sich. »Noch hatte sie ja das Kind nicht! Morgens immer dasselbe Theater: Gudrun wurde es übel, mir wurde es übel. Sie sagte: ›Geh auch mal zum Arzt, du nimmst ab, du siehst grün und lila aus.‹ Dann kam das Weihnachtsfest, das erste im Westen. Genau erinnere ich mich nicht mehr. Wir sind Jens' zuliebe zur Christmette gegangen. Das Weihnachtsevangelium! Ich kannte das gar nicht. ›Lukas zwo‹, flüsterte Jens uns zu, ›paßt auf!‹ Jens' Vater ist Pfarrer, habe ich das schon gesagt? Hier in dieser Stadt, aber in einem Vorort, der Weg war weit. Kirchgang, sagte Jens; die Straßenbahnen fuhren nicht. Wir hatten Gudrun in die Mitte genommen. Bei ›Maria aber war schwanger‹ sahen wir uns an, drückten ihren Arm, flüsterten: ›Gudrun aber war schwanger‹, und plötzlich waren wir mittendrin, wie in Bethlehem! Jens hat einen kräftigen Baß, die Texte konnte er auch, er sang für uns drei, Gudrun summte mit. Wir hatten an der Kirchtür Textblätter bekommen: ›Ich steh' an deiner Krippen hier . . .‹ Als die Glocken dann läuteten, lief es mir kalt über den Rücken, aber angenehm kalt. Es war eine klare Nacht. In den Vorgärten standen Fichten und Tannen mit elektrischer Beleuchtung. Wir gingen von einem Lichterbaum zum anderen, und in den Zimmern, in die man hineinblicken konnte, brannten die Kerzen auf den Weihnachtsbäumen; in den Schaufenstern der Innenstadt war nur noch die Notbeleuchtung eingeschaltet, Autos waren kaum unterwegs. Als wir den Dachsberg hinuntergingen, sahen wir den ›bestirnten Himmel‹, so nennt Jens das. Wir blieben stehen, er zeigte uns die Sternbilder. Den Großen Wagen hatte ich noch nie so deutlich gesehen, die Deichsel zeigte tief in den Horizont. Ich dachte an Meinemarie und den Opa, und Gudrun verlangte, daß wir ihr den Großen Wagen zu Weihnachten schenken sollten, was wir auch taten. Und dann haben wir mitten in der Nacht Zwiebelkuchen gebacken, auf Hallenser Art mit viel Kümmel, dann ist er bekömmlicher, sagt Meinemarie. Zu Hause, in Halle, hatten wir erzgebirgische Räuchermännchen und eine Weihnachtspyramide, Meinemarie machte warmen Kartoffelsalat und schlesische Bratwurst, weil die Mutter meines Vaters aus Schlesien stammte, dafür mußte sie lange anstehen. Den Glühwein bereitete Jens. Wir waren allein in der Wohnung, die anderen waren dorthin gefahren, wo sie geschätzet wurden, Lukas zwo, das hatten wir ja gerade gehört. Wir waren berauscht, nicht betrunken. Gudrun und Jens verschwanden in ihrem Zimmer, ich ging in meine Rumpelkammer, zog mir die Decke über den

Kopf. Mir war, innen wie außen, zum Kotzen. Entschuldigung, Chef, aber so war mir. Und dann stand Gudrun vor meinem Bett, zog die Decke weg. ›Komm!‹ sagte sie. ›Komm! Bei uns ist noch Platz. Wir haben unseren Spaß, und du liegst da und heulst und bist allein.‹

Gudrun hat einen anderen Status als ich: Sie wollte zu ihrem Jens in den Westen, und ich wollte weg aus der DDR. Eigentlich war nur ich ein Flüchtling. Gudrun wurde, als sie ihrem Betrieb mitgeteilt hatte, daß sie schwanger sei, in die Spielzeugabteilung versetzt, das paßte ihr nicht. Der Arzt schrieb ihr ein Attest, sie blieb zu Hause, und dann kam das erst mit den Decken. Zunächst aber: Silvester! Wir waren eingeladen, lauter junge Leute: Westen, Osten, alles durcheinander, die meisten kannten sich nicht. Das Fernsehen lief, wir sahen die Leute, die durchs Brandenburger Tor zogen. Alle wollten auf die andere Seite, das ging hin und her – Osten, Westen, Westen, Osten. Man umarmte sich, küßte sich, trank aus Sektflaschen und Bierflaschen, und wir taten das auch, wir haben getanzt und lauthals gesungen. Das Deutschlandlied für alle! Dritte Strophe. Ich kannte den Text nicht. Und dann sangen wir auch noch ›Brüder, zur Sonne, zur Freiheit‹. Weit kamen wir damit nicht, dann läuteten die Glocken, dann gab es das Feuerwerk. Wir befanden uns in einem Hochhaus mit Blick über die ganze Stadt. Wenn ich mich aufrege, wird mir leicht schlecht; das Badezimmer war besetzt, ich rannte zum Fahrstuhl, aus dem Haus raus und in die Grünanlagen. Ich lehnte mich gegen eine Betonmauer und dachte: Das ist die Mauer, die in Berlin! Und dann ist alles aus mir herausgekommen, alles! Ich dachte, jetzt geht auch das noch weg, was in deiner Seele steckt, jetzt ist der Osten aus dir raus. Ich bin wieder in den obersten Stock gefahren, habe mich im Badezimmer in Ordnung gebracht und wollte wieder mitmachen, aber die anderen waren betrunken, lagen herum; was sie da trieben, wollte ich nicht sehen. Ich befand mich in einer Hochstimmung, die sollte mir keiner kaputtmachen. Ich habe mir meine Jacke gesucht und bin durch die Straßen gelaufen, irgendwohin. Ich habe tief ein- und ausgeatmet. Das Feuerwerk war vorbei, die Glocken läuteten nicht mehr, manchmal hupte jemand neben mir, dann habe ich kehrtgemacht. Keine Ahnung, in welchem Stadtteil ich mich befand. Als eine Funkstreife kam, habe ich gewinkt und gefragt, wo ich denn überhaupt wäre. Sie hörten mein Sächsisch, sagten, daß ich mich im Westen befände. Sie haben mich nach Hause gefahren.

Am Neujahrsmorgen kochte Gudrun Kaffee; nach dem ersten Schluck war mir schlecht, noch vor ihr. Sie sagte: ›Morgen gehst du zum Arzt!‹ In die Ambulanz meiner Klinik wollte ich nicht gehen, also ging ich zu einem Arzt, der seine Praxis in der Nähe hatte. Allgemeinmedizin. Ich mußte warten, dann wurde ich aufgerufen. Der Arzt blickte hoch. Keine Untersuchung. Er sagte: ›Sie sind schwanger. Also –?‹ Ich sagte: ›Meine Freundin ist schwanger!‹ Das war eine törichte Antwort, ich hab's aber gesagt. ›So überraschend kann das doch nicht sein‹, sagte er. – ›Doch‹, sagte ich und rechnete und dachte nach und rechnete und sagte: ›Es ist auf der Flucht passiert, ich bin über die Prager Botschaft in die Bundesrepublik gekommen.‹ – ›Hat man Sie vergewaltigt?‹ Ich sah ihn an. Woran Männer immer gleich denken. ›Nein‹, sagte ich, ›ich war überwältigt, nicht vergewaltigt. Ich war auf dem Weg in die Freiheit!‹ Der Arzt wollte mir das Kind ausreden. Zunächst mal ausreden. Er saß am Schreibtisch und schrieb eine Bescheinigung, damit könnte ich ins Krankenhaus gehen, ich brauchte keine Angst zu haben, eine Routinesache, es sei zwar spät, aber die besonderen Umstände der Flucht aus der DDR –. Da stand ich schon an der Tür. Ich sagte: ›Sie wollten soeben ein Kind töten, Herr Doktor!‹ Und weg war ich. Eine Rechnung habe ich nicht bekommen, brauchte ich auch nicht, den Krankenschein hatte ich abgegeben. Dann stand ich auf der Straße und dachte nach. Viel nachzudenken gab es gar nicht. Prag oder auch Praha. Ein Kind, das man in England oder auf einem englischen Schiff zur Welt bringt, wird ein Engländer. Mein Kind aus Prag, war das nun ein Tscheche? Ich stand vor einem Haus, in dem sich mehrere Arztpraxen befanden. Ich ging zum ersten besten, der hieß Doktor Sievening, eine Überweisung hatte ich nicht. Ich saß ziemlich lange im Wartezimmer, dann wurde ich aufgerufen. ›Frau Wankow.‹ Ich verbesserte, das tue ich immer: ›off, Wankow!‹ Der Arzt blickte rasch mal hoch und fragte: ›Was gibt's?‹ Und ich sagte: ›Ein Kind!‹ Er sah mich genauer an, fragte: ›Bist du von drüben?‹ Er sprach sächsisch! Ich hätte ihm um den Hals fallen können. Daran hinderte er mich, faßte mich statt dessen bei den Armen und sagte: ›Nun mal langsam!‹ Er war aus Merseburg! Das habe ich erst später erfahren. Er sagte ›du‹ zu mir, blickte auf meine Karte, sagte ›Paula‹. Er trug keinen weißen Kittel, sondern so eine Fellweste;

später habe ich gefragt, wieso denn kein Kittel, und da sagte er, daß hier kein Blut flösse, die Untersuchungen würden im Labor gemacht. Ich sagte, daß ich über die Botschaft in Prag geflohen wäre und daß ich den Erzeuger des Kindes nicht kenne und daß ich das Kind haben wolle. ›Dann müssen wir mal sehen, was zu tun ist‹, sagte er. ›Was hast du gelernt?‹ Ich sagte meinen Spruch auf: abgebrochene Medizinstudentin mit zugehöriger politischer Ausbildung, russische Sprachkenntnisse, Praktikum in einem Behindertenheim, zur Zeit Aushilfe im Hedwig-Krankenhaus. Er machte einen Vorschlag. Seine beste Sprechstundenhilfe bekäme demnächst Mutterschaftsurlaub. Er hat gefragt, ob ich bei ihm arbeiten wolle, bis ich an der Reihe wäre, dann sei Silke zurück. Meinemarie hat immer gesagt: ›Sag, das kann ich, das mache ich! Wenn du kein Zutrauen zu dir hast, haben die anderen es auch nicht.‹ Sie hat recht. Inzwischen habe ich das gelernt. Dieser Doktor Sievening, bei dem ich ein paar Monate gearbeitet habe, hatte Anfang der achtziger Jahre mehrmals einen Ausreiseantrag gestellt, dann hat er pro forma einen Fluchtversuch unternommen, von dem er wußte, daß er nicht geraten konnte. Also: ein Jahr Haft, dann wurde er ausgewiesen, das verlief programmgemäß. Wissen Sie, was er wert war, als er endlich im Bus saß? Achtzigtausend Mark hat die Bundesrepublik für ihn bezahlt. Dreißigtausend politisch Verfolgte sind für drei oder vier Milliarden Mark vom Westen freigekauft worden! Darüber regen sich die Leute hier auf. Man muß es auch mal von der anderen Seite sehen: Bei Doktor Sievening bekamen sie einen fertig ausgebildeten jungen Arzt mit mehrjähriger Berufserfahrung, umsonst! Bei den anderen wird es nicht viel anders gewesen sein. Ich versuche doch nur – irgendwie versteht man mich hier nicht. Der Staat brauchte doch dringend Devisen. Alle wußten, daß in dem Bus nicht nur Republikfeinde saßen, sondern auch Spitzel, die ebenfalls diese Busse benutzten. Kein Wort wurde gesprochen, noch waren sie ja nicht draußen. Doktor Sievening hatte noch seine Eltern in Merseburg, reisen konnten sie nicht mehr; nach einem Jahr durfte er zu Besuch hinfahren, bekam eine Aufenthaltsgenehmigung, im nächsten Jahr nicht. Alles Willkür! Zurück zur schwangeren Paula. Als er mich untersucht hatte, sagte er: ›Du mußt dir vorstellen, daß der Fötus jetzt die Größe einer Pflaume hat.‹ Das habe ich mir auch vorgestellt, und wenn ich mit dem Kind in meinem Bauch geredet habe, habe ich immer ›Pflaume‹ gesagt: ›Du Pflaume! Was sollen wir denn nun machen?‹ Hätte ich nicht diese Pflaume im Bauch gehabt, in den Arzt hätte ich mich verlieben können, und dann hätte ich mit ihm in der Praxis gearbeitet. Schöner Traum! Ihm war es recht, daß er wieder eine schwangere Sprechstundenhilfe hatte, für viele Gespräche sei das eine gute Vorbereitung; manche Frauen verließen allerdings vorzeitig das Wartezimmer, die bekäme er gar nicht zu Gesicht. Der Weg zu seiner Praxis war nicht weit, ich konnte zu Fuß gehen. Bis Ende Mai habe ich bei ihm gearbeitet, länger, als ich es gebraucht hätte. Er war ein richtiger Hausarzt, kannte die Familienverhältnisse. Bei den Patienten, die keine Angehörigen hatten, besaß er den Wohnungsschlüssel, denen packte er notfalls den Koffer und fuhr sie selbst in die Klinik.«

Paula wird unterbrochen: »Falls ich mich zu einem Arztwechsel entschließen müßte, meinst du –?«

Die Erzählerin sieht ihre Zuhörerin aufmerksam an, denkt nach, sagt dann: »Nein, das ist nicht der richtige Arzt für Sie, oder, anders gesagt, Sie sind nicht die richtige Patientin für ihn. Ihre Art zu leben würde er nicht respektieren. Er würde sagen: ›Sie sind nicht krank, Sie leben nur wie eine Kranke. Das tun Sie, weil Sie es sich leisten können.‹ So ähnlich, nehme ich mal an.«

»Sie teilen vermutlich die Ansichten Ihres Doktors?«
»Ich habe schon eine Menge Ansichten. Aber ich habe Sie trotzdem gern. Soll ich weitererzählen? Als erstes mußte ich es Gudrun und Jens sagen. Gudrun sah mich von oben bis unten an und sagte: ›Wo willst du denn ein Kind unterbringen? Du bist doch viel zu dünn.‹ Dann baute sie sich vor Jens auf, bevor der noch ein Wort hatte sagen können, immerhin war er noch Student, hatte zwei Frauen und demnächst zwei Kinder. Sie sagte: ›Paula und ich, wir beide machen euch‹ – damit meinte sie die ganze Bundesrepublik – ›jetzt mal den real existierenden Sozialismus vor!‹ Sie kann reden! Sie überzeugt die Leute. Das hat keine fünf Minuten gedauert, da sah Jens nur noch die Vorzüge. Ob nun ein Kind schreit oder zwei Kinder, ob man eines badet oder zwei badet, andere Leute haben Zwillinge, und die haben nur eine Mutter, wir haben zwei Mütter. Unsere Klamotten ziehen wir abwechselnd an. Gudruns Sachen schlampern um mich herum, in meine zwängt sie sich rein, daß man Sorge hat, ob sie auch wieder rauskommt. Ich hatte nie eine Schwester und eigentlich auch keine richtige Freundin, ich hatte nur Meinemarie.

Meinemarie weiß, daß ich in einer Wohngemeinschaft lebe, sie weiß von Gudrun und von Jens, aber von Adam weiß sie nichts, bis heute nicht. Ich habe verpaßt, ihr das zu sagen. Ich hätte am Tag der Verkündigung anrufen müssen, aber sie hat kein Telefon, wir telefonieren nur freitags. Ich hätte gleich sagen müssen, daß ich ein Kind erwarte. Meinemarie hätte gefragt: ›Konntest du nicht aufpassen?‹ Was hätte ich denn sagen sollen? Daß ich auf ganz andere Sachen aufpassen mußte? Und später, hätte ich da sagen sollen: Das Kind kann jetzt jeden Tag kommen? Woher denn? Was kann man denn seiner Mutter zumuten? Dann habe ich gedacht, wenn er laufen kann, dann sage ich es, wenn er erst mal ›Meinemarie‹ sagen kann oder ›Omarie‹ am Telefon, da hätte ich sagen können: ›Du bist jetzt eine Großmutter.‹ Aber: ihre Pusteblume im Kreißsaal? Es stimmt nicht mehr mit uns. Mal ist sie nicht da, wenn ich anrufe, mal komme ich nicht dazu anzurufen. Sie fragt: ›Ist alles in Ordnung?‹ Ich frage: ›Ist alles in Ordnung?‹ Und dann versichert eine der anderen: ›Aber ja! Natürlich! Was soll sein?‹ Oft telefoniere ich nur noch für eine Mark, und dann weiß ich für die letzten vierzig Pfennig nichts mehr zu sagen.

Wir drei haben damals die ganze Nacht diskutiert, wie wir das alles schaffen sollten, ideell und materiell. Natürlich mußte ich von der Baßgeige und dem roten Audi noch einmal alles erzählen, die beiden haben gefragt und gefragt. Es waren damals noch zwei andere Frauen in der Wohngemeinschaft. Die eine studierte Archäologie, die störte uns nicht weiter, die andere bekam viel Besuch von Freunden, wechselnden Freunden, und das bei ausgehängten Türen. Wir haben es den beiden dann mitgeteilt. Die erste, die auszog, war die künftige Archäologin: Wenn Säuglinge schrien, könne sie nicht arbeiten, außerdem blockierten Gudrun und ich das Badezimmer; sie war nur an dem interessiert, was unter der Erde war. In den Semesterferien wollte sie irgendwo ausgraben. Sie ließ ihre Sachen stehen, die kamen in die Rumpelkammer, und ich bekam ihr Zimmer. Dann zog die andere aus. Wechselnde Beziehungen und Schwangerschaften, das paßte nicht zusammen. Wir waren immer im Flur, wenn einer der Freunde auftauchte. Abschreckende Beispiele! Gudrun und ich tanzten den Flur entlang, Schieber, kennen Sie das? Bauch an Bauch, und Jens, wenn er gerade anwesend war, sah uns zu. Jetzt mußten wir drei die ganze Wohnung finanzieren. Gudrun sieht alles realistischer. Sie sagte: ›Sollen die Kerle nur kommen, dann ist sie beschäftigt, dann läßt sie unseren Jens in Ruhe.‹ Sie sagt meist ›unser Jens‹. Wenn ich spät komme, weil ich im Altenheim war, steht sie wie eine Furie vor mir. ›Ich brauche gar nicht zu fragen, wo du warst, das kann ich ja riechen. Was bekommst du denn dafür? Fünf Mark für einen oder für zwei Füße, oder wird das pro Zeh abgerechnet? Du unterhältst dich doch mit jedem eine Viertelstunde. Das rechnet sich nicht, hörst du, Paula!‹ Ich sage dann ebenso laut: ›Gudrun! Meine Unterhaltung ist kostenlos, ich will mich nicht stundenweise verkaufen. Wenn diese alten Menschen sagen: Heute kommt Paula!, wenn sie sich freuen – deshalb gehe ich da hin.‹ Und dann fragt sie: ›Und dein Chef? Freut der sich auch? Davon höre ich nichts.‹

Wenn man ein Problem beseitigt hat, tauchen zwei neue auf, ist Ihnen das mal aufgefallen? Ich habe den ›Zauberlehrling‹ gelesen, Goethe. ›Hat der alte Hexenmeister . . .‹ fängt das an. Meinemarie zitierte: ›Wehe, wehe!‹ So ähnlich. Eine Weile hat ein Student aus Ghana bei uns gewohnt; die Türen waren wieder eingehängt, der Vermieter hatte seine Miete nochmals erhöht, weil ein Farbiger eben mehr zahlen muß. Er studierte Medizin, interessierte sich nicht für uns, stöpselte sich die Ohren zu. Wir haben ihn mal zum Essen eingeladen, aber das war's auch; er paukte. Er hat fast ein Jahr mit uns zusammengewohnt. Beliebt war unsere Adresse nicht, Farbige und Kleinkinder sind überhaupt nicht beliebt. – Was man zu beanspruchen hatte, wenn man von drüben kam, hatte ich bekommen. Jetzt gab es aber eine neue Situation. Jens bestand darauf: ›Geh zum Sozialamt!‹

›Für eine soziale Indikation ist es ja wohl zu spät.‹ – ›Das weiß ich auch‹, sagte ich. – ›Nicht patzig werden‹, sagte die Frau hinter dem Schreibtisch; das wollte ich ja auch gar nicht, ich wollte nur mein Kind schützen. Man sei verpflichtet, den Namen des Kindsvaters anzugeben, der Staat könne nicht für das Fehlverhalten der Frauen aufkommen, so ähnlich. Sollte ich der Frau die Geschichte mit den Antis erzählen, die ich aus dem Zugfenster geworfen hatte? Der rote Audi und die Baßgeige? Meine Geschichte war mir einfach zu schade. Ich sagte: ›Der Staat muß für gar nichts aufkommen.‹ Schließlich war ich doch erst vor ein paar Monaten aus einem sozialistischen System geflohen. Die Frau hat nach meinen Eltern gefragt. Geschwister? Ich habe gesagt, daß alle noch in Halle und alle arbeitslos wären. Sollte ich sagen, daß mein dicker Bruder bei der Stasi war? Ich lasse mich doch nicht aushorchen, jetzt schon gar nicht. Ich bin zuständig, ich bin verantwortlich, ich bin mündig, auch wenn man mir das nicht ansieht, konfirmiert bin ich nicht. Alles in einem Atemzug. Ich wüßte anscheinend nicht, was auf mich zukäme. Doch, sagte ich, ein Kind. Ich schaffe es ohne Ihren Staat! Man hat mir einen Fragebogen ausgehändigt und prophezeit, daß ich wiederkommen würde, und das habe ich dann auch getan. Angeblich hatte ich Ansprüche. Aber wofür? Woraufhin? Ich hatte hier doch noch gar nichts geleistet. Ich fühle mich verschuldet. Aber ich bringe es noch zu was, später, und dann zahle ich es diesem Staat heim. Vor mir saß eine Sachbearbeiterin. Wir waren aber keine ›Sachen‹. Ich habe gefragt, ob ich den Betrag, den ein Schwangerschaftsabbruch kosten würde, zu beanspruchen hätte, wenn ich ihn nicht vornehmen ließe. Dann sparte man doch, das könnte doch ein Zuschuß für mich und das Kind sein. Ich fand es logisch, ich sah da Zusammenhänge, die Sachbearbeiterin sah sie nicht.

Mein Bauch wurde dicker und dicker, sonst blieb ich so ein Hänfling. In Gudrun war das Kind besser aufgehoben, das sah jeder. Wenn ich mich in einer Schaufensterscheibe spiegelte, dachte ich: ›Das wird eine Baßgeige.‹ Gudruns Kind hätte später kommen müssen, man konnte das leicht ausrechnen: meines aus Prag, ihres aus Hof; tat es aber nicht. Wir sind im selben Taxi an der Pforte vorgefahren. Jens hat bei der Anmeldung gesagt: ›Ich bringe Ihnen hier meine beiden Frauen. Es

eilt!‹ Auf der Station mußte man sich erst an uns gewöhnen, das haben sie aber alle getan. Soviel gelacht
worden ist bestimmt nur selten im Kreißsaal. Und was
tut dieses Kindchen? Es weint! Es brüllt! Warum kommt
man denn weinend auf die Welt? Alle Kinder weinen,
das sagt einem jeder, aber mein Adam! Hätte ich ihn
doch nicht auf die Welt bringen dürfen? Wollte er gar
nicht leben? Es hat Monate gedauert, bis er zum ersten
Mal gelächelt hat. Und als er das getan hat, war seine
Mutter nicht anwesend. Daß mein Kind Adam heißen
sollte, stand bei mir fest, und als Gudrun ein Mädchen
bekam, haben wir gar nicht lange überlegt. Ein Adam
braucht eine Eva! Außerdem stand fest, daß wir Bett an
Bett liegen wollten. Jens hat Blumen für uns beide
gebracht. Wenn ihn jemand fragte, ob er der Vater von
beiden Kindern wäre, sagte er: ›So könnte man das
ausdrücken.‹ Ich habe mich dann aber eingemischt und
gesagt, daß ich mir noch den richtigen Vater für das
Kind suchen müßte. Im Anfang hatte Gudrun Schwierigkeiten beim Stillen, dabei hatte sie pralle Brüste. Ich
habe gesagt: ›Gib es mir mal‹, und bei mir hat das Kind
getrunken. Eine der Schwestern wollte das nicht dul-
den, aber der Arzt sagte: ›Lassen Sie das doch die beiden
Frauen untereinander regeln.‹ Gudruns Kindchen war
rund und rosig, mit dunklen Löckchen. Sie schleckte es
ab, sagte ›Schnonkse, mein Schnonkse‹, so nennt sie ihr
Evchen heute noch. Mein Adam hatte einen kahlen
Kopf, war klein, schmächtig; er hat sich erst später
herausgemacht. Jetzt ist er doch ganz hübsch –? Nein?
Finden Sie ihn nicht hübsch, Chef? Ich habe mich vor
der Hebamme geschämt und auch vor Jens. Die Schwe-

stern mußten mich trösten: Wachsen kann er ja immer noch, Haare kriegt er auch noch.

Wir hatten nur ein Kinderbett gekauft, eines für beide, und die Babywäsche haben wir auch gleich für beide gekauft, sollten wir Hemdchen und Strampelhosen sortieren, rosa oder blau? Mein Kind? Dein Kind? Wer gerade Zeit hat, sorgt für beide Kinder. Wir haben ein Dreierverhältnis, und das funktioniert. Zu dritt sind wir aber nur selten. Schichtwechsel. Zwischendurch legen wir Zettel hin: ›Kauf Pampers!‹ Wegen der Windeln gab es Auseinandersetzungen. Jens bestand auf Stoffwindeln, der Umwelt zuliebe. Also gut: Stoffwindeln. Und ob da nun ein paar Windeln in der Waschmaschine sind –. In Ausnahmefällen gibt es Pampers. Morgens sorge ich für die Kinder, Jens geht zur Uni, mittags übernimmt Gudrun die Kinder, und abends sorgt Jens für sie, und ich gehe zum Nachtdienst oder besuche Weiterbildungskurse. Jens hält sich für die beste der drei Mütter, unrecht hat er nicht. Wenn er sein Examen hat, wollen wir die Kinder taufen lassen, richtig christlich, evangelisch. Und dann werden die beiden auch getraut. Gudrun und ich, wir müssen auch noch getauft werden. Das müssen wir dem Pfarrer noch beibringen, ich meine Jens' Vater. Und wenn Jens eine Anstellung findet? Und ein richtiges Einkommen hat? Er ist schon dreißig! Was wird dann? Vielleicht nehmen die beiden den Adam und mich mit? Das dauert noch mindestens ein halbes oder ein ganzes Jahr, und dann hat Adam einen Kindergartenplatz, und vielleicht haben wir sogar einen Papa für ihn gefunden. In Ausnahmefällen nimmt man Kinder auf, die drei Jahre alt sind, aber sauber müssen sie sein, das ist die Voraussetzung, und man muß einen Platz bekommen und bezahlen können. Drüben war das besser geregelt, da gab man die Kleinstkinder schon in der Krippe ab, Kinder von null bis drei Jahren. Man bezahlte nur ein paar Pfennige für die Mahlzeiten. Jens war mal wieder anderer Ansicht: Niemand könnte Mutter und Vater als Bezugspersonen in den ersten Lebensjahren ersetzen. Er machte dann allerdings Einschränkungen und sagte, daß die Beeinflussung der Kinder im späteren Alter vermutlich gefährlicher gewesen sei, wenn die politische Beeinflussung eingesetzt habe. Also: Adam und Evchen brauchten das warme Nest, ein anderes gab es ja auch gar nicht. Adam ist ein kluger Junge, wenn man ihn anschreit, schreit er zurück, wenn man ihn anlacht, lacht er zurück, so was kann man nicht früh genug lernen.«

Paula hat inzwischen die Behandlung eingestellt, sitzt im Schneidersitz vor dem Rollstuhl, diesmal unterbricht sie ihren Fortsetzungsroman nicht. Adam, das ist ein Kapitel ohne Ende.

»Wenn unsere Kinder nebeneinander auf ihren Töpfen sitzen, sagt Gudrun: ›Unsere Sozialprodukte.‹ Im Anfang dachten wir, wenn wir sie zur selben Zeit stillen, muß man sie auch zur selben Zeit trockenlegen. Irrtum! Wir hätten auch nur einen Topf gebraucht. Gudrun hatte zuviel Milch, ich zuwenig, da lagen sie beide manchmal an ihrer Brust, und ich kam mir mickrig vor. Pusteblume! – Mit Adam hat die Welt neu angefangen! So verstehe ich das. Adam ist kein passiertes Kind und schon gar keine Heimtücke der Biologie. Er ist der Anfang der Welt. Für mich. Kinder dürfen nicht die

Folge einer Unachtsamkeit von Mann und Frau sein. Ich gehe nie wieder mit einem Mann ins Bett, von dem ich nicht ein Kind haben möchte – nicht jedesmal, natürlich nicht! Aber wenn es dazu kommt, dann soll es stimmen. Abends liegt Adam in meinem Bett, in meinem Arm, wohlriechend, besser als alle Männer, die ich kenne; viele sind das nicht. Wenn er schläft, schnauft er, schläft sich warm, und mich schläft er auch warm, ich friere leicht; seine Stirn ist vor Anstrengung feucht, die Haare kleben an seinem Köpfchen, er tritt mir gegen den Bauch. Ich werde eine neue Art von Männern heranziehen! Das habe ich mir vorgenommen, wenn mir nur keine Kindergärtnerinnen und Lehrer dazwischenkommen! Ich entbehre niemanden in meinem Bett, ich bin in Adam verliebt. Gudrun sagt noch manchmal: ›Komm rüber, ich kann das nicht aushalten, wenn du wieder allein liegst.‹ Jens hat dann Gudrun rechts im Arm, mich hat er links im Arm, jede schmeckt anders, sagt er, wir schmusen ein bißchen. Ich gehe rechtzeitig auf meine Matratze, da passiert nichts weiter. Oft hole ich mir dann den Adam, noch läßt er sich das gefallen; ich muß mir ja nicht ausdenken, wie es im nächsten Jahr sein wird, ein Baby ist er schon jetzt nicht mehr. Er hat etwas Männliches. Sieht er nicht aus wie der Duce? Von dem kenne ich ein Bild. Da hat er eine Schwarze Uniform an. Als er neulich wieder auf einen wildfremden Mann zugelaufen ist und ›Papa-pa‹ gerufen hat, hat der mich von oben bis unten gemustert und gesagt: ›Ich mache mir meine Kinder selber!‹

Von Jens' Vater habe ich schon erzählt? Wir kannten ihn nur aus der Kirche im Talar. Eine Mutter gibt es auch, sie ist Lehrerin – eine unbezahlte Pfarrfrau will sie nicht sein. Jens hat seine Eltern vor vollendete Tatsachen gestellt, er hat uns seinen Brief vorgelesen. Die vollendete Tatsache sei 48 Zentimeter groß, wiege 2800 Gramm netto, sei weiblichen Geschlechts und würde Schnonkse genannt. Weil sie so süß sei. Besichtigung nach vorheriger Ankündigung. So ähnlich. Ein Großstadtpfarrer. Ich weiß nicht, wie ich mir einen Pfarrer vorgestellt hatte, aber: so nicht! Über Gudrun hatte er ein paar Sätze am Telefon gehört, daß sie von drüben käme, das Nötigste. Der Kontakt zwischen Vater und Sohn war eine Zeitlang gestört, das ist jetzt besser. Zunächst kam der Vater allein, er wurde vorgeschickt, nehme ich mal an. Von meiner Existenz ahnte er nichts. Er fand zwei Frauen und zwei Babies vor. Ich wurde als Busenfreundin vorgestellt, was immer alle erheitert, weil Gudrun üppig ist; das Auffälligste ist ihr Busen und die Augen mit den langen, dunklen Wimpern. Keine Strafpredigt, kein Wort. Ihr hättet doch warten können bis zum Examen und rechtzeitig heiraten. Nichts! Ganz fortschrittlich. Wie süß, diese kleinen Dinger, es könnten Zwillinge sein. Wir hatten den Tisch gedeckt, mit allem, was wir so haben, Blumenstrauß, Schlagsahne, Servietten, die Kinder frisch gebadet und frisch gewindelt und wir drei in unseren feinsten Sachen. Der Herr Pfarrer kam in abgeschabten Jeans, T-Shirt, Anorak, den er auszog und neben sich auf den Boden fallen ließ. Getarnt! Eigentlich hätte uns eine Strafpredigt ganz gutgetan, wir hatten damit gerechnet, Gudrun und ich. Wir hatten uns abgesprochen, wie wir uns verteidigen wollten, aber Jens sagte: ›Wartet es doch erst mal ab.‹ Wir waren regelrecht enttäuscht. Über die deutschen ›Einheitskinder‹ hat er gelacht. Daß er schon zwei Enkelkinder besaß, wußte ich gar nicht. Er hatte was Kumpelhaftes, aber das war nur beim ersten Mal so, jetzt kennt er Jens' Frauen und Kinder schon besser. Wir waren alle einmal eingeladen, zum Sonntag-Mittagessen. Mit Tischgebet und: ›Gesegnete Mahlzeit!‹ Das hatte ich noch nie erlebt, ich hätte beinahe geheult, in die Suppe.«

»Paula!«

»Der wunde Punkt! So wie es jetzt ist, Chef, könnte es doch noch einige Zeit weitergehen. Wenn Sie Paula noch eine Weile ertragen, wenn Sie es zulassen, daß Adam in seltenen Fällen mitkommt –«

Zumindest erfolgt kein Widerspruch.

10

›Werden die Januare nie
müde, Mai zu werden?‹

O. H. Kühner

Wochen sind vergangen, vieles hat sich verändert, die Jahreszahl, auch die Jahreszeit. Der milde Winter scheint vorüber, die Tage werden länger, die Rolläden schließen sich später. Das Versprechen, Adam dürfe im Garten einen Schneemann bauen, hat sich nicht erfüllen lassen. Der Schnee, nachts gefallen, war am Nachmittag bereits getaut.

»Winter ade«, verkündet Paula. »Es wird Frühling! Es riecht nach Erde. Die Kastanien bekommen feuchte Knospen. Wir müssen heute auf die Terrasse, Chef, das geht gar nicht anders! Ich hänge Ihnen eine Jacke um, und dann atmen Sie tief ein und tief aus und blicken in den Garten und in den Himmel, und ich darf einmal über die Wiese laufen, raus aus dem Haus und gleich in den Garten, das hatte ich noch nie. Ich werde mir Schuhe und Strümpfe ausziehen.«

»Das wirst du nicht tun, das ist unvernünftig.«

»Es muß sein, Chef, ich muß auch einmal unvernünftig sein dürfen!«

»Später. Halten wir unser Programm ein.«

155

Nach der Behandlung heißt es: »Koch uns unseren Tee, Paula, machst du das?«

Und Paula sagt: »Ja, mit Gottes Hilfe.« Jedem bereitwilligen »ja« hängt sie neuerdings »mit Gottes Hilfe« an. »Er kennt mich doch gar nicht, er muß mich noch kennenlernen, und ich muß mich an ihn gewöhnen.«

»Den Tee wirst du auch ohne seine Hilfe zubereiten können.«

»Wer weiß!«

Paula ist mit ihren Geschichten am Ende. Manchmal wird sie gefragt: »Was hörst du von deiner Marie?«

»Meinemarie! Früher hat sie mir erzählt, wenn sie an der alten Elbe im Vogelschutzgebiet gewesen sind. Mal hat sie gesagt, daß da noch ein einziger Schwarzstorch stand. Ob er den Anschluß verpaßt hat? Wie soll er in den neuen Bundesländern überwintern –? Da gab es schon mal Untertöne, auf die habe ich nicht geachtet. Jetzt kann ich manchmal den verabredeten Zeitpunkt nicht einhalten, oder Meinemarie ist nicht da, und ich bestelle nur Grüße. Neulich hat sie erzählt, daß ein Mann zu Besuch gekommen sei; er war mit dem Opa Sippe in Rußland, ein Kriegskamerad aus demselben Regiment, Kaukasus, nehme ich mal an. Der Opa hat nie vom Krieg erzählt, und wenn er es getan hätte, hätte keiner zuhören wollen. Und was kommt raus? Der Arm wurde ihm gar nicht abgeschossen! Im Januar fünfundvierzig oder vierundvierzig, da ist der Soldat Sippe durchgedreht, hat den Arm aus dem Zelt gehalten und in den Schnee gebohrt, bei minus vierzig Grad. Er wollte nach Hause, er wollte zu seiner Frau, die kleine Marie hatte er noch gar nicht gesehen. Der Arm ist erfroren, mußte im

156

Feldlazarett amputiert werden, und beinahe hätte man den Soldaten Sippe auch noch erschossen, wegen Wehrkraftzersetzung oder Selbstverstümmelung, darauf stand die Todesstrafe. Er kam von einem Lazarett ins andere, immer ein wenig weiter zur Heimat hin, und dann war seine Frau weg. Unauffindbar. Und er hatte nur noch die kleine Marie, die jetzt Meinemarie ist. Den erfrorenen Arm kann ich mir eher vorstellen als einen Arm, der von einer Granate zerfetzt wird. Ach, Chef! Sie machen schon wieder Krieg. Jens sagt, wir müßten alle protestieren, alle auf die Straße, alle Richtung Balkan, die Frauen, die Kinder, alle! An einem Abend hatte er uns fast schon soweit. Mich kann man überreden, aber Gudrun nicht. Sie hat das Evchen aus dem Bett geholt und ihm hingehalten. ›Mein Schnonkse? Mein Schnonkse!‹ Evchen brüllte, Gudrun brüllte dagegen an, Adam machte mit. Als wieder leidlich Ruhe war, sagte Gudrun: ›Man muß Kleinkinder auf den Rücksitz des Autos legen und zweimal ums Viertel fahren, schon haben sie sich beruhigt und schlafen. Das machen alle Mütter so.‹ Jens baute sich vor uns auf und sagte: ›Hier kommt kein Auto ins Haus, verstanden?‹ Wir kugelten uns vor Lachen. Wie soll denn ein Auto ins Haus kommen? Er braucht immer eine Weile, bis er mitlacht; er ist der, der zuletzt lacht. Dich beißen die Hunde, sagt Gudrun. Ach, Chef, Sie haben überhaupt nicht gelacht. In der vorigen Woche hat Meinemarie gesagt: ›Glaub nur nicht, daß ihr aus mir eine Kapitalistin machen könnt.‹ Ich habe gesagt: ›Was ist denn das für ein ihr? Hier spricht Paula, und aus der wird auch keine Kapitalistin.‹ Und dann haben wir uns über Zähne unterhalten, über die Zähne meines Vaters. Meine Eltern müssen sparen, die Renten sind noch nicht angepaßt. Das klang wieder wie ein Vorwurf, aber ich habe kein Wort dazu gesagt. Vater braucht jetzt erst mal neue Zähne, und ob ich wüßte, wie teuer die jetzt seien. Wußte ich nicht, mit dritten Zähnen hatte ich noch nichts zu tun. ›So kann er sich nirgends sehen lassen.‹ Ich dachte schon, daß sie nun doch mal kommen wollten, und bekam Herzflattern. Ich habe mit Adams Zähnen zu tun; er hatte in der Nacht vorher kaum geschlafen, immer nur gewimmert und geweint und gestöhnt. Er hat einen kräftigen Kiefer. Vielleicht sind die Zähne besonders haltbar, wenn sie so schwer hervorkommen? Vielleicht fallen sie dann nicht so leicht heraus? Irgendein Zusammenhang muß doch sein. Seine Zähne kosten wenigstens nichts, nur den Schlaf seiner Mutter. Sollte ich bei dieser Gelegenheit von Adams ersten Zähnen erzählen, wenn sie von Vaters letzten berichtete? Neuerdings redet sie von Geld, das hat sie früher nie getan. Sie nimmt jetzt von ihren Kundinnen angemessene Preise; ›angemessen‹, das sagt sie jetzt oft, und ›anpassen‹ sagt sie, wir müssen uns anpassen, immer klingt da so ein ›wir‹ und ein ›ihr‹ durch; das hatten wir doch früher schon mal. Wir haben für zwei Mark über dritte Zähne telefoniert. Ich mußte mein Rad nach Hause schieben, ich fühlte mich so schwer, daß ich vom Rad gefallen wäre, und dann war Adams Backenzahn draußen, wurde befühlt, bewundert, gelobt. Braver Adam! Diese Pflaume! Heult die ganze Nacht, dann lacht er wieder – und dagegen dann mein Vater: heult nicht, lacht nicht. Meinemarie sagt, das sind alles die Hungerjahre, kein frisches Gemüse, kein Obst, die Braunkohle. ›In seinem Mund sieht es aus wie in der Mansfelder Straße. Falls du noch weißt, wie es da aussah.‹ Als ob ich nicht wüßte, daß die Vier dort fährt! Lauter Ruinen! Da bricht alles zusammen, den Rest erledigen die Bagger. Ich kann doch nichts dafür, daß es so lange dauert. Ich meine, die Anpassung an den westlichen Standard, von dem merke ich ja auch nicht viel; sie bringt es fertig, daß ich mich schuldig fühle. Gudrun sieht alles ganz anders, sie war ja in Dessau, sie hat die Baukräne gesehen und gesehen, daß es vorangeht. Meinemarie sieht nur die Bagger. Dabei hatte ich mir doch fest vorgenommen, meine Eltern offiziell zur Taufe einzuladen, zur Taufe ihrer einzigen Tochter und ihres einzigen Enkelsohns. ›Es muß zusammenwachsen, was zusammengehört.‹ Den Opa Sippe muß ich doch auch einladen, dann sollen sie doch mit ihrem Trabi kommen, der hält noch Jahre durch; wenn etwas kaputt ist, holt mein Vater Ersatzteile aus einem anderen Trabi, davon gibt es jetzt genug. – Ach, Chef! Das interessiert Sie doch gar nicht. Ich rede drumherum, merken Sie das? Ich brauche Paten für die Taufe! Ob ich meinen Doktor frage? Er kennt mich, und er kennt Adam, obwohl wir nicht oft hingehen. Zu doktern gibt es an uns nichts. Vielleicht macht er das? Aber seine Sprechstundenhilfen bekommen oft Kinder, das spricht dagegen. Merseburg und Halle spricht dafür, wir sind doch beide von drüben!«

Paula legt eine Pause ein, atmet tief durch, lutscht an einem Stück Kandis, das sie aus der Teetasse gefischt hat. »Frag sie doch, fragen kostet doch nichts‹, sagt Gudrun. ›Vielleicht rechnet sie damit.‹ Tun Sie das?

Würden Sie die Patenschaft übernehmen? Sie haben sogar die Wahl. Paula oder Adam. Der wunde Punkt! Ich weiß das doch, aber wunde Punkte heilen. Bitte, fragen Sie jetzt nicht, warum Sie das tun sollten, und sagen Sie bitte nicht, daß Sie genug mit sich selbst zu tun hätten.«

»Paula! Wie soll ich antworten, wenn du mich nicht zu Wort kommen läßt? Ich muß nicht überlegen, das habe ich längst getan. Deine Gudrun hat recht: Ich warte schon seit geraumer Zeit auf diese Frage und sage: Ja, mit Gottes Hilfe.«

Zumindest ihre Augen scheinen zu lachen.

»Chef! Kann ich Sie mal in die Arme nehmen, ohne zu fragen? Darf ich Sie küssen? Soll ich nach der Taufe ›Tante‹ sagen? Tu ich aber nicht. Vielleicht sage ich ›Anne‹? Vielleicht sage ich ›Linde‹? Ich bin so erleichtert, ich muß die Terrassentür aufmachen, ich brauche Luft, viel Luft, wegfliegen tu ich nicht. Der Winter war ziemlich lang, aber es wird Frühling, und bald werden wir auf der Terrasse Tee trinken, und dann darf Adam einmal über die Wiese laufen. Gott liebt mich! Das hat der Pfarrer behauptet, aber glauben konnte ich das nicht.«

»Zieh dir eine Jacke über, Paula, es ist noch kühl.«

»Habe ich es nicht gesagt: Gott liebt mich, Sie lieben mich, sonst hätten Sie doch nicht daran gedacht, daß ich frieren könnte. Aber ich brauche keine Jacke. Der Frühling macht mich ganz warm. Ich will Sie doch nicht überrumpeln, Chef. Sie blicken durch die Glastür, und ich berichte. Alles!«

Und fünf Minuten später ist sie wieder da. »Die Hasel wehen! Ein Rotschwänzchen hat ein Vollbad genommen! In dem großen Stein, der unten vor den Büschen liegt. Der Stein hat Aushöhlungen, darin sammelt sich Regenwasser.«

»Es handelt sich um ein Kunstwerk, Paula, um ein ›Objekt‹, nicht um einen gewöhnlichen Stein.«

»Aber die Aushöhlungen wirken, als hätten Vögel ihre Schnäbel daran gewetzt, und die Vögel benutzen die Mulden als Tränke und Badeanstalt. Ein belebtes, bewohntes Kunstwerk! Vielleicht wächst bald Moos darin, dann wird es noch schöner. Einen solchen Stein wünsche ich mir für mein Grab. Wollen Sie ihn mir vererben, wenn ich erst mal Ihre Patentochter bin?«

»Ich denke, es wird besser sein, wenn er auf meine Grabstelle kommt, obwohl ich ihn bisher nicht als einen Grabstein angesehen habe. Ich konnte dieses Objekt günstig erwerben, es sagte mir zu, ich habe es in einem Ausstellungskatalog entdeckt. Bei der letzten documenta ist das Kunstwerk zumindest in die engere Wahl gekommen.«

»Wie heißt der Künstler?«

»Warum willst du das wissen? Ich bin froh, daß du dir die Namen einiger Künstler gemerkt hast, mit denen wir zu tun haben.«

»Der Stein gefällt mir viel besser als die kleinen Figuren. Aber sie sind handlicher, nicht nur für die Hände, auch für den Handel, ich weiß.«

Paula schließt die Terrassentür, summt vor sich hin, wird gefragt, was das für ein Singsang sei.

»Habe ich wieder gesungen? Das tue ich jetzt manchmal, Gudrun hört den ganzen Tag lang Kassetten. Neulich habe ich in einer Jackentasche noch einmal einen

Zettel von Meinermarie gefunden. Er muß jahrelang darin gesteckt haben. Und was stand drauf: ›Gott schätzt deine Tüchtigkeit, aber er liebt dich, wenn du singst.‹ So ähnlich. Von wem das ist, weiß ich nicht. Ich habe den Zettel an jenem Tag gefunden, als wir beschlossen haben, uns alle taufen zu lassen. Jens natürlich nicht, der ist getauft. Es war wie eine Erleuchtung. Gott liebt mich, ich muß nur singen. Und für den Adam ist es doch auch gut, wenn seine Mutter singt. Er hat einen Vater, der die Baßgeige spielt, der für Fahrgäste in einer Metro spielt, ohne Geld! Vielleicht ist er großzügig? Ich weiß nicht mehr, wie er aussieht. Ich setze mir manchmal den Adam auf den Schoß und sehe ihn an und in ihn hinein, vielleicht erkenne ich in seinem Gesicht das Gesicht seines Vaters wieder? Augenfarbe. Haarfarbe. Seit gestern singe ich: ›Nimms von den Pflaumen im Herbste . . .‹ Ich habe doch immer ›Pflaume‹ zu dem Adam gesagt, als er noch in mir war. Gudrun hat viele Kassetten mit Liedern von Brecht, in der Vertonung von Kurt Weill, der stammt doch auch aus Dessau. Nachts sage ich noch manchmal ›Pflaume‹ zu Adam, wenn die Traurigkeit über mich kommt. Wissen Sie, Chef, wie das Lied weitergeht? ›Und haben Furcht vorm mächtigen Sturm und Lust aufn kleinen Wind.‹ So 'n kleiner Wind – ach, Chef, wir werden es doch schaffen? Es ist im Laufe des Winters doch alles besser geworden. Ihr Befinden hat sich gebessert, diese Mitteilung hat man mir von der Station zugeschickt. Zusammen mit dem Befund des Arztes. Im Frühling darf ich manchmal meinen Adam mitbringen, und dann läuft er barfuß über die Wiese, und Sie und ich, wir richten uns den

Arbeitsplatz auf der Terrasse ein, als ob wir eine kleine Familie wären, so Familienreste zumindest.«

»Du scheinst musikalisch zu sein, Paula.«

»Und Sie? Und was ist mit dem Flügel?«

»Du fragst viel!«

»Jens' Vater sagt das auch, aber er hat auch gesagt: ›Frag du nur.‹ Wie soll Gott antworten, wenn man nicht nach ihm fragt? Statt meine Fragen zu beantworten, was tut er? Er fragt zurück. ›Warum sollte er dich nicht lieben, Paula?‹ Als er in der vorigen Woche die Kinder gehütet hat, habe ich ihn, als ich zurückkam, gefragt: ›Wo ist Gott?‹ Und was sagt er? Wieder eine Rückfrage: ›Wo ist er nicht, Paula, weißt du darauf eine Antwort?‹ Wußte ich nicht. Er nennt uns immer ›Heidenkinder‹, aber das hört bald auf. Ich habe ein ziemlich großes Liederrepertoire. Wir hatten einen Musiklehrer in Halle, bei dem haben wir gesungen: ›Wir sind jung, die Welt steht offen‹ und ›Laß doch der Jugend ihren Lauf‹. Er wird sich etwas dabei gedacht haben. Wir nicht. Wissen Sie, woher mein Liederschatz stammt? ›Sing mit, Pionier‹, das Liederbuch der Jungpioniere. ›Tannenbäumchen, sei nicht bange‹, das ist ein Weihnachtslied, ich habe es dem Adam vorgesungen. Wie soll ich solche Lieder aus meinem Gedächtnis wieder herausbekommen? Klavierspiel würde für die Beweglichkeit Ihrer Finger gut sein, und wenn es Verspannungen im Schultergürtel gibt, die bekommen wir leicht weg. Ich bin jetzt in der Methode ›Feldenkrais‹ gut drin. Schwierig war die Lektüre des Lehrmaterials, französisch abgefaßt, das habe ich nicht gelernt. ›Aspace libre‹.«

»Ich würde das mit ›Freiraum‹ übersetzen.«

»Nichts darf weh tun. Alle Bewegungen werden sanfter, man lernt alles neu: zu sitzen, zu stehen, zu gehen – ach, Chef, vieles können wir nicht, aber es bleibt eine Menge übrig. ›Aspace libre‹. Haben wir Noten?«

»Du mußt suchen, der Flügel wird verstimmt sein. Ich weiß nicht, ob der Rollstuhl unter den Flügel paßt. Wir könnten es mit Chorälen versuchen, ich habe früher in einem Kirchenchor gesungen. Sopran. Die Sopran-Zeit ist vorbei, aber vielleicht Mezzo?«

»Gott liebt uns, wenn wir singen, Chef!«

11

›Reich ist man nicht durch das, was man besitzt,
sondern mehr noch durch das, was man mit Würde zu entbehren weiß, und es könnte sein, daß die
Menschheit reicher wird, indem sie ärmer würde,
und gewinnt, indem sie verliert.‹

Epikur

Paula kommt an den Alltagen, sie kommt auch an den
Sonntagen. Diese Abmachung ist von der Station gebil-
ligt worden. Warum sollte sie ein freies Wochenende
haben? Die Kranken hatten es auch nicht. Jens behauptet, daß er an Sonntagen besser arbeiten könne als an
allen anderen Tagen, im Institut herrsche dann Ruhe.
Lediglich Gudrun beklagt sich, daß sie die Leidtragende
sei, sie muß an den langen Sonntagnachmittagen die
Kinder beschäftigen.

Kaum hat Paula an einem solchen Sonntagnachmit-
tag vor ihrer Patientin Platz genommen, da verkündet
sie auch schon: »Ich war heute morgen in der Kirche,
richtig zum Gottesdienst. Ich wußte nicht, wann man
aufstehen muß und wann man sitzen bleibt. Die Litur-
gie kenne ich auch nicht. Ich stehe wie eine Taub-
stumme zwischen den anderen. Das Glaubensbekennt-
nis! Ich dachte, ich höre die neuesten Nachrichten.
Hinabgestiegen in das Reich des Todes! – Auferstanden
von den Toten. Das ist doch erst zu Ostern an der
Reihe. Und die Kreuzigung zu Karfreitag, das kann ich

mir doch nicht alles in zwei Minuten vorstellen. Ich muß mir erst ein christliches Vorstellungsvermögen zulegen. Ich habe mal nach rechts und nach links in die Gesichter geblickt; manche Köpfe waren geduckt, keiner stand da locker und mit einem Leuchten auf dem Gesicht, die Augen glänzten nicht. Ich habe die Frau neben mir leise gefragt: ›Glauben Sie das wirklich alles?‹ Da hat sie den Mund zusammengekniffen und mich böse angeblickt. Nur ein Gesicht hat geleuchtet, das war ganz jung. Wir haben uns zugelächelt, und beim Herausgehen habe ich das Gesicht gesucht und mich neben den Pfarrer gestellt, der allen noch einen schönen Sonntag gewünscht hat, und dann habe ich die Frau erkannt. Sie war gar nicht jung, sie hinkte, war gebrechlich, aber sie hat dem Pfarrer gedankt und gesagt: ›Das reicht nun wieder für eine Woche.‹ Und da habe ich ihr auch einen guten Sonntag gewünscht. Auf Ostern freue ich mich. Dann werde ich hier Türen und Fenster aufreißen, dann wird mein Herz ganz weit sein, und ich bringe den Adam mit und verstecke Ostereier im Garten, und Sie sehen uns zu. Wenn ich an der Sprechanlage stehe, rufe ich: ›Christ ist erstanden!‹ Und dann müssen Sie rufen –«

»Was ich dann rufen muß, weiß ich, Paula. Daß ich es tue, ist unwahrscheinlich.«

»Zu Ostern ist alles unwahrscheinlich, das ist doch das Wunderbare. Ich muß die beiden Himmel noch zu unterscheiden lernen. Heaven gleich Reich Gottes, sky gleich Regen und Sonne – bei den Engländern ist das einfacher. Das meiste werden wir erst später verstehen, sagt Jens' Vater, im Jenseits. Warum soll ich nicht glauben, was schon seit zweitausend Jahren von viel klügeren Menschen geglaubt worden ist? Wir sollen Gott fürchten und lieben. ›Geht das denn zusammen?‹ habe ich ihn gefragt. Als ich hierherfuhr, habe ich darüber nachgedacht und festgestellt, daß es mir mit Gott genauso geht wie mit Ihnen. Ich fürchte mich, manchmal mehr, manchmal weniger. Ich höre schon an Ihrer Stimme, was mich erwartet; manchmal möchte ich dann weglaufen, weil ich denke, daß ich es an dem Tag nicht schaffe. Und jedesmal sage ich mir: Paula, du kannst weglaufen, die Linde kann nicht weglaufen. Ich werde – aber erst nach der Taufe – wohl doch ›Linde‹ sagen, Linden haben Wurzeln. An anderen Tagen ist es leicht, da muß ich mir nicht aufzählen, warum, da spüre ich es. Gott müßte ich mehr fürchten und mehr lieben, dazu kenne ich ihn noch zuwenig. Manchmal brauchte ich ein Wort der Zustimmung, es müßte kein ganzer Satz sein, Chef. Nur mal: ›Gut so, Paula.‹ Von Gott bekomme ich auch kein Lob. Da sind meine beiden Chefs sich ähnlich. – Und dann das Vaterunser, das kann ich nun schon. Das betet man im Stehen. ›Unser tägliches Brot gib uns heute.‹ Alle standen wir da, satt und wohlgenährt, die meisten kennen Hunger doch gar nicht, ich auch nicht. Ich denke mir, es ist so gemeint, daß man bittet, alle Menschen sollten ihr tägliches Brot bekommen, aber dann müßte man doch auch für die Welthungerhilfe sammeln. Nur beten? – Alles ist jetzt geplant, ›getimt‹, sagt Gudrun. Zuerst werden die beiden Mütter und die beiden Kinder getauft, und anschließend werden Gudrun und Jens getraut. Ich bin ihr Trauzeuge! Eins nach dem anderen, so hat Jens' Vater entschieden. Es liegt in seinem Ermessen; wäre er vorsichtiger, hätte er seinen zuständigen Dekan gefragt, und der hätte auch noch den Bischof fragen können, aber er ist ein beherzter Mann. Das Wort beherzt, das paßt zu ihm. Gudrun hat gesagt: ›Du kannst uns auch zu dritt trauen. Die eine rechts, die andere links.‹ Das hat ihm weniger gefallen. Er hat uns nacheinander angesehen und gesagt: ›Mit Paula will ich noch reden.‹ Und heute morgen war ich dran. Wenn Jens' Vater den Talar trägt, hört er auf, Jens' Vater zu sein. Dann ist er abgerückt, fast so etwas wie eine Instanz. Das brauche ich! Ich brauche nicht einen Kumpel in Jeans. Der Küster hat die Kirchentür abgeschlossen, der Pfarrer hat mich beim Arm genommen. ›Komm mit in die Sakristei, wir reden zusammen. Es kommt nicht oft vor, daß ich ein Gespräch mit dem Täufling, der zugleich Mutter eines kleinen Täuflings ist, führen kann.‹ In der Sakristei wollte er den Talar ausziehen, aber ich habe ihn gebeten, daß er so bleiben solle: der Pfarrer, nicht Jens' Vater. Wir standen uns gegenüber, mein Herz schlug mir bis in die Haarwurzeln, er hat seine kräftigen Hände um meine Schultern gelegt. Er ist kein Alleswisser und Allesglauber. Zum Glück weiß ich so wenig, darum brauche ich auch nicht an vielem zu zweifeln. Der Zweifel kommt aus dem Wissen oder aus dem Halbwissen, wahrscheinlich aus dem Halbwissen oder dem Zuvielwissen. Er sagt, es sei einfacher, wehrlose Kleinkinder zu taufen. Hat man sie erst einmal am Taufbecken, dann schreien sie allenfalls, so laut, daß man denkt, sie protestieren, sie wollen gar nicht in die Gemeinschaft der Christen aufgenommen werden. Keiner hat je statistisch erfaßt, wer bei der Taufe geschrien hat und was aus dem geworden ist. Glauben sei eine schwere Arbeit, hat er gesagt. Als wäre ich ein gleichberechtigter Gesprächspartner. Er nimmt mich ernst. Wir singen und beten gegen den Unglauben an, sagt er, viel mehr kann man gar nicht tun. Beten muß man lernen, das kann man auch lernen. Manche brauchen dazu eine Anleitung. Er hat mir ein kleines Buch geschenkt und gesagt: ›Probier es aus‹; wahrscheinlich würde ich aber keine Anleitung brauchen. Brauche ich auch nicht! Das sind Fertiggebete. Das ist wie mit Fertiggerichten, das behagt mir auch nicht. Ich koche nicht gut, aber eine Tiefkühlpackung aufzureißen oder eine Dose zu öffnen, das genügt mir auch nicht. Außerdem kontrolliert uns Jens. Es besteht Ähnlichkeit zwischen Vater und Sohn, das merke ich erst jetzt. Wofür ich zu danken habe und worum ich bitten muß, das weiß ich. Und jetzt weiß ich auch, bei wem. Seine Kräfte seien nicht an allen Tagen stark, es sei leichter gewesen zu predigen, als die Kirchenbänke besetzt waren. Er predigt seine Kirche leer; daß es anderen Pfarrern nicht anders geht, was soll ihm das nutzen? Jens hat seinen Vater jahrelang verteufelt, das wußte ich nicht. Er hat ihm die Schuld daran gegeben, daß es mit dem Christentum nicht funktioniert und die Christen nicht wie Christen leben. Er hat sich später an Karl Marx gehalten; in der Schule hatte er Lehrer, die Achtundsechziger waren, darum ist er zu den Weltjugendfestspielen gefahren, und dort hat er dann Gudrun kennengelernt. Es hatte also auch sein Gutes. Er ist schon vor der Wende dahintergekommen, daß es mit Karl Marx auch nicht geht. Er war ein verlorener Sohn, ist es eigentlich immer noch. Er hat es auch mit Buddha versucht, aber eigentlich braucht er keine Weltanschauung, sondern Glauben, Gewißheit, er will gar nicht in sich hineinblicken, sondern nach oben, auf ein Ziel hin. Wenn die Kinder nicht immer herumwuselten, könnten wir über ein Thema einmal wirklich sprechen. Jens ist klug, er bringt Gedankengänge zusammen, flicht sie ineinander, manchmal meditiert er, aber Gudrun schmust lieber. Sie sagt: ›Dein Vater bekommt das gleiche Einkommen, ob die Kirche nun leer ist oder überfüllt.‹ Es hat keinen Zweck, mit ihr darüber zu reden. Adam schlägt mir das Buch, aus dem ich lernen will, aus der Hand, tritt gegen meine Beine, er ist eifersüchtig, weil ich nicht wirklich bei ihm bin, wenn ich lese. Er ist auch jähzornig. Er frißt die Kanten der Bücher ab. Vorm Schlafengehen erzähle ich ihm biblische Geschichten, darüber schläft er ein. Ich erzähle einfach weiter, vielleicht dringt etwas in ihn ein, das weiß man doch nicht. Wenn er schnauft, denke ich: Das war ein Gedanke! Manchmal kommt Gudrun dazu und fragt: ›Was redet ihr denn so lange?‹ Wissen Sie, warum es zehn Gebote sind? Weil jedes Kind sie an den Fingern abzählen und hersagen kann, so einfach ist das. Kein Zahlenmythos wie bei sieben oder drei oder zwölf. Eigentlich sind es lauter Verbote. Ich fange mit dem linken kleinen Finger an, einer nach dem anderen, jeder Finger ist für ein Verbot zuständig. Und wenn ich zwischen Ihren blauen Vögeln auf dem Teppich hocke, nehme ich mir meinen rechten Mittelfinger vor und sage ihm: ›Du sollst nicht begehren –‹, dann klappt der Finger weg. Er gehorcht! Wenn ich den Katechismus mitbrächte, Chef, und Sie hörten mir die Gebote und Choräle ab, während ich Sie behandle? ›Ich glaube, daß mich Gott geschaffen hat –‹, an den Gedanken muß ich mich auch erst gewöhnen. Jens' Vater hat gesagt: ›Das nötigste Wissen mußt du dir aneignen.‹ Ich habe gefragt: ›Was ist das nötigste? Dann lerne ich das.‹ – ›Das mußt du nicht lernen, das mußt du wissen, immer mußt du wissen: Gott liebt dich, dich, dieses einmalige Geschöpf. Für Gott bist du ein Einzelwesen, unverwechselbar.‹ Immer rede ich dazwischen, auch bei ihm. Also frage ich: ›Hätte er mich nicht gerne etwas besser?‹ – ›Er kennt keine Vorbehalte.‹ – ›Sie auch nicht?‹ – ›Doch‹, sagt er, ›ich habe einige Vorbehalte gegenüber eurem Familienleben.‹ Bevor ich gegangen bin, hat er mir ein ziemlich umfangreiches Buch in die Hand gedrückt, aber gleich gesagt: ›Das schaffst du nicht. Ich habe Zettel hineingelegt und an den Seitenrand ein großes P geschrieben. P wie Paula. Das lies, darüber denk nach. Halt du dich an Martin Luther, hier, lies das: Drei Dinge braucht der Mensch, der glauben lernen will. Erstens: Ich muß erkennen, was mir fehlt. Dazu bedarf es der Gebote Gottes. Zweitens: Ich muß wissen, wo ich Hilfe finde. Dazu brauche ich die Botschaft Christus. Drittens: Ich muß schließlich wissen, wie ich die Hilfe von Christus hole. Dazu brauche ich das Gebet und die Heiligen Sakramente.‹« Paula zieht einen Zettel aus der Tasche. »Hier steht es! Ich habe es abgeschrieben. Ich werde noch eine zweite Meinemarie, ich stelle Zettel her. Wenn ich auf dem Fahrrad durch die Stadt fahre, teile ich ihm, ich meine Gott, mit, was ich so beobachte, und mache ihn darauf aufmerksam und gebe ihm Ratschläge. Hast du das gesehen? sage ich. Irgend jemand muß ihn doch aufmerksam machen. Ich lobe ihn auch: Heute morgen, als ich aus der Klinik kam, da waren alle Zweige und Äste noch einmal von Rauhreif bedeckt. Ein Wunder!«

»Es ist ein ganz natürlicher Vorgang, es hängt mit der Luftfeuchtigkeit und den Kältegraden zusammen.«

»Chef! Es war wunderbar! Sie haben das lange nicht mehr gesehen. Es gibt Glasuren, die liegen wie Rauhreif auf den Tonfiguren.«

»Das mag richtig beobachtet sein. Erinnere mich nachher daran, wir machen eine entsprechende Notiz für den Katalog.«

»Als ich gegangen bin, hat der Pfarrer mir wieder die Hände um die Arme gelegt, mich angesehen, ganz fest, und dann hat er gesagt: ›Ich hätte dich genommen!‹ Ich wußte sofort, was er meinte, und habe gesagt, daß das der erste Antrag wäre, den ich bekommen habe. Ich habe ihm einen Kuß gegeben, das mußte ich einfach tun. So! Und während ich Ihren Schultergürtel bearbeite, erzähle ich Ihnen von der Apostelkapelle. Ich weiß nicht, ob Sie mir immer zuhören, aber ich habe sonst niemanden, der mir zuhört. Wenn ich Nachtwache mache, halte ich den Mund, damit die Kranken schlafen; im Altenheim tröste ich und streichle und salbe. Und Adam? Statt daß er lernt, wie ich zu sprechen, lerne ich seine Adam-und-Eva-Sprache. Zwillinge lernen später zu sprechen als andere Kinder. Evchen ist schon weiter. Er wird doch lernen, richtig zu sprechen? – Kennen Sie die Apostel-kapelle? Keine fünfhundert Meter vom Haus entfernt. Waren Sie nie dort, Chef?«

172

»Die Kapelle stammt aus dem Ende des vorigen Jahrhunderts, kunstgeschichtlich ist sie ohne jegliche Bedeutung.«

»Muß denn alles kunstgeschichtlich bedeutend sein? Das ist doch nur das Äußere.«

»Nein, das ist mehr! Ich wollte, du könntest die Unterschiede erkennen. In den romanischen Kirchen ist die Stärke des Glaubens geborgen, man baute ein Gottes-Haus, später baute man eine Kapelle für die Gemeinde, für die Menschen, die diese Bildwerke besichtigen sollten. Wenn dir das genügt. Du wolltest etwas erzählen –«

»Nein, nun möchte ich nicht mehr erzählen. Alles bekommt Risse, wenn Sie darüber urteilen. Ich wollte etwas Wichtiges sagen.«

»Hör mit der Behandlung auf, koch uns Tee.«

Paula läßt die Hände sinken und sagt: »Ja, mit Gottes Hilfe.«

»Willst du das weiterhin sagen, wenn ich um etwas bitte?«

»Noch eine Weile, bis ich ganz sicher bin.«

»Du hast gelernt, einen Teetisch hübsch herzurichten. Mit Gottes Hilfe!« Der Anflug eines Lachens. »Und nun zurück in deine Apostelkapelle – bitte!«

»Ich muß erst wieder hereinkommen. Augenblick! Parkplätze gibt es nicht, darum bin ich dort auch allein. Beim ersten Mal habe ich mich nur umgesehen und die Hände an die Säulen gelegt, sie fühlen sich feucht an. Jetzt setze ich mich immer gleich auf die letzte Bank, die Mauer ist kalt, da lehnt man sich nicht an. Ich kenne das gar nicht: in einem Raum allein sein. Das muß ich doch aushalten können. Fünf Minuten beim ersten Mal, jetzt bleibe ich zehn Minuten. Fünf Minuten nehme ich Ihnen weg, fünf Minuten nehme ich dem Adam weg, der merkt es, er weiß, wie die Zeiger stehen müssen, wenn ich nach Hause komme. Ich dachte, ich nehme mir die Zeit, aber ich nehme sie anderen weg. Das gehört auch zu meinen Erkenntnissen, daß man immer wegnimmt, aber vielleicht gebe ich ja eines Tages etwas wieder her? Zuerst sitze ich da und zittere, aber dann werde ich ruhig. Ich mache die Augen zu und kann dann meinen Körper spüren, sonst habe ich doch immer nur Augen und Ohren und Hände für andere Körper, die ich behandeln muß. Ich befinde mich außerhalb. Manchmal denke ich, daß ich in Stücken auseinanderfallen werde: ein Stück hier, ein Stück in der Klinik, ein Stück bei Adam, eines im Pflegeheim. Auf der Kirchenbank fügt sich ein Stück wieder ans andere, mein Kopf sitzt, wo er hingehört, meine Hände liegen auf meinen Knien; ich ziehe mich mit meinen eigenen Händen an den eigenen Knien hoch, richte mich auf, das ist eine übliche krankengymnastische Übung, aber es ist auch mehr. Ich bekomme Boden unter die Füße, seelisch! Wenn ich jeden Ihrer Finger einzeln in meinen Händen spüre, dann ist das wie ein Stromkreis, und ich meine, daß Sie und ich an dasselbe Stromnetz angeschlossen sind. Energie kann nicht verlorengehen, auch meine nicht. Haben Sie das auch in der Schule gelernt?«

»Das habe ich gelernt, vergessen, und jetzt bringst du es mir wieder bei.«

»Es liegen Gesangbücher auf einem Tisch, manchmal lese ich einen Choral. Ich lese laut, das stört ja keinen. Ich habe meine eigene Stimme noch nie in einem großen leeren Raum wahrgenommen. Wissen Sie, was gut ist, Chef? Ich muß nicht bekehrt werden. Wäre ich ein Moslem, wäre es viel schwieriger, da müßte man viel wegräumen. War das nicht ein Wink des Himmels – es gibt jemanden, der streicht an und sagt: Das mußt du lernen, und er schreibt an den Rand ›P‹ und meint mich. Ich dachte, alles wäre viel schwerer. Nun fühle ich mich oft leicht; wenn ich aus der Kapelle komme und mich wieder aufs Fahrrad setze, singe ich. Ich finde die Glasbilder schön, Chef. Am schönsten ist das Bild mit der Erschaffung der Vögel, und dann denke ich an Meinemarie, wenn sie die Graureiher beobachtet. Bald kehren die Kraniche zurück! In der zweiten Woche habe ich das Leben und das Leiden des Jesus Christus betrachtet. Der Engel der Verkündigung! Engel – das ist wie mit den Vögeln: Die einen steigen auf in den Himmel, die anderen fliegen herunter zur Erde; so kommt mir das vor. Ich muß lange hinsehen, bis ich herausfinde, was dargestellt ist.«

»Paula, wir lassen das heute mit der Arbeit am Katalog. Ich werde dir Glasfenster von Chagall zeigen, aber auch Glasfenster der Kathedrale von Chartres, damit du zu unterscheiden lernst.«

»Nein, Chef. Ich will in meine Kapelle gehen, das brauche ich. Ich kann nicht zu Chagall, und ich kann nicht nach Chartres gehen. Vielleicht später. Habe ich Sie jetzt enttäuscht?«

»Ich versuche zu denken, was du denkst.«

»Jetzt sind es nur noch wenige Wochen, dann sind wir alle getauft und getraut. Sie sind getauft, konfirmiert und bestimmt auch mal getraut, hat das alles nichts genutzt?«

»Gott hat mich vernachlässigt, aus den Augen verloren, für ihn stecke ich noch im Müll.«

»Laß mich nur erst einmal getauft sein, dann werde ich dich bekehren. Mit Gottes Hilfe.«

12

> ›Das Maß des Wunderbaren sind wir. Wenn wir ein
> allgemeines Maß suchten, so würde das Wunder-
> bare wegfallen, und alle Dinge würden gleich groß
> sein.‹
>
> *Lichtenberg*

Was für ein Märztag! Es geht rasch voran mit dem
Frühling. Er kommt in Sprüngen, zumindest behauptet
das Paula. Sie hat einen Bio-Bauern entdeckt, dort
kauft sie zweimal in der Woche ein. Die ersten Radies-
chen! Eine Portion Sauerampfer aus dem Frühbeet.
Eier von einer freilaufenden Bäuerin! Sie läßt ihre Patientin in den Rucksack blicken. Duftet es denn nicht
nach Erde? Sie stellt den Rucksack in der kühlen Diele
ab und verlangt: »Als erstes fahren wir jetzt auf die
Terrasse! Sie werden braun, und ich bekomme die
ersten Märzsommersprossen, darauf wollen wir doch
nicht verzichten.«

Es erfolgt kein Widerspruch. Die Patientin dreht ihren Rollstuhl mit wenigen Handgriffen in Richtung
Terrassentür. »Früher blühten in der Nähe der Büsche,
unten im Garten, Veilchen, viele Veilchen, der Duft
wehte bis auf die Terrasse.«

»Wenn Sie nicht zu den Veilchen kommen, müssen
die Veilchen zu Ihnen kommen. Ich suche.« Und schon
läuft Paula über den Rasen, der weiß getupft ist von

Marienblümchen. Neben dem großen Stein hockt sie sich ins Gras, ruft: »Hier blüht es«, wirft Veilchen in das flache Wasserbecken, rupft trockenes Wintergras ab, winkt, ruft, läuft atemlos und aufgeregt zurück zur Terrasse. »Unter dem alten Gras –«

Sie wird unterbrochen: »Der Gärtner kommt in der nächsten Woche und entfernt den Winter.«

Paula wirft eine Handvoll Veilchen auf den Schoß ihrer Patientin und wiederholt: »Janos, er heißt Janos! Der Name ist in großen Buchstaben unten in den Stein gehauen.«

Und jetzt passiert etwas, was nicht vorauszusehen war. Frau Herbst sagt zu ihrer eigenen Überraschung: »Janos, ganz recht. Der Name ist mir bekannt.« Ihr Blick entfernt sich, und dann sagt sie: »Es handelt sich um meinen Sohn. Der Bildhauer Janos. Ein Künstlername.«

Paula ist sprachlos, über längere Zeit bleibt sie sprachlos.

Frau Herbst hält es für richtig, sie zu beruhigen: »Wir haben keinen Kontakt, du brauchst dich wegen Janos nicht zu beunruhigen.«

»Das beunruhigt mich erst recht«, sagt Paula. »Ihr Sohn ist ein namhafter Künstler, und er kümmert sich nicht?«

Frau Herbst legt die Hände auf die leblosen Beine und sagt: »Davon weiß er nichts, er weiß von nichts etwas.«

»Und du – Entschuldigung! Und Sie – was wissen Sie von Janos?«

»Gelegentlich taucht sein Name in Kunstzeitschriften auf. Manchmal mit einer Abbildung. Ich betrachte seine Arbeiten mit Aufmerksamkeit, manches gefällt mir, anderes nicht.«

»Und wo lebt er?«

Nach einer längeren Pause: »Weit weg, sehr weit. Vermutlich ist er dort geblieben, viele Menschen, auch Künstler, fühlen sich von der Freiheit dieses Kontinents angezogen und bleiben. Weiter weg geht es gar nicht. Australien.«

Und wieder ist Paula sprachlos.

»Koch uns Tee, Paula, gib den Veilchen Wasser, ich bleibe noch etwas draußen.«

Paula kocht Tee, summt, denkt nach. »Jetzt fällt mir etwas ein, Chef! Als Adam hiergewesen ist und die Christrosen aus der Schale gezogen hat, da haben Sie mir, als ich verbockt und verstockt wiedergekommen bin, von einem Schneerosenwald erzählt. Das einzige Mal, daß Sie mir etwas erzählt haben. Dem Adam erzähle ich auch alles mehrmals, erzählen Sie es doch noch einmal. Irgend etwas haben Sie angedeutet, das weiß ich genau!«

»Es duftet nach Veilchen, und ich soll mich an den Schneerosenwald erinnern? Ich werde es versuchen. Wir liefen Ski in den Tauern, in den Hohen Tauern, machten weite Ausflüge. Ich war eine gute Läuferin, ausdauernd, auch mutig, fast leichtsinnig. Wir übernachteten in Hütten auf Matratzenlagern. Mittags stieg die Sonne schon hoch, wir mußten uns vor Gletscherbrand schützen, cremten die Lippen ein, sahen aus wie Clowns, die Gesichter rotbraun verbrannt. An den Nordhängen waren die Schneeverhältnisse

179

noch gut, an den Südhängen mußten wir abschnallen und die Skier tragen und die Rucksäcke tragen, aber die Skier waren wesentlich schwerer als heute, dafür die Stiefel leichter. Es war – wo war das? Den Namen des Berges habe ich vergessen, von Salzburg aus waren wir mit der Bahn nach Radstadt gefahren. Es gab einige Sessellifte, aber wir waren Tourenläufer. An einem Tag, als die Sonne schon tief stand, erreichten wir einen Hang, auf dem kleine Fichten standen; die Strahlen der Sonne brachen sich an den verkarsteten Schneerändern. Farbkristalle, das ganze Prisma, die Stämme der einzelstehenden hohen Kiefern schimmerten rötlich, das alles war bewundernswert, das hatten wir aber schon mehrfach gesehen. An diesem Tag gab es Moosflecken, die tiefgrün waren, und aus diesem Moos heraus reckten sich die Schneerosen, weit geöffnet und in reinstem Weiß, zehn Blüten beieinander oder noch mehr, und dann wieder kleine Schneefelder. Manche sagen Christrosen, aber Weihnachten war längst vorbei. Botanisch heißen diese Blumen Nieswurz, sie sind giftig, ein giftiger Zauberwald. Wir rührten uns nicht, als würde bei der kleinsten Bewegung alles verschwinden. Wir standen auf unseren Skiern, warteten den Sonnenuntergang ab. Dann fiel die Dunkelheit über uns, wir konnten die weißen Blüten nicht vom weißen Schnee unterscheiden, schnallten ab, suchten den Weg, brauchten lange. Ich habe so etwas nie wieder gesehen.«

»Aber du hast es gesehen! Einmal hast du es gesehen, und ich sehe es auch vor mir. Wer – wer war dieses ›wir‹?«

»Eine Gruppe von Studenten, alle standen wir kurz vor dem Examen.«

»Du verschweigst mir etwas! Da war jemand, da war jemand dabei! Das spüre ich doch. Und damals hast du etwas angedeutet.«

»Paula! Du erwartest doch nicht, daß ich dir –«

»Doch! Genau das erwarte ich! Ich rede und rede, seit Monaten und in Fortsetzungen, und ich werde auch in Zukunft erzählen, was ich erlebe, aber jetzt bist du dran. Hat es mit Janos zu tun? Es hat mit Janos zu tun! Der wunde Punkt heißt Janos.«

»Kein Wort weiter, Paula. Ich hatte nicht vor, darüber zu sprechen.«

»Ich räume nur noch das Teegeschirr weg, Chef, und dann werde ich Sie nach allen Kräften der Kunst behandeln.«

Paula wechselt das Thema, behandelt weiter, berichtet, daß sie an Abendkursen teilnimmt, zweimal wöchentlich jeweils eine Doppelstunde. »Ich würde gerne bei Ihnen anwenden, was ich dort lerne, Chef. Methode Feldenkrais. Sie müßten nur einwilligen, es kann nicht schaden und nutzt vielleicht uns beiden. Es ist ein Vorgang der Übertragung, die Methode kommt aus Frankreich. Ein Arzt, ein Physiker, hat sie erfunden oder entdeckt, er heißt Moshé Feldenkrais –«

»Ich bin darüber informiert.«

»Immer sind Sie mir einen Schritt voraus, Chef.«

»Wir können es versuchen. Meinetwegen. Du hast wohltuende Hände, aber das weißt du selbst am besten.«

»Wenn Sie es einmal aussprechen, Chef, wirkt das Wunder.«

»Es handelt sich hier um sehr kleine Wunder.«

Die Methode Feldenkrais läßt keine Gespräche zu, beide Frauen schweigen, beide entspannen sich. Paula steht hinter ihrer Patientin, legt abschließend die Hände um deren Kopf, löst sie mit leisem Druck und sagt: »Genug. Ich unterbreche den Stromkreis.«

Nach einiger Zeit fragt Frau Herbst, wie es mit Jens' Examen steht.

»Jetzt fragen Sie! Zum ersten Mal fragen Sie, aber nur, um mich abzulenken. Mich bringt man rasch zum Reden. Jens ist oft gereizt. In der Regel ist er gar nicht anwesend, und wenn er einmal anwesend ist, hängt Gudrun ihm am Hals, und die Kinder hängen an seinen Knien. Natürlich kann er unter diesen Umständen nicht arbeiten. Und die Türkinnen, die sind ja auch noch da, obwohl sie selten zum Vorschein kommen und nur leise miteinander reden; aber die Nähmaschinen surren, und das Telefon läutet, wenn Gudruns Kundschaft sich meldet. Von den Türkinnen später mehr. Jens arbeitet im Institut, seinen Computer hat er vor den Kindern in Sicherheit gebracht. Er sieht blaß aus, mager ist er auch, das liegt an der Naturkost. Wenn er im Institut ißt, kaut er vermutlich nur Möhren oder Äpfel. Ich hatte gedacht, daß er später in die Forschung gehen würde, Universitätslaufbahn, aber die Chancen sind schlecht. Das Thema seiner Dissertation kenne ich nicht im Wortlaut. Es hat mit Recycling zu tun, aber auch irgend etwas mit

Landschaftsökologie. Das Jahr in den verschiedenen Kibbuzen –«

»Kibbuzim, in der Mehrzahl heißt es Kibbuzim, nur in der Einzahl Kibbuz.«

»Also: ein Jahr in der Mehrzahl, dazu das halbe Jahr in Kenia, er ist den anderen überlegen. Die Doktorarbeit liegt bei seinem Professor, im April dann die mündlichen Prüfungen. Wir kümmern uns nicht genügend um Jens. Neulich hat er mal von einem Planungsbüro gesprochen, irgendwo an der Nordsee, nahe der Küste, man macht dort Versuche mit Windenergie. Ich wußte gar nicht, daß er auch Physik studiert hat. Wenn ich mal frage, wie weit er ist, dann weicht er aus. Er ist nicht mehr ansprechbar. Aber er achtet weiterhin darauf, daß wir keine Einwegflaschen kaufen. Wenn wir es trotzdem tun, werfen wir sie gleich weg, er bekommt sie nicht zu sehen. Wir haben zum Einkaufen nicht viel Zeit. Vor einigen Tagen, als er spät kam und die Kinder schon im Bett waren und Gudrun und ich vorm Bildschirm saßen, hat er uns angesehen, als ob er uns überhaupt nicht kennt, und dann hat er gesagt: ›Wie bin ich eigentlich an diese Altlasten gekommen? Ihr beide seid meine Altlasten, die Neulasten liegen wenigstens schon im Bett. Wie soll ich mich denn entsorgen?‹ – ›Sorgen sollst du, nicht entsorgen‹, hat Gudrun gesagt und ihn ausgelacht; immer denkt sie, daß man alles weglachen kann. Er ging nicht darauf ein: ›Ich hatte mich in ein Mädchen aus Dessau verliebt, und jetzt habe ich zwei Frauen und zwei Kinder und keine Anstellung in Aussicht. Das Doktorandenstipendium läuft aus.‹ Er ließ sich auf einen Hocker fallen, die Arme zwischen den Knien, Kutschersitz. Er sah aus wie ein alter Mann, er tat mir richtig leid. Ich habe gleich gesagt, daß er sich um Adam und mich nicht sorgen müsse, wir kommen zurecht, ich verdiene jetzt ausreichend. So sieht es mit Jens aus, Chef. Wenn ich es mir überlege, die Sache mit Janos . . . Eine Tochter wäre doch anders, die hätte von sich aus versucht, den Kontakt wiederherzustellen. Meine ich. Oder doch nicht? Janos klingt gut. Ist er auf diesen Namen getauft? Das könnten Sie mir doch verraten, Chef!«

Ein Zögern. Dann kommt die Antwort: »Jonathan. Die anderen Kinder riefen Nathan, verunstalteten den schönen Namen, irgendwann gewöhnten sich alle an Janos.«

»War Jonathan ein Heiliger?«

»Nein. Der Name kommt aber im Alten Testament vor. Jonathan war ein Freund Davids.«

»Der König David! Das ist schön! Der Freund eines Königs.«

»Können wir nun –?«

Frau Herbst bezieht ihren Platz am Arbeitstisch, Paula sitzt ihr gegenüber. Sie machen sich an das, was sie ›das Werk‹ nennen.

Paula hat sich bereits ihren Anorak übergezogen, steckt den Kopf noch einmal durch den Türspalt, das tut sie immer, und ruft: »Bis morgen!«

Diesmal gibt es einen kleinen Aufenthalt. Frau Herbst sagt: »Janos, ich meine Jonathan, heißt nicht Herbst. Leonard Herbst ist nicht der Vater, die beiden verstanden sich nicht.«

»Woher – ich meine, woher hatten Sie denn dieses Kind?«

»Das ist eine lange Geschichte.«

»Fortsetzung folgt!« Paula zieht den Kopf zurück, schließt die Tür.

13

›Menschen und menschliche Dinge muß man kennen, um sie zu lieben, Gott und göttliche Dinge muß man lieben, um sie zu kennen.‹

Pascal

Frühling! Nicht mehr nur seine Vorboten. Die Zeit der stäubenden Hasel ist vorbei, der Frühling ist aus den Vorgärten in die Hausgärten gedrungen, aus den Blumenläden in die Grünanlagen. Der sanfte Duft der Stiefmütterchen breitet sich aus, und manchmal liegt ein Hauch von Frühling auch auf den Menschengesichtern, zumindest liegt er auf Paulas Gesicht. Sie drückt auf die Klingel und antwortet auf die immer gleiche Frage diesmal mit: »Hier steht die getaufte Paula Wankow!«

Im Gartenzimmer angekommen, fragt sie: »Sieht man mir nichts an, Chef?«

»Wir werden die Anrede ändern müssen.«

»Für Sie bin und bleibe ich Paula. Aber ich brauche mindestens drei Anreden: Sie bleiben meine Patientin, bleiben der Chef, und nun bist du auch noch meine Patin. Als ich meinem Pfarrer gesagt habe, daß meine Patin nicht anwesend sein könnte und warum nicht, hat er gesagt: ›Gott sieht man nicht, Jesus sieht man nicht, den Heiligen Geist schon gar nicht, daß sie anwesend sind, mußt du aber glauben.‹ Und da habe ich gesagt, daß es mir leichter fiele, an deine Anwesenheit im Geiste zu glauben, und da haben wir gelacht, aber ganz ernst. Die Linden sind schon ein klein wenig grün. Ein Hauch von Grün! Ich wußte gar nicht, daß eine Lindenallee am Haus vorbeiführt. Ich werde manchmal ›Anne Linde‹ sagen, das wollte ich vom ersten Tag an, das wollte ich erreichen! Soll ich erzählen, wie es war, oder gehen wir gleich auf die Terrasse? Ich hole noch eine Decke, und dann rufe ich dir zu, was schon alles blüht.«

»Zuerst die Behandlung und zuerst die Erzählung, darauf habe ich gewartet.«

»Du hättest mich ja nicht zum Taufbecken tragen können. Und Doktor Sievening hat den Adam auch nicht getragen, aber gekommen ist er! Damit hatte ich gar nicht gerechnet. Man muß viel mehr Zutrauen haben. Etwas habe ich ganz deutlich gespürt: Es ist nicht nur mein Kind. Der Adam und ich sind gar nicht so allein. Ich werde nicht mehr hinter roten Audis herblicken und nicht mehr hinter den Baßgeigen. Der Pfarrer hat zu Adam gesagt: ›Sei getrost! Fürchte dich nicht!‹ Und dann hat er auch mich ganz fest angesehen, und alle Furcht war weg, und ich habe gedacht, daß ich es weitersagen muß, an Sie, ich meine an dich! Sei getrost! Fürchte dich nicht! Man muß es nur im richtigen Augenblick sagen.«

»Die Griechen nennen diesen Augenblick chairos, die gefundene Stunde.«

»Gibt es in unserer Sprache kein Wort dafür?«

»Ich weiß keines. – Hast du in Halle angerufen?«

»Gibt es – im Griechischen – vielleicht auch ein Wort

für eine ungeeignete Stunde? Eine solche Stunde habe ich erwischt, als ich mit Meinermarie telefonierte. Ich hatte sie vor Wochen schon gefragt, ob ich getauft wäre. Da hat sie gesagt: ›Wofür soll das denn gut sein? Hier wird kein Mensch getauft, ich kenne keinen, früher war das mal üblich.‹ Ich habe gefragt, wie ich denn an meinen Namen gekommen wäre, ohne Taufe. ›Namensweihe‹ hieß das in der Ehemaligen, da verpflichten sich die Eltern, ihr Kind im sozialistischen Sinne zu erziehen. Als sie mir das erklärt hatte, habe ich erst mal gar nichts gesagt. Lange Pause. Sie hätte ja fragen können, hat sie aber nicht. ›Hast du was gegen den Namen Paula?‹ – ›Nein. Habe ich nicht.‹ Jugendweihe kannte ich, danach brauchte ich nicht zu fragen. Hat Meinemarie mich nun im sozialistischen Sinne schlechter erzogen? Kann ich meinen Adam im christlichen Sinne besser erziehen? Nach einem Familienbuch habe ich gar nicht gefragt, ich habe ein neues angefangen, mit Adam! Wir haben das Gespräch abgebrochen. Und als der Termin mit der Taufe näher rückte, da wollte ich es ihr sagen.«

»Hast du es wieder nicht getan?«

»Es war gar nicht nötig. Sie wußte das längst! Kaum hatte ich das Wort ›Taufe‹ genannt und das Datum, hat sie gefragt, ob der Pfarrer sie auch noch taufen sollte, ob an eine Massentaufe gedacht sei, der Vater, der Opa. Ich konnte nur noch piepsen: ›Woher weißt du denn –?‹ Da sagt sie doch wahrhaftig: ›Ich könnte dir auf den Tag sagen, wann der Junge geboren ist.‹ – ›Woher weißt du denn, daß es ein Junge ist? Er heißt Adam, ich dachte doch, ich fände noch einen Vater für ihn, und dann, und

dann, und dann –‹ – ›Und ich dachte, meine Pusteblume, sie wird mir doch alles sagen.‹ – ›Und ich dachte,
Meinemarie wird doch mal fragen –‹ Wieder eine lange
Pause, ich hatte keine Markstücke mehr, die Verbindung wurde unterbrochen. Ich müßte mir eine Telefon-
karte anschaffen, aber jetzt könnte ich ja auch von zu
Hause aus anrufen. Jetzt können die Kinder ja schreien,
das macht nun nichts mehr.«

»Hast du noch einmal angerufen?«

»Nein! Sie soll mir nicht alles kaputtmachen. Wenn
ich etwas vom Heiligen Geist gesagt hätte, hätte sie
bestimmt gefragt: ›Von wem ist die Rede?‹ Mir kommt
es so vor, als hätte ich aufgehört, die Tochter von
Meinermarie zu sein. Entfernt man sich von dem einen,
wenn man sich einem anderen nähert? Du stehst – ich
meine, du bist mir viel näher. Dich kann ich anfassen,
und das tut dir auch noch gut, und bezahlt bekomme
ich es auch. Ich will nicht aus Pflicht anrufen, ich habe es
doch aus Bedürfnis getan.«

»Geht es diesmal ohne Tränen ab?«

Es geht nicht ohne Tränen ab. Und schon liegt Paulas
Kopf auf dem Schoß der Patientin, und die Hand der
Patientin liegt auf ihrem Kopf. »Erzähl!«

»Ich setze mich mal zwischen die Vögel. Ich war viel
zu aufgeregt. Ich habe gar nicht viel mitbekommen, nur
daß er, der Pfarrer, zu Eva und Jens immer ›ihr‹ gesagt
hat, ›ihr‹, die Eltern, ›ihr‹, die Brautleute, und bei mir hat
er ›du‹ gesagt. Bis ich begriffen habe, daß er mit Du und
Dein nicht immer mich, sondern Gott gemeint hat. Bei
Dir ist er gut aufgehoben! Durch die Taufe übergeben
wir Dir dieses Kind. Dann hat er zu mir gesagt: ›Nenn

den Namen des Kindes!‹ Er kannte ihn doch, er wußte, daß er Adam heißt, aber die Frage gehört zur Zeremonie, und ich war zu langsam. Da hat Adam laut und deutlich gesagt: ›Adam Wankow.‹ Noch nie hatte er das gesagt, und zum Schluß hat der Pfarrer gesagt: ›Friede sei mit euch. Der Herr behüte euch vor allem Übel. Er behüte deine Seele. Der Herr behüte deinen Ausgang und Eingang von nun an bis in Ewigkeit.‹ Bis in Ewigkeit! Dabei kann ich doch nur in ganz kleinen Zeitabständen denken und leben. Meine Seele ging auf Zehenspitzen. Gudrun hat nachher gesagt: ›Ich dachte, gleich hebt sie ab, dann sind wir sie los.‹ Aber Adam hat nach meiner Hand gegriffen und mich festgehalten. Er hat irgend etwas gemerkt. Er merkt mehr, als man denkt, er redet nur so wenig. Als Gudrun und Evchen auch getauft waren, da habe ich die beiden umarmt und Evchen hochgehoben und ›Schnonkse‹ zu ihr gesagt, und da hat Gudrun mich mit kalten Augen angesehen, mir das Kind aus dem Arm genommen und gesagt: ›Das ist mein Schnonkse, für dich ist es Eva.‹ So hatte sie noch nie mit mir geredet. Es war, als zöge eine Wolke über mich weg. Es war nicht die einzige Wolke. Evchen, dieser Schnonkse, hatte alles: Vater, Mutter, Großeltern hier und eine Großmutter dort, Gudruns Schwester war als Abgeordnete aus Dessau gekommen; sie war die eine Patin, ein Freund von Jens der andere, und der hat in der Kirche Trompete geblasen. Das war das Allerschönste, da habe ich alles verstanden, jeden Ton. Von der Ansprache für Adam und mich habe ich kaum etwas mitbekommen. Adam guckte aus seinen schwarzen Augen und paßte auf. Er hätte mit den Tränen seiner Mutter getauft werden können, das hat später der Pfarrer gesagt. Und dann kam die Trauung! Da habe ich besser zugehört. Ich saß bei den anderen Gästen, und Gudrun und Jens standen vor dem Altar: ein schönes Paar! Sie waren festlich gekleidet, nicht im schwarzen Anzug und weißen Brautkleid, aber schön. Der Pfarrer hat die Geschichte der beiden erzählt: die Braut aus Dessau, aus der damaligen DDR geflohen, um bei dem sein zu können, den sie liebt. Und der, den sie liebt, hat sie an der damaligen Grenze mit offenen Armen in Empfang genommen. Diese beiden jungen Menschen versuchen, ein Stück deutscher Einheit zu leben. Der Bräutigam – er sprach in der dritten Person von seinem eigenen Sohn – hat seine Lebenserfahrungen in Israel, in Kenia gemacht, er ist einer, der sucht. Jetzt hat er seine Aufgabe gefunden. Er, der Suchende, sie, die ein Nest sucht. Zu diesem Fest konnten Angehörige vom Osten in den Westen reisen. Schon kommt uns das selbstverständlich vor, was es auch ist, was es jahrzehntelang nicht war. Nachher hat er gesagt: ›Gott ist die Liebe, und wer in der Liebe bleibt, der bleibt in Gott. Deshalb frage ich euch: Wollt ihr im Vertrauen auf diese Liebe eure Ehe führen? Dann antwortet mit ja.‹ – ›Ja‹ muß aber zuerst der Mann sagen. Jens reagiert manchmal langsam. Gudrun kam ihm zuvor, stößt ihn an und sagt: ›Nun sag schon ja.‹ Alle haben gelacht. Wenn alle lachen, kann ich nicht mitlachen, mir war es todernst. Ich glaube, das war der Augenblick, in dem ich zum erstenmal gemerkt habe, daß die beiden zusammengehören und daß ich jetzt die Dritte bin. Ich weiß nicht, ob die beiden das auch wahrgenommen haben. Sie waren auf einmal eine Familie, Vater-Mutter-Kind. Und Adam und ich, wir sind so etwas wie ein Appendix. Ich bin eine alleinstehende Frau mit einem vaterlosen Kind, das bald in den Kindergarten kommt. Das ist teuer, ich muß dann aus der Wohnung ziehen. Ich mache mir Sorgen. Ich mache sie mir – ich könnte doch abwarten, bis sie da sind! Wie soll ich denn einen Vater für Adam finden? Im Altenpflegeheim? Bei der Nachtwache in der Klinik? Ich bekomme ja nicht einmal einen der Assistenzärzte zu sehen, und wenn, dann sehen sie über mich hinweg. Die Frisur hat nichts genutzt, ich bleibe unscheinbar. Und in den Kunstkatalogen finde ich auch keinen! – Der Pfarrer hat die altmodische Trauformel benutzt. Er hat erklärt, daß man die Brautleute damit überfordere, wenn man verlangt: bis daß der Tod euch scheidet. ›Aber in diesem Augenblick gilt er, ihr beide meint sogar die Ewigkeit, die über den Tod hinausgeht, das ist das Kennzeichen der Liebe. Und so wahr Gott euch helfe, wird es so kommen.‹ Die beiden knieten, er legte seine Hände auf ihre Köpfe, für einen Augenblick traf mich sein Blick. Als sie aufstanden, sich zu uns umdrehten, waren sie andere geworden. Zum Schluß der Feier hat dann noch mal der Freund auf seiner Trompete gespielt: ›Du meine Seele, singe, wohlauf und singe schön.‹ Ich hatte das Blatt mit dem Text in der Hand, der Pfarrer hatte alle Texte für uns kopiert, damit wir sie nachlesen können; die anderen haben die Blätter liegenlassen, als wäre nun alles gesagt und geblasen, ich habe mein Blatt mitgenommen. Und dann ging es in die Sakristei. Abendmahl, Taufessen, Hochzeitsessen. Das hatte Jens' Mutter sich ausgedacht. Eines ging ins andere über, der

Ernst in Lachen. Erst tranken wir alle nacheinander aus einem Kelch und dann aus Gläsern, erst brach der Pfarrer das Brot, und dann reichte seine Frau die Platten mit kaltem Braten und Käse herum. Ein großer Rosenstrauß stand mitten auf dem Tisch. Bevor wir gingen, hat sie die Rosen verteilt, abwechselnd eine für Gudrun, eine für mich, als ob ich auch eine Braut wäre. Weiße Rosen, sie dufteten; wenn es für kurze Zeit still war, konnte man den Duft wahrnehmen. Die Kinder saßen auf kleinen Stühlen, die man an der Tischplatte festmacht. Jens' Vater hat Gitarre gespielt, wir haben gesungen. Gudrun war wieder so, wie ich sie im Zug von Prag her kennengelernt habe. Sie hat das Lied von der Moldau gesungen. ›Am Grunde der Moldau, da wandern die Steine –‹ Es war nur noch ein Lied, nichts weiter, das Kapitel Prag ist beendet.«

Paula erhebt sich. »Das war's, Anne Linde!«

»›Das Große bleibt groß nicht und klein nicht das Kleine –‹ Schließ die Vitrine auf, Paula, hier ist der Schlüssel. ›Die Traumstadt‹, das ist mein Taufgeschenk.«

Aber Paula schüttelt den Kopf, sagt wieder ›Chef‹: »Nein, Chef, für eine Traumstadt ist bei mir kein Platz, wir müssen sie hier stehenlassen, unter Verschluß. Ich glaube, ich muß nachher eine ganze Weile in meiner Kapelle sitzen, dort sickert die Angst aus mir heraus. Es hat nämlich noch ein Nachspiel gegeben. Für die Kinder war es spät geworden, sie mußten ins Bett. Beide quengelten. Gudrun zog Evchen aus, ich zog Adam aus, wir hoben sie gleichzeitig in ihr Bett. Gudrun sagte, ohne mich anzusehen: ›Jetzt braucht jeder sein eigenes Bett.‹

Das war eine sachliche Feststellung, aber irgendein Unterton war auch da. ›Sie sind zu groß für ein Kinderbett. Und wenn dein Adam im Schlaf nach Evchen tritt, dann beißt sie ihn. Wir müssen das ändern.‹ Später hörte ich, wie Jens zu Gudrun sagte: ›Wollen wir Paula nicht zu uns holen? Sie muß sich heute besonders allein vorkommen.‹ Und Gudrun? Sie sagte: ›Das ist unsere Hochzeitsnacht! Das ist jetzt ein Ehebett, das hört auf!‹ Jens machte die Tür zu, rief noch: ›Gute Nacht!‹ Darauf antwortete ich nicht, sollte er denken, daß ich schon eingeschlafen war. Statt mit Adam zu beten, was ich mir doch fest vorgenommen hatte, habe ich nur gesagt: ›Paß auf ihn auf, lieber Gott‹, aber das habe ich auch schon vor der Taufe gesagt. Ein Gebet habe ich schon gelernt. Wenn wir nicht zu müde sind, aber meist sind wir zu müde, sage ich es auf: ›Gott segne dich. Er behüte dein Leben und deine Gesundheit. Er gebe dir einen wachen Verstand und ein offenes Herz.‹ – Das Gebet ist noch länger, aber das muß für uns genügen. Adam muß ja selber beten lernen. Wenigstens sagt er ›Amen‹, und dann sagt er noch ›Adam‹, damit Gott auch weiß, wer da mit ihm redet. Er könnte viel mehr sprechen, tut es aber nicht; wenn ich zuviel rede, legt er den Finger auf seinen Mund. Du hast das nie getan, und hier habe ich viel zuviel geredet.«

»Ich habe uns eine Flasche Pommery kalt gestellt, hol uns Gläser, du mußt den Flüssigkeitsverlust ausgleichen.«

»Wir haben noch nicht einmal mit der Behandlung begonnen. Ich vernachlässige meine Pflichten.«

»Darf die Patientin keine Wünsche an ihre Pflegerin

äußern? Also tu, was ich dir sage, und dann wollen wir auf die Terrasse fahren, und dann werde ich dir etwas mitteilen.«

»Von Janos?«

»Viel weiß ich nicht, aber Australien stimmt. Ich habe eine Telefonnummer, es war nicht schwer, das herauszufinden. Es gibt ein documenta-Archiv. Meine kleine Agentur ist dort bekannt, das hat mich überrascht.«

»Hast du schon mit ihm telefoniert? Soll ich ihm schreiben? Diktierst du mir den Brief? Wollen wir faxen? Es ist wie ein Wunder! Ich sitze mit Anne Linde auf der Terrasse, trinke Champagner, wir haben ein Kunstwerk vor Augen und kennen den Künstler! Warum ist es zu dem Zerwürfnis gekommen? Vater und Sohn, davon hört man, aber die Mutter!«

»Herbst war nicht sein Vater, das weißt du. Du mußt mir Zeit lassen, das eine oder andere wirst du noch erfahren.«

»In Fortsetzungen? So, wie ich dir mein Leben erzählt habe?«

»Es würde eine unendliche Geschichte. Ich bin doppelt so alt wie du, aber nicht gesprächig.«

»Wir haben Zeit. Ich will hier bleiben. Alles andere geht kaputt. Als Konrad, das ist der Pfarrer, wir sagen jetzt ›du‹, verkündet hat: ›Siehe, ich bin bei euch alle Tage bis an der Welt Ende‹, da hat sich mein Körper ausgedehnt; fühlen – denken – dasein, alles war eins. Du mußt das ausprobieren! Hoffentlich hilft mir diese Erfahrung auch heute nacht noch. Mein Nachtdienst in der Klinik beginnt. Dann legen sie den Adam in mein Bett, und dann ist er plötzlich ganz allein. Wann hört man denn auf, sich um sein Kind zu sorgen? Wann hast du aufgehört? Seit wann ist er nicht mehr dein ein und alles?«

»Paula! Es handelt sich bei Janos um einen erwachsenen Mann, einen namhaften Künstler, kein weltbekannter Name, aber ein Name für Kenner.«

»Hast du einen Fotoapparat? Dann mache ich eine Aufnahme von seinem Stein. Vielleicht gerät es mir, einen Vogel, der sich darin badet –«

»Daran wird ihm nichts liegen. Ihm geht es um den Stein, den bearbeiteten Stein.«

»Du kennst ihn besser.«

»Soweit man einen Menschen kennt –«

14

Endlich hat Paula, wenn sie abends nach Hause kommt,
Neuigkeiten zu berichten. Die Erlebnisse bei der Nachtwache und die kleinen Begebenheiten aus dem Altenheim sind längst bekannt, und auch das Interesse an dieser reichen Frau Herbst im Rollstuhl ist inzwischen er-
lahmt. Aber nun ist ein gewisser Janos aufgetaucht.
Kaum hat Paula die Wohnungstür aufgeschlossen und
Adam durch die Luft geschwenkt, da ruft Gudrun auch
schon: »Was Neues aus Australien?« Viel ist es nicht, was
Paula erfahren hat, aber das wenige schmückt sie aus.

Bevor sie mit der Behandlung ihrer Patientin beginnt,
fragt sie. Sie ist hartnäckig. Was von Halle, von Prag,
von Gudrun, von Adam zu berichten war, ist berichtet.
Jetzt ist Anne Linde Herbst an der Reihe. Das Thema
heißt: Janos.

»Habt ihr telefoniert?«

»Was soll dieser Mann mit einer Mutter im Rollstuhl?«

»Du bist eine Immobilie, das behauptest du wenigstens, das paßt zu einem Bildhauer.«

»Wenn ich seine Anschrift erfahren möchte, werde ich telefonieren, das ist meine Sache.«

Paula begreift: Ein Sohn, der etwas so Großartiges macht, der kann nicht bei seiner Mutter sitzen und ihr die Hand halten oder sie spazierenfahren.

Einige Tage nach diesem Gespräch entdeckt Paula in einer Kunstzeitschrift die Fotografie eines Künstlers mit Namen JANOS. »Kennst du das Bild?«

»Nein, nein!« Anne Herbst kennt das Bild nicht, weiß nicht einmal, wie Janos heute aussieht.

»Und –?« fragt Paula. »Sieht er dir ähnlich? Auf den ersten Blick nicht. Schade, daß man ihn nicht bei der Arbeit sieht, halb nackt, braun gebrannt, in Jeans, barfuß unter Eukalyptusbäumen.«

»Paula!«

»So etwas bekomme ich nie zu sehen. Im Nacht-dienst immer nur kranke Menschen, in den Pflegehei-men immer nur alte Menschen, und hier – entschul-dige! Die Kinnpartie ist ähnlich, im Gegensatz zu dir scheint Janos viel zu lachen, als ob das Lachen typisch für ihn wäre. Bei Künstlern ist das doch selten, oder täusche ich mich? Du hast auch weit auseinanderste-hende Augen, immer denke ich, daß du um mich her-umblickst. Wie sah sein Vater aus? Nirgends steht oder hängt hier ein Bild, ich meine, eine Fotografie. Man könnte dieses Haus für ein Museum oder eine Galerie halten, keinerlei Spuren eines Privatlebens.«

Frau Herbst zeigt auf die Tür zum Badezimmer, auf die Tür zum Schlafzimmer. Dort findet ihr Privatleben statt.

»Janos weiß also nichts von dem Unfall? Weiß nicht, daß seine Mutter gelähmt ist und an den Rollstuhl gefesselt – jetzt sage ich das auch: an den Rollstuhl gefesselt. Du bist nicht gefesselt.«

»Paula!« Die Stimme klingt warnend. »Was weiß deine Mutter von deinem Adam?«

»Jetzt weiß sie es doch!«

»Vielleicht. Vielleicht nehme ich eines Tages die Verbindung mit ihm auf. Bisher hat es mir genügt, daß ich hin und wieder eine Arbeit von ihm in Zeitschriften entdeckt habe. Wichtig war mir, daß seine Arbeiten gut sind und daß sie mir verständlich sind. Er ist gut! Er hat Talent, seine Arbeiten haben Aussagekraft. Ob er seinerseits eine halbgelähmte Mutter braucht –? Er hätte die Verbindung aufnehmen können. Meine Adresse hat sich nicht geändert.«

»Der Vater!« wirft Paula ein.

»Die Trennung von dem Nicht-Vater war endgültig. Ich fiel ebenfalls unter den Schlußstrich. Den Starrsinn wird er von mir geerbt haben.«

»Das glaube ich auch! Wann ist er geboren? Welches Sternzeichen?«

»Er ist –« Anne Herbst zögert, sagt dann: »Sehr unpassend, an einem Silvesterabend. Man wußte nicht einmal genau, welches Jahr.«

»Er ist ein Steinbock? Steinböcke sind schwierig. Schütze wäre besser, die Schützen schaffen alles! Erzähl weiter!«

»Ich habe ihn aus den Augen verloren«, sagt Frau Herbst.

»Der Stein im Garten ist das einzige Lebenszeichen?

Irgendwie ist das wunderbar. Ein verlorener Sohn. Eigentlich hat er ja seine Mutter verloren, genau wie Meinemarie ihre Mutter verloren hat, aber damals war Krieg. Daß auch heute solche Schicksale möglich sind! Wo es Telefon gibt und Fax gibt. Aber ohne Wunsch und Wille nutzt alle Technik nichts. Könnte ich das Foto vorsichtig aus dem Katalog herausnehmen und einrahmen? Dann stellen wir das Bild auf den Flügel und gewöhnen uns an ihn. Je länger ich das Bild ansehe, desto besser gefällt mir dieser Janos. Paß auf! Ich werde mich in ihn verlieben!«

»Schlag dir Janos aus dem Kopf!«

»Aus dem Kopf? Ich fürchte, es handelt sich um mein Herz, aus dem kann man sich nicht so leicht jemanden herausschlagen.«

Immer häufiger kommt es vor, daß Frau Herbst telefoniert, wenn Paula das Gartenzimmer betritt. Wenn sie sich zurückziehen will, winkt Frau Herbst ihr zu: Sie mag bleiben, das Gespräch ist gleich beendet. In wenigen Sätzen berichtet sie anschließend und beiläufig, was sie diesmal aus Australien gehört hat. Es war nicht schwierig, die Telefonnummer zu erfahren, schwieriger war es, diesen Künstler davon zu überzeugen, daß er noch eine Mutter in Deutschland hat. Mit Sätzen wie: »Es herrscht noch immer große Hitze«, »Die Kerzen biegen sich und schmelzen« gibt Paula sich nicht zufrieden. Sie fragt nach: »Wieso brennt er denn Kerzen?«

Die Frage wird nicht beantwortet, statt dessen erzählt Frau Herbst nach längerem Nachdenken eine kleine rührende Begebenheit.

»Früher«, sagt sie, »sehr viel früher, als Janos noch Jonathan hieß, da habe ich ein Weihnachtsfest mit ihm in einem oberbayerischen Dorf verbracht. Im tiefverschneiten Wald habe ich ein Bäumchen für ihn geschmückt, aber er hatte dafür wenig Sinn, er wollte, daß ich im Hotel die Geschenke auspackte; das wollte ich aber am Morgen des ersten Feiertages tun. Vorhin hat er übrigens gesagt, daß er sich nicht daran gewöhnen könne: die Sonne im Norden! Er hat Schwierigkeiten, sich zu orientieren. Er schlägt eine Sonnenuhr in Stein, wenn ich das richtig verstanden habe: drei Meter im Quadrat! Er gibt die Himmelsrichtungen für die nördliche und südliche Hemisphäre an. ›North and South‹, eine Weltsonnenuhr, vorstellen kann ich mir das nur schwer. Er spricht viel von der großen Freundlichkeit und Hilfsbereitschaft der Australier. ›Lucky country‹, sagt man, und er behauptet, daß er nirgendwo so viele glückliche und zufriedene Menschen gesehen habe. Glück scheint ein Synonym für Reichtum zu sein.«

Wenige Tage später fällt das Wort »Eingeborene« am Telefon. Kaum hat Frau Herbst den Hörer aufgelegt, setzen Paulas Fragen ein: »Hast du etwas von ›Eingeborenen‹ gesagt? Weißt du, wie sie nach Australien gekommen sind? Wo sind sie geblieben? Australien ist in meinem Schulunterricht offensichtlich nicht vorgekommen. Wozu auch? Du warst doch mal eine Lehrerin, Chef!«

»Nicht für Erdkunde! Aber soviel ist mir bekannt: Sie sind aus Neuguinea eingewandert, vermutet man, es muß eine Landbrücke bestanden haben; sie starben an den Seuchen, die von den europäischen Sträflingen eingeschleppt wurden. Warum willst du das wissen? Ich werde nicht in dieses ›glückliche Land‹ kommen, und du wirst auch nicht hinkommen.«

»Warum nicht? Gib mir doch eine Chance.«

»Die Luft soll dort gut sein, und ein Bildhauer ist durch den Staub, der bei der Arbeit entsteht, auf frische Luft angewiesen, deshalb arbeitet Janos meist im Freien. Sobald man die Großstadt verlassen hat, beginnt die Landschaft. Noch ist nichts zersiedelt. Er scheint zwei große Garagen zu bewohnen, lebt mit seinem Auto und seiner Werkstatt unter einem Dach, und daneben oder davor steht einer der exotischen Eukalyptusbäume, die man in den Regenwäldern von North-Queensland entdeckt hat, es handelt sich dabei um die Vorfahren der heutigen Eukalyptusbäume. Sie galten als ausgestorben. Das Holz hat einen angenehmen Duft, die Bäume wachsen sehr schnell, in wenigen Jahren bis zu zehn Meter hoch.«

»Und wo ist das alles? Haben wir denn keinen Atlas? Ich möchte wissen, wo Janos seine Steine behaut. Ich fange an, seine Absicht zu begreifen. Als du töpfern wolltest, als du dich für Tonfiguren zu interessieren anfingst, entstand das aus dem Bedürfnis, etwas herzustellen, was noch nicht da ist; das ist etwas Schöpferisches, vielleicht sogar etwas Weibliches. Aber Janos, der sieht etwas im Stein, was andere nicht sehen, und das holt er heraus. Unsere kleinen Kunstwerke dagegen! Alles verkleinert, und bei ihm alles vergrößert. Ich habe einen Film über diese ausgestorbenen Eukalyptusbäume gesehen, ich passe jetzt auf, wenn Australien im Fernsehen auftaucht, aber ich bin oft müde und schlafe ein; bis die Kultur ins Programm kommt, ist es spät. Das Fernsehgerät steht im Flur, und die Klonks wollen schlafen. Was meinst du? Wäre ich ein Auswanderertyp? Die Luft ist hier gut im Vergleich zu Halle, und eigentlich fühle ich mich hier auch wie ein Einwanderer.«

»Janos sagt, er setzt sich in sein Auto und ist in einer Viertelstunde am Meer. Es soll einer der schönsten Strände der Welt sein. Sunshine-Coast, das muß etwa hundert Kilometer von Brisbane liegen. Er taucht! Allerdings nur in Begleitung eines Tauchlehrers, das größte Korallenriff der Welt. Great Barrier Reef, wenn ich ihn richtig verstanden habe. Einen Augenblick war ich beunruhigt, obwohl mir solche Gefühle nicht zustehen. Das Wetter ist ideal, die Landschaft weit und schön –«

»Will ein moderner Bildhauer denn leben, wo es schön ist? Das ist erstaunlich!«

»Vielleicht ist es eine neue Generation? Das Kaputte ist ausreichend dargestellt, das Zerstörte und Zerstörerische. Er stellt – so sehe ich es – nichts Vollkommenes dar, er hört auf, wenn etwas erst halbfertig scheint, wenn der Betrachter mitgestalten darf.«

»Gibt es Künstler seiner Generation, die Ähnliches machen? Ich habe noch so wenig gesehen. Das habe ich alles noch vor mir!«

»Als Australier hat er es vergleichsweise einfach. Es gibt keine gotische Plastik, es gibt keine Barock-Madonnen, nichts, was einen Künstler oder die Betrachter seiner Kunstwerke irritieren und zum Vergleich mit antiker oder mittelalterlicher Kunst herausfordern könnte. Ob es frühe Kunst der Eingeborenen gibt, darüber bin ich nicht orientiert. Ich werde mich erkundigen.«

»Könnten wir im Sommer Arbeiten von Janos auf den Rasenflächen ausstellen? Es werden doch nicht alle Plastiken solche Ausmaße haben und solches Gewicht? Wir schicken ihm ein Foto von seinem Stein, damit er sieht, wie seine Arbeit zur Geltung kommt. Wir locken ihn hierher, mit Gottes Hilfe.«

»Das wird uns auch mit Gottes Hilfe nicht geraten!«

»Traust du ihm so wenig zu?«

»Meinst du Janos, oder meinst du Gott?«

»Das weiß ich auch nicht so genau. Wir haben etwas vor, merkst du das? Ich bin nicht mehr ein Meinemarie-Kind!«

Als sie dann am Arbeitstisch sitzen, fragt Paula, ob Janos von dem, was die beiden Frauen ›ihr Werk‹ nennen, unterrichtet sei. »Was sagt er dazu? Eine Mutter, die im Kunsthandel tätig ist und an einem Buch arbeitet, das ist doch etwas Besonderes.«

Anne Herbst antwortet ausweichend, es habe sich noch keine Gelegenheit ergeben, fügt dann aber hinzu, daß ein so großformatiger Künstler sich vermutlich für kleinformatige Tonfiguren kaum interessieren würde. »Er wird es mit ›Spielzeug‹ abtun. Er fragt: ›Geht's gut?‹ Und dann spricht er von sich, er ist ein Egozentriker, wie alle Künstler. Mal spricht er Deutsch, dann Englisch. Immer wieder redet er vom ›hellen Rot des Wüstensandes‹. ›Man könnte hier zum Maler werden.‹ Gleich darauf nimmt er das zurück: ›Man malt nicht, was es bereits gibt. Das ist unmöglich.‹«

»Ruft er an? Oder rufst du an?«

»Er! Er wünscht nicht, bei der Arbeit gestört zu werden, das verstehe ich. Die Gebühren sind niedriger als hier, was keine Rolle spielen würde. Über den Zeitpunkt der Gespräche haben wir uns verständigt. Er wird aber längere Zeit nicht anrufen. Er hat sich einen Camper gekauft – ›Campervan‹, sagt er – oder geliehen. Er wird einige Zeit am Rande der Wüste leben, er erwartet Inspirationen durch Wind, durch Licht und Einsamkeit. ›No phone!‹ Mehrmals hat er das gesagt. Ich habe es persönlich genommen. No phone! Ich hatte mich an seine Anrufe gewöhnt.«

»Du hast dich an Janos gewöhnt. Ich auch! In der vergangenen Nacht habe ich von Janos geträumt. Ein merkwürdiger Traum, weil ich träumte, daß ich schlief und träumte. Ich saß in einem Fallschirm, eigentlich war es eine Gondel. Ich flog mit dem Wind um die Erde, erkannte die Krümmung und die Form der Erde! Ich saß freihändig, hielt mich an nichts fest, hatte nur den hellen Schirm zwischen meinem Kopf und dem Himmel. Es gab noch mehr solcher Gondeln. In jeder saß eine Frau, lauter Frauen, wir winkten uns zu. Einige rauchten, sie schienen nicht zu wissen, daß das gefährlich sein kann. Es stieg Rauch in kleinen hellen Wolken auf. Und dann wachte ich im Traum auf und träumte weiter, ich flog zwischen Baumwipfeln, sah Menschen, und zwischen ihnen stand Janos. Ich habe ihn deutlich erkannt, er sah jünger aus als auf dem Foto, und ich wußte, daß ich jetzt über Australien hinwegflog, und gleich darauf kam ich ans Meer und fing an, mich zu fürchten, und wollte auf die Erde zurück. Als meine Füße auf den Strand trafen, stieg ich gleich ein Stück höher, und dann sah ich auch

Janos wieder –. Der Mann meiner Träume! Irgendwann muß ich aufgewacht sein, so im Halbtraum, Halbschlaf. Oh, Anne, es war herrlich! Warum hast du das nicht geträumt?«

»In meine Träume dringt so leicht keiner ein«, sagt Anne Herbst, »machen wir weiter!«

Aber Paula hört nicht auf zu fragen: »Wann hast du diesen Leonard Herbst geheiratet? Und warum? Und vorher? Wie hast du das Problem gelöst? Eine berufstätige Frau mit Kind? Das ist heute noch schwierig, aber zu deiner Zeit! Du warst doch im Schuldienst. Warst du noch Referendarin? Gab es damals schon Mutterschutz? Eine ledige Mutter im Schuldienst, war das überhaupt statthaft?«

»Du fragst und fragst! Ich hatte Eltern, es gab dieses Haus.«

»Sag nur, daß Janos als Kind hier herumgelaufen ist? So wie Adam?«

»Das kann man nicht vergleichen. Er war kein Besuch.«

»Er hatte ein eigenes Kinderzimmer? Habt ihr ihn in den Kindergarten geschickt? So ist das also, wenn reiche Leute Kinder haben. Ich hatte mir das anders vorgestellt, leichter, sorgloser. Du hattest doch Zeit für das Kind? Du konntest alles beobachten, alle Veränderungen, konntest sein erstes Lächeln sehen? Sie entwickeln sich ununterbrochen weiter, auch wenn man nicht dabei ist. Plötzlich sieht man, daß es die Türklinke erreicht und die Tür aufmacht. Es tritt ins Leben. So kommt mir das vor.«

»Als er noch sehr klein war, war ich mit ihm zum

ersten Mal auf Spiekeroog, und das gefiel ihm. Aber damals hat er bereits die Sandburgen der anderen Kinder zerstört. Er hatte einen Stock, der war größer als er selbst, und wenn die großen Quallen angespült wurden, hat er sie umgewälzt, damit die glatte, wohlgeformte Topfseite nach oben zu liegen kam. Die anderen Kinder sammelten Muscheln, er trampelte darauf herum. Er war anders als andere Kinder, sonderte sich ab, brauchte keinen Spielgefährten. Er war furchtlos. Aber ich nicht. Er konnte sich kaum auf den Beinen halten, da ging er ins Meer, das Wasser reichte ihm bis an die Knie, an die Schultern. Wäre ich nicht – wie ich war, im Kleid – hinter ihm hergelaufen, wäre er untergegangen. Er fürchtete sich nicht vor der Brandung, ließ sich umwerfen; niemand hat ihm beigebracht, wie man sich über Wasser hält. Er paddelte wie ein Hund, und eines Tages konnte er schwimmen. Wir waren dann noch ein zweites Mal dort. Das Auto ließ ich in Neuharlingersiel, dort legen die Schiffe nach Spiekeroog an. Keine Autos. Wenig Fahrräder. Eine Insel für Fußgänger. Wir wohnten wieder privat. Ich kochte für uns, er war mäklig mit dem Essen, es war eine Qual, mit ihm in einem Restaurant zu sitzen. Ich habe einen der Bollerwagen ausgeliehen, darin habe ich den Jonathan an den Strand gezogen. Er war kein Strandkorbkind, aber mittags schlief er eine Weile im Strandkorb. Dann saß ich im Windschatten daneben und machte Schularbeiten. Ich war keine begabte Lehrerin, ich konnte nur unterrichten, wenn ich sorgfältig vorbereitet war. Ich gab vornehmlich Deutschunterricht. Ich schrieb Beispielsätze in meine Kladde. Wir mußten uns erst aneinander gewöhnen, dem Jonathan fiel es noch schwerer als mir. Im Watt mußte er laufen, er war faul, ließ sich lieber ziehen. Wenn er eine Strandkrabbe entdeckte, lief er hinterher, packte sie, warf sie ein Stück weiter und fing sie wieder und warf sie weg, bis dann ein Austernfischer kam, sie schnappte und mit ihr davonflog. Das Spiel gefiel ihm, mir weniger. Heute steht er auf einem Surfbrett im Pazifischen Ozean. Die Wellen erreichen dort eine Höhe von zwanzig Metern!«

»Aber sicher gibt es dort auch ruhigere Buchten«, sagt Paula.

»Er ist nicht der Mann für ruhige Buchten. Vor einigen Tagen hat er von devil marbles, Teufelsmurmeln, gesprochen.«

»Devil kann ich übersetzen, auch wenn ich nicht viel Englisch kann, und den Film, in dem diese Teufelsmurmeln gezeigt wurden, habe ich auch gesehen.«

»Dann weißt du besser Bescheid als ich. Hör auf zu fragen, Paula!«

Paula hält sich an diese Aufforderung nicht. »Und sein richtiger Vater? Hat Janos nie nach seinem leiblichen Vater gefragt?«

»Gefragt? Natürlich, aber ich bin ihm die Antwort schuldig geblieben. Er war Arzt –« Frau Herbst bricht ab.

»Du hast ihn geliebt! Du hast ihm den Sohn unterschlagen und dem Sohn den Vater? Das Leben! Was ist das für ein Leben? Manchmal denke ich, daß ich das alles gar nicht aushalte.«

»Dann frag auch nicht, reden wir nicht mehr darüber. Er war mit seinem Studium noch nicht fertig.«

»Ist das ein Grund?«

»Für ihn ja. Er studierte Chefarzt, zumindest war das die Ansicht seiner Freunde. Er war ehrgeizig.«

»Und Janos –? Was passierte dann später, als er Abitur gemacht hatte?«

»Er hat vorher aufgehört. Er war schulisch nicht geeignet, das steht in allen Briefen, von allen Schulen. Er hat später eine Lehre als Steinmetz begonnen. Nicht hier, in der Nähe von Salzburg. Der Steinbildhauer hatte einen guten Namen, es gab mehrere Lehrlinge, die er wie Schüler behandelte. Die künstlerischen Arbeiten übernahm selbstverständlich der Meister. Das, was gebraucht wurde, waren Grabsteine, die überließ er seinen Gesellen oder Lehrlingen.«

»Hat der Steinmetz die Begabung von Janos wenigstens erkannt?«

»Dem Zeugnis war das nicht zu entnehmen. Habe ich schon erwähnt, daß er Legastheniker war? Er machte Fehler beim Schreiben, aber er schlug die Fehler auch in die Grabsteine. ›Die Liebe höret immer auf‹. Der Grabstein war verdorben. Ob er das ›n‹ absichtlich vergessen hat oder nicht, hat niemand erfahren. Die anderen Lehrlinge schrieben ihm die Buchstaben vor, es passierte trotzdem, daß er ein ›t‹ vor ein ›s‹ setzte. Ich bezahlte den Schaden. Die Schule abgebrochen, die Steinmetzlehre abgebrochen. In allen Altersstufen gab es Streit, darum die Internate. Das Ende war dann die Flugkarte nach Australien. Hätte es einen Kontinent gegeben, der noch weiter entfernt gewesen wäre –«

»Du hast das zugelassen und bist nicht mit ihm geflogen?«

»Warum? Das hätte er nicht gewollt. Er wollte Einsamkeit, Öde. Keine Kultur, keine Zivilisation. Er hatte wohl falsche Vorstellungen von Australien. ›Dein Gesellschaftsleben!‹ Er wollte das Gegenteil von dem, was er hier hatte.«

»Dein Janos gefällt mir von Tag zu Tag besser! Bei dem Typ müßte man mich anbinden!«

»Du wirst nicht in diese Gefahr geraten.«

»Wer weiß!« sagt Paula. »Je länger ich darüber nachdenke, und wenn ich dein Leben und mein Leben vergleiche, dann hast du mit deinem Janos Glück gehabt.«

»Er ist nicht mein Janos, ich schätze Besitzansprüche nicht.«

»Aber am Telefon hast du ›machen wir Schluß, meine Paula kommt‹ gesagt, das habe ich gehört.«

»Das war unbeabsichtigt.«

»Um so besser!«

»›Wer ist diese Paula?‹ hat er gefragt, und ich habe gesagt, daß du mehrere Stunden täglich hier bist, ›meine Mitarbeiterin, aber auch so etwas wie ein Tochterersatz‹.«

»Das hast du gesagt?«

»Zu Janos!«

»Und – was hält er davon, eine Ersatzschwester zu haben?«

»Familie ist ihm nicht wichtig, er hat sich nach meinen Beziehungen auf dem europäischen Kunstmarkt erkundigt. Ob ich auf der Kölner Kunstmesse gewesen sei und bei der ART in Frankfurt. Daß Herbst tot ist, weiß er inzwischen. Ob ich noch in demselben Haus wohne, danach hat er gefragt.«

»Hat er vor, uns zu besuchen?«

»Davon war nie die Rede. Als Erbe käme er wohl nicht in Frage, hat er gesagt und gelacht. Ich habe ihn daran erinnert, daß er von Leonard Herbst nicht adoptiert worden sei, das sei vermutlich in beider Sinne gewesen. ›Richtig!‹ hat er gesagt. ›Damals war es richtig. Heute – ich habe mit diesem Mann immer nur Pech gehabt, selbst jetzt, wo er tot ist.‹ Und dann sagt er: ›Hi‹, legt auf, und ich sage auch: ›Hi.‹ Er spricht ein miserables Englisch; er behauptet, das täten viele, vor allem jene, die sich in den letzten Jahren für Australien entschieden hätten. Sie seien nicht auf Anpassung bedacht wie jene, die nach dem Zweiten Weltkrieg in großer Zahl eingewandert seien. Er hat Freunde in Melbourne, in einem dieser altmodischen Wohnviertel, wo Künstler und Intellektuelle wohnen. Alle haben am Strand altmodische Badehäuser, die man abschließen kann, und dann kommt eine dicke Griechin und schließt auf. Weißer feinkörniger Sand, rund um die Bucht, vom Hafen abgesehen. Weit draußen sind Netze gegen die Haie aufgespannt, aber Haie gibt es nur weiter im Norden. Am Strand von Melbourne ist man unbehelligt und leichtsinnig. Er scheint oft ins Kino zu gehen. In Melbourne geht man wieder ins Kino –«

»Hier auch«, wirft Paula ein, »aber ich nicht.«

»Man ist geselliger als in Europa, so kommt es mir vor. Für viele scheint Besitz wichtig zu sein. Grundstücke, Häuser, Yachten, Autos. Die meisten Menschen sind nach Australien ausgewandert, um es zu etwas zu bringen.«

»Und was war die Absicht von Janos?«

»Weg vom Vater. Weit weg! Außerdem lebt man dort umweltbewußter, es gibt dort mehr Versuche, die Erde, die man bebaut und benutzt, nicht zu verderben, viele alternative Lebensprojekte.«

»Paßt das zu einem Künstler?«

»Zu ihm scheint es zu passen.«

»Ich sehe mir das Foto an, sehe den Stein im Garten an, halb Kunst, halb Natur, aber ich kann mir kein Bild von Janos machen.«

»Das ist auch schwer«, sagt Anne Herbst. »Ich frage ihn nicht ab. Was ich erfahren soll, werde ich im Laufe der Zeit erfahren.«

»Was ist dort für eine Jahreszeit?«

»Es geht auf den Winter zu, ist aber noch heiß. Es soll schöne Herbstfarben geben, aber für einen Bildhauer sind Farben nicht wichtig; wenn überhaupt, benutzt Janos erdige Farben. Naturfarben, neuerdings auch Holzasche. Er lebt mit einer der Aborigines zusammen, reinrassig ist sie wohl nicht, ein Mischling.«

»Wie heißt sie?«

»Den Namen hat er nie genannt, ich müßte ihn fragen, aber ich frage nicht gern. Er erzählt dies, er erzählt das, ich höre zu. Die ›schöne Braune‹ oder ›braune Schöne‹, sagt er manchmal. Ich stelle mir vor, daß ihre Haut graubraun ist. Erwarte keine Korrespondenz, hat er gesagt, ich wünsche nicht, angerufen zu werden, ich melde mich oder melde mich nicht. Er braucht ein großes Maß an Freiheit. Als Einwanderer wird man ihn nicht ansehen. Australien ist kein Einwanderungsland mehr, auch dort gibt es Arbeitslosenprobleme. Er scheint aber von seinen Einkünften leben zu können.

Künstler sind rar, Raritäten, sie genießen Ansehen, mehr als in Europa und Amerika.«

»Hat er mit dieser braunen Schönen Kinder?«

»Das hätte er vermutlich erwähnt. Die Zahl der Aborigines nimmt ab, die Säuglingssterblichkeit ist groß.«

»Hat er darüber gesprochen?«

»Natürlich nicht! Ich habe mich ein wenig orientiert. Er fährt übrigens einen Volvo. Die Steine transportiert er auf einem Anhänger. Man nennt ihn ›the German artist‹.«

»Spricht er nur englisch mit dir?«

»Er kultiviert seinen Akzent, nehme ich an. Wenn ich ihn richtig verstanden habe, verbringt er einen Teil des Jahres in Queensland, dort sprechen die Menschen langsam, sehr langsam und gedehnt. Er hat mir das vorgemacht: ›It is sooo hoooot.‹«

Sobald Anne Herbst eine kleine Pause macht, redet Paula dazwischen. »Du hast gelacht! Als ich ins Zimmer kam, hast du aufgelacht, was hat er erzählt?«

»Eigentlich nichts Besonderes. Er behauptet, es gäbe sechzehn Millionen Einwohner auf dem Kontinent, aber zwanzig Millionen Lämmer. Janos ist berühmt für seine Lammkoteletts, er grillt sie auf Eukalyptusholz, und dann stellt er noch Mango-lemon-ice-cream her. Alles unter den Bäumen. Ich habe ihn gewarnt, man hört und sieht viel von Buschbränden. Er lebt im Freien, arbeitet im Freien. Die Buschbrände löscht der Monsunregen; er wirkt unbekümmert, locker. Die meisten Australier leben in eigenen Häusern und Gärten, behauptet er.«

»Man sieht aber doch Hochhäuser in Sydney und Melbourne«, wirft Paula ein.

Anne Herbst schätzt Unterbrechungen nicht. »Vermutlich weiß er über Australien weniger Bescheid als ich, sehr interessiert ist er nicht. Er nutzt die Möglichkeiten, die ihm der Kontinent bietet. Seine Arbeiten brauchen Raum und brauchen den Lichteinfall. Die Grundstücke sind groß, seine Objekte entstehen im Freien –«

»Hast du nicht von zwei Garagen –?«

»Dann mußt du etwas falsch verstanden haben, seine Objekte müssen im Freien aufgestellt werden, für Museen sind sie nicht geeignet. ›Ich bin ein Outsider‹, sagt er. Aber ein Museum in Melbourne hat eine seiner Arbeiten angekauft: ›Outside the window‹.«

Paula nutzt die kleine Pause aus, um zu fragen: »Wie spät ist es dort, jetzt, meine ich.«

»Der Zeitunterschied beträgt acht Stunden.«

»Dann muß er sehr früh aufstehen, um dich anzurufen.«

»Falsch, Paula, es ist dort acht Stunden später. Trotzdem kaut er oft, wenn er anruft. Er unterbricht seine Arbeit nicht gern.«

»Was für Steine gibt es denn in Australien?«

»Sandsteine. Wo es Wüsten gibt, gibt es Sandstein, außerdem gibt es auch Schiefer. Aber an der Bearbeitung von Schiefergestein ist er gescheitert. Am meisten lernt man aus seinen Fehlern, sagt er. Der rote Sandstein ist witterungsanfällig, das stört ihn nicht. Ein Kunstwerk muß wieder zerfallen, sagt er. Nichts auf Dauer. Man muß der nächsten Generation Platz machen. Auch in der Kunst. Vielleicht hängt das mit der Weltanschauung der Australier zusammen? Opal – jetzt fällt mir das wieder ein, Opal ist der typische australische Stein. Ein edler Quarz. Janos war vor wenigen Wochen in den Minen von Andamooka, kann sein, daß ich den Namen nicht richtig ausspreche, er hat dort nach Abfall gesucht. Er benutzt die Reste dieser Halbedelsteine ungeschliffen, setzt sie seinen Objekten wie Augen ein. Vorstellen kann ich mir das nur schwer. Die Felsmalereien der Ureinwohner faszinieren ihn, er bemalt jetzt seine Objekte. Er plant eine Ausstellung.«

»Wird er uns Bilder schicken? Vielleicht ein Videoband? Wir könnten uns doch ein Videogerät anschaffen. Bedienen kann ich es, die Klonks haben jetzt so ein Gerät. Adam war der erste, der damit fertig wurde. Er wird ein Ingenieur werden oder ein Computerfachmann. Bis er soweit ist, gibt es vielleicht ganz neue Techniken.«

Anne Herbst ist an den Zukunftsplänen für Adam nicht interessiert. Sie habe nachgedacht, sagt sie. »Je länger ich darüber nachdenke, waren es immer Steine, die das Schicksal dieses Jungen bestimmt haben. Er war nicht oft zu Hause, aber wenn er zu Hause war, gab es Auseinandersetzungen, nicht nur verbal. Beide Männer waren cholerische Naturen.«

»Ich stelle mir Janos heiter vor!«

»Ich weiß es besser!«

»Natürlich!«

»Eines Tages hatte Jonathan einen Stein in der Hand, und man mußte damit rechnen, daß er damit auf Herbst zielen würde. Ich habe seinen Arm zu packen bekommen, er öffnete die Hand, ließ den Stein fallen. Er fiel auf meinen Fuß, zwei Zehen waren gebrochen. Leonard

Herbst war der Ansicht, daß ich nicht ihn, sondern meinen Sohn habe schützen wollen.«

»Damit hat er recht gehabt – oder nicht?«

»Es ist damals mehr kaputtgegangen als zwei Fußknochen. Es muß noch am selben Abend gewesen sein, da saß Leonard Herbst an seinem Schreibtisch, beide Hände um den Globus gelegt. Ich fragte, ob er diesmal eine sehr weite Reise vorhabe. Der Immobilienmarkt hatte sich ausgeweitet, auch auf andere Kontinente. Er sagte, ohne auf meinen Ton einzugehen: ›Ich suche nach einem Land, das weit genug entfernt ist, dort mag dein Sohn sehen, wie er durchkommt. Er erhält ein Flugbillett, ein kleines Anfangskapital. Ich denke, Australien wird der geeignete Kontinent sein. Die ersten Siedler waren englische Sträflinge, da paßt er hin.‹«

»Warum – entschuldige, aber warum hattest du keine Kinder mit deinem Mann? Du warst doch nicht zu alt.«

»Ich bekam keine weiteren Kinder. Er wollte Kinder, er sagte: ›An mir liegt es nicht, das kann ich nachweisen.‹ Es gab Freundinnen, in der Regel Mitarbeiterinnen, mit denen er nach Florida flog, immer der Immobilien wegen. Zunächst war Spanien das bevorzugte Land, für Käufer und Verkäufer. Er brauchte eine Dolmetscherin, kaufte verlassene Bauernhöfe, noch eine Finca und noch eine Finca, die er ausbauen ließ, dann vorteilhaft verkaufte. Vermutlich willst du Ehegeschichten nicht hören? Bald darauf brachte ich Jonathan an den Flughafen. Eine Plastiktüte als einziges Gepäckstück. Ich stand auf der Besucherterrasse. Da viele Flugzeuge starteten, wußte ich nicht, in welchem er saß. Das war's.«

»Für heute, nur für heute! Morgen erzählst du weiter! In welchem Jahr war das denn?«

»Zahlen! Was hast du denn von Jahreszahlen?«

»Auf den Karteikarten trage ich immer die genauen Daten ein!«

»Ich werde nachdenken.«

Von weit her bringt Janos ein wenig Leben in dieses stille Haus.

Kaum ist Paula eingetroffen, da klingelt es, und sie verkündet: »Das Taxi steht vor der Tür! Du bist keine Immobilie mehr. Seit Monaten wirst du von mir sachkundig und liebevoll behandelt. Ich will diese Zahnlücke nicht mehr sehen. Auch wenn du vermeidest zu lachen, ich sehe die Lücke trotzdem. Zuerst zum Friseur, dann zum Zahnarzt. Sieh es doch positiv: Vor dreißig Jahren hätte es kein Taxi für Behinderte gegeben. Es ist die natürlichste Sache der Welt, Routine für den Fahrer, Routine für mich, und nun mach du keine Schwierigkeiten! Komm! Komm, Anne Linde Herbst, tu einmal, was ich sage!«

Wenig später fährt das Taxi beim Frisiersalon vor. Eine Stunde wird es dauern, Zeit genug, daß Paula einige Wege erledigen kann. »Hier bist du eine Kundin und keine Patientin, ich gehe!« sagt Paula.

Die Behinderte wird bevorzugt behandelt: »Zuerst die Behinderte!«

Frau Herbst nennt ihren Namen, falls man ihn sich merken könne, falls sie ein weiteres Mal kommen werde, was allerdings von dem Ergebnis der Prozedur – sie sagt: »Prozedur« – abhänge.

Inzwischen ist der Inhaber des Salons aufmerksam geworden, erkennt die Kundin. Er wird sie eigenhändig behandeln, waschen, schneiden, fönen, wie früher, wie immer?

Dieser erste Ausflug verläuft ermutigend. Das nächste sind Fahrstunden für Paula, am besten mit dem Audi. Frau Herbst kennt einen Fahrlehrer. Das Ergebnis der Unterredung ist, daß Paula zwei Stunden in einem Auto der Fahrschule fahren soll, dann noch zwei Stunden in dem privaten Wagen von Frau Herbst; der Führerschein aus Halle liegt vor, die fehlende Fahrpraxis läßt sich nachholen. Ob ein Lifter zum Aus- und Einsteigen nötig ist, muß geprüft werden. Es geht bergauf mit Anne Linde Herbst; daß es mit Paula bergab geht, fällt dabei weniger ins Gewicht.

Einige Tage später sagt Frau Herbst: »Sieh dir an, was ich entdeckt habe: Es gibt doch noch eine Erinnerung an Janos, als er noch sehr klein war.« Sie greift nach einem Döschen, vermutlich für Pillen gedacht, öffnet es und schiebt es Paula zu. »Sieh dir das an! Eine Locke!«

»Von Janos? War er hellblond? Warst du auch einmal blond?«

»Nein. Ich war dunkelhaarig, südländisch. Und demnächst werde ich grauhaarig sein und mich nicht mehr von anderen grauhaarigen Frauen unterscheiden, aber dann ist ja immer noch der Rollstuhl zur Unterscheidung geeignet.«

»Geht das wieder los? Anne! War der Vater, der wirkliche Vater, blond?«

»Blond? Ich muß nachdenken. Er war eher ein wenig

farblos, ja, das war er, farblos. Oder verblassen Erinnerungen wie Fotos?«

Paula hält die Locke in der Hand, sie ist wie Seide, duftet nach Schampon, als wäre sie eben erst gewaschen.

»Gib es her!« Anne Herbst legt die Locke zurück in die Silberdose, schiebt sie beiseite, greift nach einem Katalog. »Können wir jetzt anfangen?«

Aber vorher muß Paula noch sagen, daß es schade sei, Adam bringe ebensowenig Locken zustande wie seine Mutter. »Es kommt mir so vor, als ob Menschen, die Locken haben, es im Leben leichter hätten.«

»Sieh mich an, habe ich es leichter?« Mit Bitterkeit gesagt.

»In manchem schon, du weißt es nur nicht. Da nutzt auch das Leichterhaben nichts. Warum lachst du nicht, jetzt, wo du diesen schönen neuen Eckzahn hast! Gibt es einen Fotoapparat? Ich könnte ein Bild machen von dem Objekt im Garten und ein Bild von dir am Arbeitstisch, rundum Kataloge und Bücher und Karteien. Den Rollstuhl braucht er doch gar nicht zu sehen. Wir schikken ihm Bilder.«

»Eine postalische Adresse besitze ich nicht.« Anne Herbst lenkt ab. »Habe ich dir gesagt, daß es in Melbourne Einrichtungen gibt, die unseren Akademien entsprechen? Man hat ihm eine Lehrtätigkeit angeboten. Ob er sie allerdings annimmt? Ob er die Bindung nicht wieder scheut? Australien wird er nicht verlassen wollen, und für Europa ist er verdorben.«

»Und zur nächsten documenta? Wird man ihn wieder auffordern? Könntest du nicht einen Wink geben?

Es steht doch bereits fest, wer für die Auswahl zuständig sein wird. Dann reist jemand hin und besichtigt seine Arbeiten. Australien ist auf dem Gebiet der Kunst bestimmt noch ein unerforschtes Terrain. Der Flug dauert vierundzwanzig Stunden, ich habe mich erkundigt. Zwischenlandung in Sydney. Er weiß doch, daß eine seiner Arbeiten hier auf dem Grundstück liegt?«

»Auf eine Teilnahme an der documenta wird er keinen Wert legen. Die Arbeiten anderer Künstler interessieren ihn nicht, irritieren ihn. Irritationen kann er sich nicht leisten. Er experimentiert. Er wird mit fünfzig noch experimentieren. Seine eigene Form habe er noch nicht gefunden, sagt er. Ich vermute, daß er das auch gar nicht will. Der Termin für die Ausstellung rückt näher. Die Weine sind gut, sagt er, er selbst trinkt Bier, er wird Lammkoteletts grillen.«

»Und sein Zitroneneis! Das hast du bereits erzählt.«

»Habe ich? Seine braune Schöne scheint träge zu sein wie alle Ureinwohner, den Indianern sagt man eine gewisse Trägheit ebenfalls nach.«

»Wann ist die Vernissage? Ruf ihn an, am Morgen vor der Ausstellung!«

»Es ist billiger, wenn man aus Australien anruft. Eine Minute kostet mehr als drei Mark.«

»Das ist viel Geld, aber für dich doch nicht.«

»Ich bin es ihm wohl wert«, sagt Anne Herbst.

»Das bist du, du bist noch viel mehr wert!« sagt Paula. »Für heute bin ich fertig. Jetzt ruhst du dich aus, und ich mache mich ans Werk. Hier hast du deinen Vorhang!«

15

›Manchmal frage ich mich, ob uns nicht erst dann
neue Kräfte zufließen können, wenn wir mit den alten Kräften bis an unsere Grenzen gegangen sind.‹
(Aus dem Brief einer jungen MS-kranken Leserin)

Paula betritt das Gartenzimmer. Wieder wird telefoniert.
Sie hört Gesprächsfetzen: »Wieviel Grad ist es? – Han-
delt es sich um Monsunregen? – Warst du zum Surfen? –
Und deine Ausstellung?« Belanglose, aber vertraut klin-
gende Sätze. »Paula ist eben gekommen. Du weißt, wer
Paula ist. Danke, danke für deinen Anruf.«

Paula erkundigt sich, ob Janos mit seiner Ausstellung
vorankommt. Sie sagt: »Du hast wieder gelacht, genau
in dem Augenblick, in dem ich die Tür aufgemacht
habe. Worüber hast du diesmal gelacht?«

»Janos hat eine Vogelstimme imitiert. Die Deutschen
in Australien nennen den Vogel wegen seines heiseren
Gelächters den Lachenden Hund. Er heißt in der Einge-
borenensprache Kookaburro –«

Paula verbessert: »Kookaburra! Das ist der Große
Eisvogel.«

Frau Herbst sagt: »Danke« und wechselt das Thema.
»Neunundneunzig Prozent Luftfeuchtigkeit, ›the wet‹
nennt man das, falls ich mich nicht wieder verhört
habe.«

221

Paula ist in der Tür stehengeblieben.

»Was ist los mit dir, Paula? Bist du einer Baßgeige begegnet oder zwei roten Audis? Etwas ist nicht in Ordnung, das sehe ich doch.«

»Sie sollten es aber nicht sehen, Chef. Es regnet mal wieder, deshalb ist mein Gesicht naß. Ich habe Gudruns Make-up benutzt, meinen besten Pullover angezogen und dreimal tief durchgeatmet, bevor ich geklingelt habe.«

»Steht etwa Adam vorm Gartentor?«

»Nein. Das noch fehlende Kapitel heißt Gudrun. Mein Fortsetzungsroman war doch noch nicht zu Ende. Ich bin mit einem blauen Auge davongekommen. Der Schlag galt gar nicht mir, ich habe mich mal wieder eingemischt, wo ich mich hätte raushalten sollen. Unsere Türkinnen! Ich habe noch wenig von ihnen erzählt. Wenn ich nach Hause kam, waren sie meist schon weg. Ich kannte sie kaum. Gudrun hatte die Ältere im Wartezimmer von Doktor Sievening kennengelernt, sie geht – ist gegangen! – regelmäßig mit den Kindern zu den Untersuchungen. Im Wartezimmer saß eine Türkin, saß da geduldig, wartete, stickte. Gudrun hat sie beobachtet, dann hat sie gefragt. Nicht mit Worten, sondern mit Gesten. Das Wort ›Arbeit‹ kannte die Frau, das Wort ›Geld‹ kannte sie auch. Gudrun hat unsere Adresse auf einen Zettel geschrieben. Es vergingen mehrere Tage, und dann stand die Frau vor der Tür, eine jüngere stand daneben, das war die Tochter. Wieder: ›Arbeit?‹, ›Geld!‹ Die beiden kamen heimlich, immer nur für wenige Stunden, wenn der Vater und die Brüder auf Arbeit waren. Sie waren fleißig, geschickt waren sie auch, manchmal lächelten sie, außerdem paßten sie auf Adam und Evchen auf. Die Kinder durften mit den Resten der Stoffreste spielen. Die Jüngere knotete Puppen für sie, sie hieß Inscha, das sprach sich gut aus. Sie ist mollig und hübsch, die Mutter war nur dick, hieß Fahmida, so heißt sie natürlich immer noch. Adam sagte Fa-da, und wir sagten auch Fa-da, das war einfacher. Türkinnen können mit Textilien umgehen, das ist ihnen angeboren, ob sie nun Teppiche knüpfen oder weben oder nähen. Sie befühlen die Stoffe, riechen daran, reiben sie auf dem Handrücken oder auf der Backe. Am ersten Tag haben sie sich umgesehen, sind dann in den langen Flur gegangen, jede hat ihren Gebetsteppich ausgerollt. Erst standen sie ruhig hintereinander, verbeugten sich, warfen sich auf die Knie; Richtung Mekka, nehme ich mal an, Stirn auf dem Fußboden, Arme ausgestreckt. Adam und Evchen krabbelten hinterher, machten ihnen das nach. Dagegen war nichts einzuwenden, die Prozedur dauerte auch nicht lange. Einmal ist Jens dazugekommen, ich war auch gerade zu Hause. Er nahm Evchen und Adam unter den Arm, lachte und sagte: ›Ihr seid noch nicht mal getauft, Christen sollt ihr werden, keine Muslime!‹ Fa-da kam schwer hoch, Inscha half ihr, dann rollten sie hastig ihre Teppiche auf und liefen in ihr Arbeitszimmer, das wir ›die Manufaktur‹ nannten. Sie wollten weg, sofort! Sie zeigten auf Jens, zogen die Kopftücher tiefer in die Stirn. Gudrun redete auf die Frauen ein, und ich redete auch auf sie ein. Jens nahm Gudrun rechts und mich links in den Arm, küßte uns, küßte die Kinder und zog sich dann wieder zurück. Die Sache schien geklärt. Die Frauen beruhigten sich und nahmen ihre Arbeit wieder auf. Monatelang ging alles ganz gut. Gudrun machte die Entwürfe, kniete auf dem Fußboden, schnitt zu, die Frauen nähten. Als Meinemarie Geburtstag hatte, habe ich eine Decke erworben und ihr geschickt. Sie gefällt ihr, so was hatte sie noch nie gesehen. Sie hat sie in der Küche über das Sofa gelegt, wo ich immer gesessen habe. Aber was Meinemarie dazu gesagt hat, das saß auch: ›Eine Decke aus Abfällen, das paßt, für uns gerade gut genug.‹ Ich habe ›Mama!‹ ins Telefon gerufen, das sage ich nicht oft. Und sie hat gefragt: ›Gehört das zum Recycling?‹ Ich habe den Hörer aufgelegt und zwei Wochen nicht mehr angerufen.

Die Türkinnen! Gestern! Ich war früher als sonst mit der Fußpflege im Altenheim fertig; in meiner Kapelle war ich schon tagelang nicht mehr. Kaum bin ich in der Wohnung, klingelt es. Drei Männer drängen sich durch die Korridortür und gleich in die Manufaktur. Man kann die Nähmaschinen im Flur hören. Jens war auch zu Hause, leider! Er kam in den Flur. Die Männer zerrten an den Frauen, schlugen auf sie ein. Jens wollte sie verteidigen, daran hinderte ihn dann Gudrun. Sie durchschaute die Lage, hängte sich an Jens' Hals, die Kinder heulten und hängten sich an Gudrun. Und ich! Ich warf mich dazwischen. Ich konnte doch nicht mit ansehen, wie diese Frauen mißhandelt wurden. Mit Fäusten schlugen die Männer auf sie ein. Gudrun wollte den Frauen Geld zustecken, aber das Geld nahmen ihnen die Männer ab, und ohne zu grüßen raus, alle fünf. Ich legte mir einen Eisbeutel auf das Auge und ging zu Gudrun und Jens ins Zimmer und fragte: ›Und nun? Jetzt wirst du dir beim Arbeitsamt richtige Arbeitskräfte suchen müssen.‹ – ›Ich denke gar nicht daran‹, sagte Gudrun, ›mit der Manufaktur ist Schluß. Die Mode der Patchwork-Decken ist vorbei. Soll ich etwa Buchführung machen? Lohnsteuer, Sozialversicherung, Gewerbesteuer, Einkommensteuer und Kirchensteuer – was gibt es denn noch? Das doch bitte nicht! Nicht mit Gudrun Klonk.‹ Den Ton kannte ich noch gar nicht. Ich sagte arglos: ›Ich dachte, du wolltest den Betrieb umstellen. Kindermäntel aus Flicken, so wie Evchen und Adam sie tragen. Landsknechtsmäntelchen. Das hat den Leuten doch gut gefallen.‹ Ich sah von Gudrun zu Jens und wieder zu Gudrun, etwas stimmte nicht. Ich sprach immer langsamer, und dann schwieg ich.

Pause. Dann sagte Gudrun: ›Jetzt ist Jens mal an der Reihe.‹ Damit hatte sie recht, sie hatte viel gearbeitet, das meiste Geld hatte sie beigetragen. Er hatte zwar auch viel gearbeitet, aber das war für das Examen. Die beiden hatten nur auf den richtigen Zeitpunkt gewartet, den hatten ihnen die Türken geliefert. Gespürt hatte ich schon vorher etwas, aber wahrhaben wollte ich es nicht. Als die beiden getraut wurden und nebeneinander vorm Altar standen, und ich saß in der ersten Kirchenbank, Adam rechts, Evchen links ... Der Pfarrer sagte, genau weiß ich es nicht mehr, so etwa: ›Ihr seid fortan nicht mehr zwei, sondern eins. Herr, hilf diesen beiden, beieinanderzubleiben und gemeinsam für andere dazusein.‹ Ich war diese andere! Ich und mein Adam. Der Pfarrer hat es auch gemerkt, sein Blick hat meinen Blick gesucht. Auf seinem Zettel stand ein Choral, darin heißt es: Hilf uns eins sein und bleiben –. Ich gehörte nicht mehr dazu! Damals habe ich meinen Adam dicht an mich herangezogen. Trotzdem war ich noch nie so allein wie in diesen Minuten in der Kirche. Der Dritte im Bund sollte Gott sein, nicht Paula, das hatte ich begriffen. Diesen Augenblick, als man mich allein gelassen hatte, den habe ich verdrängt oder vergessen. Es ging zunächst ja auch alles so weiter, aber: Das Paradies war geschlossen, für Paula war es geschlossen. Ich war ein Single, der die Wohnung mit einem Ehepaar teilte. Wenn Adam hinter Evchen herlief, da rief Gudrun schon mal: ›Mein Schnonkse, komm du mal zu Papa und Mama.‹ Da habe ich den Adam gerufen: ›Komm du mal zu deiner Mama.‹

Jens hatte Bewerbungen verschickt, das wußte ich. Wie groß seine Chancen waren, wußte ich nicht, das wußte keiner. Er hatte ein gutes Examen, hatte Berufserfahrung, Welterfahrung, Erfahrung in fremden Sprachen. Es ist mir erst gestern aufgefallen, daß die beiden ihre Unterhaltung oft unterbrachen, wenn ich reinkam. Irgendwann hatte ich mir angewöhnt, an die Tür zu klopfen. Und angefangen hatten wir mal mit ausgehängten Türen. Ich mache es kurz: Jens hat eine Anstellung. Natürlich nicht hier und auch noch nicht morgen, aber der Vertrag ist unterschrieben. Hamburg. Man beschafft ihm sogar eine Wohnung. Gudrun kann vielleicht wieder einen kleinen Betrieb aufbauen. In Hamburg ist das sogar günstiger, und Kindergartenplätze gibt es auch, sogar in dem Forschungsinstitut, in dem Jens arbeiten soll. Es ist alles ideal! Gestern haben sie mir das unterbreitet, und ich saß da und schluckte und dachte nach und bekam eine weiße Nase; ein blaues Auge hatte ich

226

schon. Sie redeten weiter. ›Da wir gerade dabei sind: Mit der Babysprache, das muß aufhören.‹ Inzwischen heulten beide Kinder, an Streit waren sie nicht gewöhnt. Adam lief zu Jens und rief mal wieder: ›Papa‹, und Gudrun sagte: ›Da seht ihr, was bei unserer Kommune herausgekommen ist. Geh zu deiner Mutter!‹

Die drei werden das Studentenleben, das wir bisher geführt haben, aufgeben. Sie werden Wohnungsinhaber werden, geregelte Arbeitszeiten, geregelte Mahlzeiten, geregeltes Einkommen. Ich habe gesagt: ›Dann schafft euch mal eine richtige Sitzgruppe an.‹ Sitzgruppe, das war für uns immer das Zeichen für Spießigkeit. Der Satz machte die Stimmung auch nicht besser. Gudrun hat eigene Pläne, an alles war schon gedacht. Sie will Entwürfe für Kindermoden machen, ihr Schnonkse als Modell auf dem Laufsteg, drollig ist sie ja. Gudrun zog ihr das Landsknechtsmäntelchen an. ›Geh mal den Gang entlang! Dreh dich! Dreh dich! Zeig dein Mäntelchen!‹ Da hab ich mir meinen Mantel angezogen, bin dreimal ums Viertel gerannt, dann hatte ich mich leidlich beruhigt. Als ich zurückkam, sagte Gudrun: ›Ich schenke dir meine schönste Decke!‹ Das war ja nun das Letzte. Großzügigkeit, Abschiedsgeschenke. Ich hatte noch kein Wort rausgebracht, da sagte Jens: ›Wir könnten doch auch überlegen, ob Paula und Adam mitkommen. Paula findet leicht eine Stelle in einem Krankenhaus, und die Kinder hängen doch wie Zwillinge aneinander.‹ Ich ließ ihn nicht ausreden. ›Wir wollen aber nicht an euch hängen!‹«

Paula zeigt auf ihr Auge. »Paßt das Blau ins Gartenzimmer? Das war alles gestern!«

»Was war zwischen Jens und dir, da war doch was?«

»Hat man das gemerkt? Bis hierher? Ein bißchen war, dieses Bißchen war ein bißchen zuviel. Gesprochen wurde nicht darüber. Gudrun hat es gemerkt, Jens' Vater auch. Im letzten halben Jahr war ich nie wieder mit Jens allein, richtig vorgefallen ist eigentlich nichts. Gestern abend, als der Spuk vorbei war, hat sich Jens in die Tür gestellt, sich verbeugt und gesagt: ›Im Namen Allahs, des Erbarmers, des Barmherzigen –‹ Und dann Gudrun: ›Habt ihr etwa an eine Ehe zu dritt gedacht? Läßt der Koran das zu?‹ Daß sie selbst einmal von einer Ehe zu dritt gesprochen hatte, schien sie vergessen zu haben. Ich blieb ruhig und sagte nur: ›Ich kenne den Koran nicht, aber ich will ihn kennenlernen. Jetzt, wo ich christlich getauft bin.‹ Wir wollten Ordnung in unser Leben bringen, und jetzt haben wir nichts als Unordnung. Ach, Chef!«

»Setz dich, Paula, setz dich endlich hin! Wir könnten in Zukunft miteinander den Koran lesen, er steht in der Bibliothek. Er ist noch nie benutzt worden. Wir könnten täglich eine Sure lesen. Es gibt hundertfünfzehn Suren, soviel ich weiß.«

»Dann könnte ich noch hundertvierzehn Tage hierbleiben, Chef? Ich muß doch an Adams und meine Zukunft denken, und wenn ich ein bißchen Sicherheit hätte, hundertvierzehn Tage Sicherheit . . .«

»Ich laufe dir nicht weg, Paula.«

16

›Die Größe des Menschen ist dadurch groß, daß er
sich elend weiß. Ein Baum weiß sich nicht elend.‹

Pascal

Einiges hat sich verändert. Wenn Paula in die Sprechanlage sagt: »Hier steht Paula«, dann kommt als Antwort:
»Du wirst erwartet, ich habe bereits mit der Arbeit
angefangen.«

Paula fragt, was sie seit Wochen immer als erstes
fragt: »Was Neues aus Australien?«

»Diesmal nicht«, heißt es dann, oder auch: »Die Busch-
feuer breiten sich aus. Der Wind ist ungünstig. Mit
Regen ist in den nächsten Monaten nicht zu rechnen.«

Paula hat die Bilder ebenfalls in den Spätnachrichten
gesehen, erkundigt sich dann aber, ob man in Australien
in Fahrenheit oder Celsius mißt, fügt noch hinzu: »Da
gefällt mir mal jemand, nach Jahr und Tag gefällt mir
mal wieder ein Mann. Und wo ist er? In Australien. Da
könnte ich mich auch in den Mann im Mond verlieben.«

»Ich habe uns den Tee zubereitet«, sagt Frau Herbst,
»es ging besser, als ich dachte.«

»Streng dich nur an! Reck dich! Du ahnst nämlich gar
nicht, was du alles kannst. Bin ich zum Tee eingeladen?
Ich habe feuchte Hände. Aber der Fahrlehrer sagt, man

könne mich jetzt auf die Menschheit loslassen. Der Audi steht gewaschen in der Garage, hier sind die Autoschlüssel! Wohin fahren wir als erstes? Der Rollstuhl ist leicht im Kofferraum zu verstauen. Wir brauchen keinen Lifter. Wir beide schaffen das alleine. Wir fahren ein Stück, halten an, sehen uns um, kommen zurück. Ich wasche mir nur noch die Hände! Jetzt, wo Janos seltener anruft, sind wir doch unabhängig. Wenn du nichts dagegen hast, könnte Adam einmal mitfahren. Er fährt gern Auto. Ich muß nur noch für einen Kindersitz sparen. Keine Baßgeige, statt dessen ein Rollstuhl und ein Kindersitz, aber ein roter Audi. Paßt das nun alles zusammen? Man wird geboren, und dann: Sieh zu!«

»Du hast doch noch deine Marie!«

»Ich hatte Meinemarie, und jetzt habe ich dich. Der Tee tut mir gut, es ist meine erste Tee-Einladung. Erzähl von Janos, als er klein war.«

»Meinst du Janos und Spiekeroog? Dort habe ich gemerkt, daß er Legastheniker war. Ich wollte das nicht wahrhaben, es kam mir wie ein Makel vor. Eine Lehrerin mit einem Kind, das nicht schreiben lernt. Ich übte mit ihm, wir schrieben Buchstaben und ganze Wörter in den Sand, mit einem Stock. Man hatte noch nicht so viele Kenntnisse über diese Schreibschwäche wie heute. Vermutlich verhielt ich mich falsch, erzwingen läßt sich nichts. Außerdem war er ein Linkshänder. Leonard Herbst – wir waren noch nicht lange verheiratet – verlangte, daß der Junge seine Suppe mit der rechten Hand löffelte. Das Kind tat es nicht, konnte es nicht, schlug mit dem Löffel in die Suppe. Mein Mann schrie ihn an, der Junge schrie ihn an, heulte, lief aus dem Zimmer. Oder Leonard verließ das Zimmer. Ich esse besser im Restaurant, drohend gesagt. Bis zu einem gewissen Grade konnten wir diese Linkshändigkeit austreiben, später wird ihm das zugute gekommen sein. Ein Steinbildhauer braucht zwei geschickte Hände.«

»Manchmal sprichst du wenig liebevoll von ihm, merkst du das? Dann möchte ich den kleinen Janos in Schutz nehmen.«

»Er ist kein kleiner Janos mehr, und als er klein war, hat er mir das Leben schwergemacht.«

»Adam macht mir das Leben auch nicht leicht, aber er macht es reich. Ich weiß, wohin ich gehöre.«

»Herbst hat den Jungen, der schwer zu lenken war, später auf Spiekeroog ausgesetzt. ›Ausgesetzt‹, behauptete Jonathan. Zweimal hatte er bereits die Schule gewechselt. Also: Internat. Der Junge konnte die Insel nicht ohne weiteres verlassen. Auf Spiekeroog gibt es Sand, nichts Festes, der Wind bläst, was man aufbaut, auseinander. Andere Kinder bauen Sandburgen, er hat sie zerstört, trat gegen die Bollwerke, schlug sich mit den Burgbesitzern, auch mit den Vätern. Er brauchte Material, das sich nicht zerstören läßt. So stellt sich mir das heute dar. Diese Hermann-Lietz-Schulen bieten eine ganzheitliche Erziehung, einen qualifizierten Abschluß. Die Lehrer sind nicht nur Lehrer, sondern auch Erzieher, nennen sich ›Familieneltern‹. Die Schüler leben zu acht oder zehnt in Gruppen zusammen. Für ein Einzelkind mit einem Stiefvater also durchaus geeignet. Viele Schüler kamen aus Problemfamilien. Willst du mehr über Internatsschüler wissen?«

»Nein!«

»Ich selbst war gern auf Spiekeroog. Einige Male habe ich ihn dort besucht, allein natürlich. Die Rücksprachen mit den Lehrern sind unergiebig geblieben. In seiner Freizeit fuhren wir Rad, schwammen. Ich bin einige Male geritten, man konnte Pferde ausleihen. Abends sprach ich mit anderen Vätern oder Müttern; die Schwierigkeiten ähnelten sich. Nathan, so wurde er damals genannt, wollte seine Ferien nicht zu Hause verbringen, wollte aber auch nicht auf der Insel bleiben. Er hatte einen Freund, mit dem trampte er durch halb Europa, das Ziel gab er nicht an. Ich sorgte mich, sorgte aber auch dafür, daß er ausreichend Geld hatte, auch für den Freund. Ich vermute, daß ich ihn mir schon damals abgewöhnte. Er machte es mir leicht. Sein Nicht-Vater? Leonard Herbst hätte gern eigene Kinder gehabt, die er von mir nicht haben konnte –. Genug, genug, Paula!«

»So kannst du mich doch nicht sitzenlassen! Ich habe dir auch in abgeschlossenen Fortsetzungen von meinem Leben erzählt, es war nur nicht so spannend.«

»Nun gut. Oder nicht gut. Es muß in der Schule etwas vorgefallen sein, wir wurden telefonisch benachrichtigt. Einen Tag später stand er vor der Tür.«

»Hier –? Vor dieser Tür, vor der ich jeden Tag stehe? Das ist kaum zu glauben! Er kennt das alles? Was hat er gesagt, in die Sprechanlage?«

»Die Sprechanlage gab es noch nicht.«

»Ist das alles, was du dazu sagen willst?«

»Vorläufig ja.«

»Merkst du das eigentlich? Janos verflüchtigt sich

wieder. Janos in Australien, das kann ich mir vorstellen, aber hier –. Einiges ist mir noch völlig unklar. Gudrun behauptet, daß etwas nicht stimmt. Ich habe ihr von dem silbernen Döschen mit der Locke erzählt.«

»Wollen wir damit aufhören?«

17

›Ich lernte Abschied. Eine Wissenschaft? Ich lernte
sie nachts.‹

Ossip Mandelstam

»Australien! Komm uns doch nicht immer mit Australien«, hat Gudrun gesagt und ist heftig geworden. »Wir
brauchen eine Wohnung in Hamburg!« – Als Jens und
Gudrun, von Paula jetzt nur noch »die Klonks« genannt,
sich in Hamburg Wohnungen ansehen wollen, können
sie Evchen mitnehmen, aber nicht auch noch den Adam.
Paula sieht es ein; sie unterrichtet Frau Herbst über die
veränderten häuslichen Verhältnisse, und es wird ihr
gestattet, den Adam mitzubringen. Sie sagt nicht »in
Gottes Namen«, aber es klingt durch.

Paula und Adam Hand in Hand im Gartenzimmer!
Er versteht den festen Händedruck seiner Mutter nicht,
geht nicht, Frau Herbst zu begrüßen, sondern zeigt auf
das Foto: Janos in silbernem Rahmen! Er geht darauf zu
und ruft, was er lange nicht mehr gerufen hat: »Papa!
Papa!«

»Das könnte dir so passen! Mir würde er auch passen. Du bist der klügste Adam der Welt. Das ist Janos,
sag Janos!«

Aber Adam zieht es vor, »Papa! Papa!« zu rufen.

234

»Sag Australien, Adam! Wir fliegen nach Australien!«
Sie singt: »Wir fliegen nach Australien. Da wird doch
Platz für uns beide sein!« Sie schwenkt ihn hoch und
dreht sich mit ihm, und Adam ruft: »Stralien, Stralien!«
und strahlt.

»Mach dir keine Illusionen, Paula!«

»Warum nicht? Ohne Illusionen komme ich nicht
durch. Wie alt ist Janos jetzt? Und auf dem Foto?«

»Ja, wie alt wird Janos sein –?«

»Du bist wie Jens' Vater: Fragen mit Fragen beantworten. Also – Schluß jetzt mit Janos! Adam kann auf
der Terrasse spielen, da hat er Auslauf, Spielzeug braucht
er nicht, und ich werfe mich vor meiner Immobilie auf
die Knie.«

Paula wendet die Methode Feldenkrais an, und Adam
macht sich ebenfalls an die Arbeit. Er pflückt die Köpfe
der Marienblümchen ab, gewissenhaft, einen nach dem
anderen. Als Paula auf die Terrasse kommt, hat er ein
Drittel der Rasenfläche bereits gesäubert. Er strahlt, er
hat seine Arbeit gut gemacht. Paula lobt ihn. In zwei
Tagen hätte der Gärtner einen tadellos grünen Rasen
hergestellt und die Marienblümchen maschinell geköpft. Aber: warum tut er das? Die weißen Blütenköpfe
sahen hübsch auf dem grünen Rasen aus. Sie betrachtet
ihren Sohn aufmerksam und erinnert sich an den Oster-
besuch. Am Ostersamstag hatte sie den Chef gefragt,
ob sie Adam mitbringen dürfe. Eier verstecken! Eier
suchen im Garten!

»Wenn es euch freut.«

»Es wird dir auch Freude machen«, hatte Paula versprochen. »Du siehst uns von der Terrasse aus dabei zu.«

Paula hatte nachts die Eier gekocht und schön bemalt, ein Körbchen voll brachte sie mit. Die übrigen waren für Evchen gedacht, die aber keine gekochten Eier essen sollte, nach Ansicht ihres Vaters. Die ersten Wolken am Osterhimmel waren bereits aufgetaucht. Adam durfte barfuß über den Rasen laufen, sie würde ihm die Eier verstecken, solange mußte er bei Frau Herbst bleiben.

Adam konnte inzwischen die Türen öffnen, das Eierkörbchen hatte er entdeckt und war damit im Garten verschwunden, bevor er vermißt wurde. Dann erschien er im Gartenzimmer und erklärte: »Adam alle Eier versteckt!«

Er hatte das Eierkörbchen umgekippt, war auf den Eiern herumgetrampelt, ein Brei aus bunten Schalen, Eigelb und Eiweiß im Gras. Er war stolz, er sagte: »Adam kein Ei essen.« Und Paula hatte gesagt: »Das war's. Das war meine Osterüberraschung. Ich wollte meinem Sohn einen meiner eigenen Wünsche erfüllen, Ostereier suchen im Garten. Ich bringe das in Ordnung.«

Es mußte einen Zusammenhang zwischen dem Osterbrei und den geköpften Marienblümchen geben. In beiden Fällen räumt Adams Mutter die Ergebnisse weg, hockt sich neben ihn, nimmt ihn bei den Schultern, will ihm etwas erklären und läßt es sein, sagt statt dessen: »Du bist ein Miststück, du bist ein wunderbares Miststück, das einzige, was ich habe«, und kugelt sich mit ihm im Gras.

Noch immer zieht sich Frau Herbst, die Patientin, der Chef, Anne Linde, für die Dauer einer Stunde zurück, hängt sich das seidene Tuch über den Kopf. Sobald sie eingeschlafen ist, bewegen die regelmäßigen Atemzüge das leichte Tuch, und noch immer fürchtet sich Paula. Sie sagt es auch, und Frau Herbst erinnert sich, daß Janos, als er ein kleiner Junge war, sich Decken über den Kopf gezogen hat, um sich unsichtbar zu machen.

Paula fragt: »Hast du das von ihm? Oder er von dir?«

»Ich vermute, daß ich es von ihm habe.«

»Gibt es keine Fotos?«

»Leonard – Herbst – hat sie zerrissen. Das Album mit den zerrissenen Seiten lag noch eine Zeit in meinem Zimmer.«

»Er muß starke Hände gehabt haben.«

»Das hatte er. Eines Tages war das Fotoalbum verschwunden, es enthielt nicht nur Fotos, auch die ersten kleinen Aussprüche. Er war ein origineller Junge.«

»Das Album hätte ich gern gesehen! Nichts habe ich von Adam aufgehoben. Ich habe so wenig Zeit, und die wenige Zeit muß ich doch mit ihm verbringen. Wo sollte ich denn schreiben? Fotografiert wird auch nicht. Es ist ein Jammer!«

»Ja, es ist ein Jammer.«

Anne Linde Herbst taucht aus den Eukalyptuswäldern Australiens auf wie eine Langstreckenschwimmerin aus dem Meer, blickt sich um, orientiert sich flüchtig, atmet tief ein und tief aus und läßt sich zurückfallen in das, was ihre Vergangenheit nicht war, aber hätte sein können. Sie erfindet sich einen neuen, ungenauen Lebenslauf, macht sich zur Mutter eines Künstlers. Um Paulas Fragen standzuhalten, brauchte sie Lektüre, die sie sich von ihrem Buchhändler hat schicken lassen, über Australien, über Nordseeinseln, über Hermann-Lietz-Schulen, über Steine, über Steinbildhauer, Legasthenie. Sie macht aus ihrem Sohn, ihrem ungeborenen Sohn, einen Bildhauer, nicht berühmt, aber doch anerkannt. Sie geht so weit, heimlich einen Prospekt über Janos vorzubereiten, englisch-deutsch, sie verfaßt eine Bibliographie, schreibt Bildunterschriften, schneidet Fotos aus Katalogen aus, Arbeiten, die von ihm hätten sein können, es aber nicht sind. Was sie tut, wäre strafbar, gäbe es mehr als dieses eine Exemplar.

Sie hat den Katalog ohne Paulas Hilfe fertiggestellt, eigenhändig, ihre erste selbständige Arbeit nach dem Tag X. Falls Paula gemerkt haben sollte, daß Papiere in einer Schublade verschwanden, sobald sie ins Zimmer kam, hat sie es sich nicht anmerken lassen. Bis Anne Herbst ihr dann den Katalog überreicht.

Paula betrachtet das ihr bekannte Foto, das lange Zeit auf dem Flügel gestanden hat und nun zum Titelbild des Prospektes geworden ist. Blättert, sieht Anne Herbst an, lange, zunächst ohne etwas zu sagen.

Anne Herbst fragt: »Wunderst du dich, daß er seltener anruft?«

»Nein«, sagt Paula, »meinetwegen muß er nicht mehr anrufen.«

»Ich überlege sogar, ob ich diese Beziehung einschlafen lasse.«

»Wir können Janos jederzeit wieder begraben. Er hat seine Aufgabe erfüllt, er hat uns belebt. Nutzen konnte uns dieser Sohn nichts. – Soll ich den Katalog alphabetisch einordnen?«

»Ab wann hast du es gewußt?«

»Geahnt habe ich es ziemlich bald. Aber dann habe ich mitgespielt. Es war ein aufregendes Spiel. Jemand, den es gar nicht gab, wurde lebendig. Aber es hat einen Bildhauer mit Namen Janos gegeben. Er ist tot. Etwas möchte ich noch wissen: Wie bist du an die blonde Locke gekommen?«

»Bei dem ersten Friseurbesuch saß eine junge Frau neben mir und ließ ihrem Söhnchen die Locken abschneiden, schön geringelt fielen sie auf den Boden, hellblond. Ich bat mir eine Locke aus. Die Mutter war verwundert, aber einer Behinderten schlägt man so leicht keine Bitte ab; ich ließ mir ein Kleenex geben, und die Locke verschwand in meiner Handtasche.«

»Als du mir das Döschen gezeigt hast, wußte ich endgültig Bescheid. Es war eher ein trauriges Gefühl, ich wollte nicht fragen, die Zeit mit Janos war doch schön. Eigentlich trauere ich ihm nach. Einen Grabstein hat er schon. Wenn es dir recht ist, lege ich nachher ein paar Blumen auf den Stein, am besten eine von den weißen Rosen, die der Gärtner gebracht hat. Keine Angst, ich werde den Stein nicht bepflanzen, die Vögel können sich weiter darin baden und das Regenwasser trinken. Nun weiß ich, wie es deinem Sohn ergangen wäre, wenn du einen Sohn gehabt hättest.«

»Nichts weißt du, nichts! Du hast keine Ahnung. Reich mir mein Tuch und: Frag nicht!«

»Doch! Etwas muß ich noch fragen. Könnten wir einen Sonntagsausflug machen? Was hältst du von einem

Kirchgang? Besser: eine Kirchfahrt? Jens' Vater predigt. Wofür hat er mich denn getauft, wenn ich nur zur Taufe in die Kirche gehe? Ich brauche einen Vorbeter. Ich kann auch nicht allein die Choräle singen. Die Orgel tut mir gut, und wenn die Glocken läuten und mir die Richtung angeben, das tut mir auch gut, und schaden wird es dir nicht. Ich kann das Auto neben dem Kirchtor parken, da gibt es Sonderparkplätze. Keine Stufen! Ich habe telefonisch nachgefragt und uns angemeldet. Wir können deinen Stuhl in den Mittelgang stellen oder ins Seitenschiff, ganz wie du es willst. Und den Adam soll ich auch mitbringen, hat Konrad gesagt.«

»Was soll das alles?«

»Janos ist tot! Aber Paula hat am Sonntag Geburtstag. Es ist kein Tag wie jeder andere. Gudrun wird kochen. Wir wollen alle zusammen essen. Jens schafft das mit dem Stuhl, wenn ich ihm helfe, und seine Eltern kommen doch auch. Alle sollst du noch kennenlernen. Und dann wird Paula zusehen, wie sie durchkommt. Jetzt, wo wir den Janos los sind, können wir uns ja wieder um Paula kümmern und auch um Adam.«

»Weinst du etwa?«

»Bleib unter deinem Vorhang, dann siehst du es nicht.«

18

Es kommt vor, daß Frau Herbst bereits am Schreibtisch
sitzt, wenn Paula das Gartenzimmer betritt. Die Höhe
des Tisches ist verändert worden, der Rollstuhl läßt sich
bequem unter die Tischplatte schieben. Damit entspann-
tes Schreiben möglich ist, hat Paula außerdem beim
Schreiner eine Platte anfertigen lassen, die auf den Leh-
nen des Rollstuhls fest aufliegt und von der Patientin
gehandhabt werden kann.

Der Gedanke, ein Buch über »Keramische Kleinplastik des zwanzigsten Jahrhunderts« zu schreiben,
stammt übrigens von Paula. Die Inkubationszeit einer
Idee währt im allgemeinen lange, bis sie dann als
eigener Einfall wieder zutage kommt. In diesem Fall
währte sie nur eine Woche. Paula hat geäußert, daß
Menschen, die wenig reden, in aller Regel schreiben
könnten, sie brauchten eine andere Form der Mitteilung. »Was nutzen alle angesammelten Kataloge,
Karteien, alle Kenntnisse, wenn jemand, der darüber
ausreichend Bescheid weiß, sein Wissen nicht weiter-
gibt.«

Paula setzt an, ihre Vorstellungen auszuführen, daß man Rückblicke auf die Anfänge, zurück in die Antike, zu diesen kleinen Terrakottafiguren –

Schon wird sie unterbrochen: »Du mußt mir nicht sagen, wie eine solche Publikation auszusehen hat.«

»Peng«, sagt Paula, »wieder nichts. Wieder daneben.«

Aber als die Ansteckung dann erfolgt ist, fragt Frau Herbst, ob Paula nach Diktat in die Maschine schreiben könne. Das Diktiergerät wirke sich hemmend aus, sie habe es versucht. Sie brauche ein menschliches Aufnahmegerät, brauche Reaktionen, Zustimmung –

»Auch Ablehnung, Chef?«

»Auch das.«

»Dann werde ich das lernen«, sagt Paula. »Machen wir das zusammen? Im Titel des Buches muß das Wort ›Ton‹ vorkommen. Keramik, das Wort hat keinen Klang. Ton klingt.«

»Du kennst eben Kerameikos nicht. Heute ist das ein Stadtteil von Athen. In der Antike lebten dort die Töpfer, dort befand sich später ein großes Ausgrabungsfeld. Vielleicht gräbt man noch heute? Vor sehr langer Zeit war ich einmal dort.«

»Später werde ich auch einmal dort sein«, sagt Paula, »dann weiß ich schon eine ganze Menge, dann sehe ich mehr als andere Touristen; jetzt habe ich meine Lehrjahre. Vielleicht bekomme ich auch noch Wanderjahre. Wenn man das Buch in die Hand nimmt, muß man sofort erkennen, daß es sich nicht einfach um Schalen und Krüge handelt, keine Gebrauchsgefäße, sondern um Unnützes.«

»Das Schöne muß nicht nützlich sein, ist aber nötig.

Das Schöne hat sich vom Nützlichen erst mit der Industrialisierung getrennt, auch auf diesen Gesichtspunkt werde ich kurz eingehen. Es gibt diese figürliche Kleinplastik auch in Meso-Amerika –«

»Wo liegt denn das?«

»Kolumbien, die Goldküste in Mittelamerika. Ausgrabungen brachten Götterfiguren, Tiere, Fabelwesen zutage von primitiver Suggestionskraft; vieles stammt noch aus der Zeit vor der Maya- und Aztekenkunst. Ich habe handgroße Idole gesehen in der Form von Violinen.«

»Was?«

»Keine Baßgeige, Paula! Handtellergroß. Ich dachte, die Zeit der Baßgeigen sei vorbei.«

»Das dachte ich auch! Man darf mich nur nicht unvermutet mit Violinen konfrontieren.«

»Dieses Idol in Violinenform hatte schön geschwungene Augenbrauen und große runde Augen mit kleinen Pupillen. Nichts Menschliches sonst. Nicht Nase, nicht Mund, nicht Ohren. Die Faszination ging von dem starren Blick aus.«

Zwei Tage später verkündet Paula, bevor sie auch nur »hallo« gesagt hat: »Ich habe einen Beitrag zu leisten«, unterbricht sich aber sofort: »Was ist das für ein Duft? Ist das Lilienduft? So viele Lilien! Es sieht festlich aus. Das tut es immer – als ob Gäste erwartet würden. Für einige Stunden genieße ich das, aber wenn ich nach Hause komme – noch habe ich ja so etwas wie ein Zuhause –, dann brauche ich meine Kumucke, mit Kissen und Decken und Krimskrams, und mittendrin

Adam und ich. Nichts paßt zusammen, aber wir beide, wir passen. Abends, dann bin ich müde, viel müder als der Adam. Ich wasche ihn, schmuse ein bißchen, lege ihn hin, Decke drüber, Kuß drauf, und dann setz ich mich vor den Bildschirm. Ich sitze immer auf dem Boden, dann entspanne ich mich am besten. Vielleicht war ich eingeschlafen? Es zupft mich was am Ärmel. Adam steht neben mir und befiehlt: ›Beten!‹ Ich stehe auf, wir gehen noch mal ins Bett. Ich falte immer meine Hände über seinen Händen, und dann fängt er eine längere Unterredung mit Gott an. Er wird gesprächig, sagt alles, was er den Tag über verschwiegen hat. Auf diese Weise erfahren wir es beide, seine Mutter und sein lieber Gott. Ob er mal Pfarrer wird? Er betet für mich, und für dich betet er auch. – Entschuldige. Mein Beitrag! Ich meine Gertraud Möhwald. Der Name ist hier überhaupt noch nicht aufgetaucht, muß er aber. Das ist eine Töpferin, eine Töpfermeisterin. Sie hat die Werkstätten in Giebichenstein geleitet, tut es vielleicht immer noch. Ihre Arbeiten sind nicht nur in der Ehemaligen und in den Ostblockstaaten ausgestellt worden, auch im Westen. In Museen! Sie war privilegiert. Den Kunstpreis der Stadt Halle hat sie sicher mal bekommen, aber den Nationalpreis der DDR vermutlich nicht, den haben nur so bedeutende Männer wie Tübke und Sitte, von denen weiß ich es. Es gibt da noch den Kunstpreis des FDGB und den Kunstpreis der FDJ, für ein Wandbild ›Lob des Kommunismus‹ zum Beispiel. Ich werde nach Auszeichnungen fragen, aber vermutlich gibt man die gar nicht mehr an, es könnte dem deutsch-deutschen oder internationalen

Ansehen schaden. Weißt du, daß der dicke Bruder ein
›verdienter Mitarbeiter des Staatssicherheitsdienstes‹
war? Wofür, wußten wir alle nicht. Es gab sogar ver-
dienstvolle Tierärzte der DDR. – Das Besondere an
ihren Arbeiten ist: Sie verwendet Scherben, sie arbeitet
überhaupt nicht mit Ton, sondern mit Scherben von
Tonkrügen, Scherben von Meißner Porzellan, Glas-
splittern, Schamott. Jede Scherbe hat ihr Schicksal!
Man denkt an Krieg und an Ruinen, an die Benut-
zer dieser zertrümmerten Gefäße, die umgekommen
sind.«

Frau Herbst sagt warnend: »Paula!«

»Findest du, daß das sentimental klingt? Dann liegt es
an mir. Aus Scherben stellt sie wieder etwas Schönes
her. Es ist wie Recycling, in der Kunst hat man das noch
gar nicht entdeckt, oder? Es ist schön, aber nicht brauch-
bar, und vollkommen ist es auch nicht. Dann ist es doch
richtige Kunst, wenn der Nutzwert fehlt? Köpfe ohne
Hinterköpfe, man blickt ins Innere! Körper ohne Arme
oder ohne Beine. Die Figuren stehen auf tönernen Sok-
keln, gebrannt sind sie sicherlich bei niedrigen Temperaturen, sie wirken nicht stabil; wenn man sie anstößt,
fallen sie vielleicht wieder in Scherben auseinander.
Kannst du dir das vorstellen?«

»Sieh zu, daß du an einen Katalog kommst. Es wird
dort vermutlich farbige Abbildungen geben, sonst müßte man fotografieren lassen. Kennst du jemanden in
Giebichenstein? Der Name der Werkstätten ist schon
gefallen, wohnt dort nicht deine Marie?«

»Nein! Opa Sippe wohnt dort, und der kommt für so
etwas nicht in Frage. Außerdem hat man dort längst

Faxgeräte wie hier. Ich werde ein Fax schicken. Wenn dir die Arbeiten nur gefallen.«

»Wenn sie so gut sind, wie du behauptest, warum sollten sie mir nicht gefallen? Vielleicht schreibst du das Kapitel über – wie heißt sie?«

»Schreiben! Ich kann doch nur erzählen von dem, was ich gesehen oder erlebt habe.«

»Schick auch ein Fax nach Frechen, dort müßte sie bekannt sein.«

»An das Keramion oder an das Keramikmuseum?«

»Das solltest du eigentlich inzwischen wissen, für zeitgenössische keramische Kunst ist das Keramikmuseum zuständig.«

»Eigentlich, Chef, was müßte ich eigentlich alles wissen! Wenn ich aus Ton wäre, bei hohen Temperaturen gebrannt, von einer kostbaren Glasur umhüllt, würdest du dich dann auch für mich interessieren?«

Frau Herbst entgegnet, daß Paula für die Vitrine zu groß und zu unruhig sei. »Reich mir den Katalog der präkolumbischen Skulpturen aus Meso-Amerika, und kümmere du dich um die Kartei.«

Paula steht vor der Bücherwand, findet das Buch nicht, erklärt, daß die Kunstbibliothek anders geordnet werden müsse. »Wer hat die Bände nach der Größe geordnet? Das ist doch kein Ordnungsprinzip.« Es wird beschlossen, daß zu einem späteren Zeitpunkt die Kunstbände katalogisiert werden sollen. Dann findet Paula den Band. »›Von Küste zu Küste‹ hieß die Ausstellung. Weißt du, daß die Ausstellung in Kassel war, monatelang, im Ballhaus? Wir haben noch andere Ausstellungskataloge, auch von einem Taiwaner.«

»Daran erinnere ich mich.«

»Chef! Wir hätten hinfahren können! Wir könnten mit einem ICE ohne umzusteigen hinfahren! Das ist alles organisiert, auch für Rollstuhlfahrer. Man wird am Zielbahnhof in Empfang genommen, es gibt Aufzüge, man muß nicht die Rampen benutzen. Es gibt sogar Ermäßigung, auch für den Begleiter, und ich wäre doch ein hochgeeigneter Begleiter. Wenn dort wieder eine Ausstellung stattfindet, die uns interessiert, fahren wir dann hin? Wir müssen beide mal hier raus, und wenn es nur für zwei Tage ist. Wir leben wie in einem Käfig, geräumig und vergoldet.«

»Nehmen wir Adam auch mit? Hast du das auch vorgesehen?«

»Ich hatte Adam vergessen!« Schon sammeln sich Tränen. »Für die Dauer von fünf Sätzen hatte ich Adam vergessen. Adam als Hindernis und Widerstand. Wieviel Ohm hat er denn? Das habe ich doch mal gelernt, daß durch Widerstand Wärme erzeugt wird. Wieviel Energien verbrauche ich denn in diesem Käfig, um ein kleines bißchen Wärme zu erzielen?«

»Wärme?«

»Anne Linde! Mach es uns doch nicht noch schwerer. Ich muß auch durchkommen. Ich habe keine Hilfskräfte und kein finanzielles Polster.«

»Erwartest du eine Entschuldigung von mir?«

»Nein, höchstens ein wenig Anteilnahme. Etwas von jener christlichen Nächstenliebe, von der Jens' Vater predigt. Man soll den Nächsten lieben wie sich selbst, und was tust du? Du liebst dich so wenig wie mich.«

Das Faxgerät meldet sich und beendet das Gespräch,

das nicht wiederaufgenommen wird. Paula teilt den Inhalt mit. »Der Katalog wird uns umgehend zugeschickt. Die Abdruckgenehmigung ist bereits erteilt. Nach Fertigstellung des Buches wird um zwei Belegexemplare für den Künstler und die Staatlichen Kunstsammlungen Kassel gebeten.«

Ein Titel für das Projekt ist noch nicht gefunden, er wird sich bei der Arbeit ergeben. Anschaulich und ansprechend soll er sein. Nicht nur für Museumsleute und Keramiker.

Wenn sie mit der Arbeit beginnen, machen sie sich »ans Werk«. Paula hat sich erkundigt, wie man an einen Verlag kommt. Frau Herbst verfügt über Kontakte, eine teilweise Eigenfinanzierung ist möglich.

»Hier läßt sich alles mit Geld regeln, das ist eine ganz neue Erfahrung.«

»Nicht alles!«

»So weit ist das gekommen, daß ich vergesse, daß du meine Patientin bist. Bist du verstimmt? Hattest du Ärger mit der Morgen- oder Abendhilfe? Was hat denn der Arzt gesagt?«

»Er wird nur noch kommen, wenn ich selbst seinen Besuch für erforderlich halte. Mein Gesundheitszustand benötige keine ständige ärztliche Kontrolle mehr. Mit anderen Worten: Er hält mich für gesund.«

»Das bist du auch. Du bist tätig wie eine arbeitsfähige Frau, verdienst Geld, du bist ein vollwertiger Mensch. Die Leute, die herumlaufen können, sind doch nicht vollwertiger. Du beschäftigst Arbeitskräfte. Eine Unternehmerin! Stell dir vor, alle Schriftsteller säßen im Rollstuhl, könnten ihren Schreibtisch nicht verlassen. Was meinst du, wie das die Produktion steigern würde!«

»Es ist eine sehr unangenehme Vorstellung.« Die Spur eines Lächelns, das zweite an diesem Tag.

Inzwischen ist August, in der Baumreihe unten im Garten färben sich bereits die Ebereschen. Paula schwenkt eine Zeitung, wieder hat sie etwas entdeckt.

»Ist eine Figur, wenn sie siebzig Zentimeter groß ist, für unsere Zwecke bereits zu groß? Marino Marini, ein Pferd, natürlich ein Pferd, und es sieht deinem Pferd in der Vitrine ganz ähnlich, deines könnte ein Fohlen von dem abgebildeten sein. In einer Pariser Galerie ist es für drei Millionen Francs verkauft worden. Vielleicht sind wir Millionäre!«

Ein Blick genügt, das Blatt wird beiseite gelegt. »Paula!«

»Wieder nichts? Ist das Pferd zu groß für unser Werk, alles zu groß, auch der Preis?«

»Vielleicht liest du etwas genauer. Es hätte aus Ton sein können, das ist richtig, aber es ist – leider – aus Bronze. Du bist rasch, aber ungenau.«

»Worauf muß man denn noch alles achten? Ich habe nicht das Zeug für eine Wissenschaftlerin. Wozu habe ich überhaupt das Zeug? Was ist das überhaupt für ein ›Zeug‹?«

»Vielleicht solltest du dich auf eine Sache konzentrieren, du machst zu viele verschiedene Dinge. Du willst zuviel, erwartest zuviel. Du siehst angestrengt aus. Hat dir das noch keiner gesagt?«

»Doch. Der Spiegel. Der sagt es mir morgens und abends.«

»Du könntest eine Stunde früher kommen und dich in die Sonne legen. Es wird hier irgendwo noch einen Liegestuhl geben. Ich könnte dir diese Stunde finanzieren.«

»›Der Sommer fährt dahin –‹, das kann man auch singen. Meinemarie sang das. Ich bin unabkömmlich, u. k. nannte das der Opa Sippe, das hat er aus seinem Krieg mitgebracht. Wenn er sonntags zum Essen kam, nannte er das ›Essen fassen‹, und dann wurde Meinemarie böse oder tat so. Manchmal entbehre ich sogar den Opa Sippe. Wie roch er denn? Nach kaltem Zigarettenrauch?«

»Warum trägst du keine hellen Sachen? Du bist ein heller Typ, zu dir gehören Pastellfarben.«

»Helle Sachen muß man häufig waschen. Die Waschmaschine ist defekt, die Klonks wollen an ihrem neuen Wohnort eine neue Maschine anschaffen. Zweimal in der Woche fahre ich abends in einen Waschsalon, den Adam vorn auf dem Fahrrad, den Wäschebeutel hinten auf dem Gepäckträger; die Wäsche von zwei Frauen, zwei Kindern, einem Mann. Dem Adam macht das Spaß, es gibt dort eine Spielecke. Im Waschsalon treffen sich alleinstehende Mütter und auch einige alleinstehende Väter. Während die Maschinen waschen, spielen wir Skat. Das mußte ich auch erst lernen. Ich bin ein As, sagen die anderen. Außerhalb dieses Hauses ist das Leben ein wenig kompliziert und auch nicht so gut durchorganisiert. Darüber wollen wir nicht reden, das ist meine Sache.

Pastell ist nicht das richtige für eine Paula Wankow aus Ha-Neu.«

Paula nimmt am Arbeitstisch Platz, sitzt hinter einem Berg von Zeitschriften und Zeitungen, in denen Frau Herbst angekreuzt hat, was interessant für die Agentur, vor allem aber für das »Werk« sein könnte. Paula schneidet aus, sortiert, klebt, kopiert, macht Notizen. Nach einer Stunde schiebt Frau Herbst den Vorhang zur Seite, setzt den Stuhl in Bewegung.

Paula erklärt, daß sie ein Motto gefunden habe. »Für unser Buch«, sagt sie, entschuldigt sich aber sofort: »Für dein Buch.«

»Ich weiß, wie groß dein Anteil ist. Wir werden überlegen müssen, ob dein Name auf der Titelseite erwähnt werden soll oder nur im Vorwort, in dem ich mich für die Hilfe der Museen und Institute bedanke.«

»Der Name Paula Wankow macht nichts her, das verstehe ich doch, Chef. Kein Titel, keine Berufsbezeichnung. Wie findest du das Motto: ›Der einfachste, ärmste und reichste unter allen Werkstoffen ist die Erde‹?«

»Das hat Max Laeuger gesagt!«

»Stimmt! Ich habe den Satz damals auf seiner Karteikarte vermerkt. Das Material über den Taiwaner ist soweit vollständig. Wollen wir? Diktierst du? Bekommt er ein ganzes Kapitel mit mehreren Bildern? Nur die genauen Daten fehlen noch; geboren ist er in Taiwan. Ich bin soweit«, sagt Paula, die Finger bereits auf den Tasten der Schreibmaschine.

»Der Künstler Sun Chao – kontrollier die Schreibweise! – benutzt alte Brennmethoden, sogenannte

251

Reduktionsglasuren. Die für Kristallglasuren typische Ausbildung vollzieht sich in den Schmelzöfen durch Übersättigung mit Metalloxyden. Die Entdeckung der Kristallglasur wird an das Ende des neunzehnten Jahrhunderts datiert, sie gilt als Sensation der Keramik. Die verwendeten Metalle sind Zink-Barium, Nikkel . . .«

»Chef! Soll es ein Lehrbuch für Keramiker werden oder für Kunstliebhaber? Dieser Taiwaner ist ein Poet! Lies mal die Titel seiner Kunstwerke: ›Regen-Hören‹, ›Wiedersehen der Blumen‹. Und hier, diese Arbeit heißt ›Herbst-Kühle‹.«

»Bleiben wir zunächst sachlich. Was man später wegläßt, muß man vorher wenigstens gewußt haben. Habe ich erwähnt, daß der heißen Luft im Brennofen der Sauerstoff entzogen wird –«

»Von einem kontrollierten Abkühlungsvorgang war die Rede. Ich muß noch die Pakete zur Post bringen. Ist alles in Ordnung? Nun waren wir wieder nicht auf der Terrasse.«

Paula legt die Hände fest um die Schultern ihrer Patientin. »Denk an die ›Herbstkühle‹, die kommt bald.«

Ein leichter Kuß ins Haar, und weg ist sie.

Paula klingelt einmal, zweimal, ist beunruhigt. Nach dem dritten Klingeln fragt eine matte Stimme: »Ja – bitte?«

»Hier ist Paula! Was ist los?« Sie drückt die Gartentür auf, die Haustür, die Zimmertür, läuft zum Rollstuhl. »Was ist passiert? Es ist doch etwas passiert. Sag was, Anne Linde, bitte!«

»Es ist vorbei, man muß nicht darüber reden. Wir halten unser Programm ein, wie immer.«

»Nicht mit mir! So kannst du nicht mit mir umgehen! Ich gehe vor dir in die Knie und warte und rühre mich nicht vom Fleck. Die meisten Menschen haben niemanden, der ihnen helfen will, und du hast jemanden und willst nicht. Das ist sträflich!«

Es dauert noch Minuten, endlose Minuten.

»Ich bin auf die Terrasse gerollt gestern, gleich nachdem du gegangen warst. Ich verspürte Lust, einen Sonnenuntergang zu sehen. Die Sonne bereitete sich schon vor, und ich erinnerte mich an frühere Sonnenuntergänge am Meer und in den Bergen. Die Sonne hatte die Wipfel der Baumreihe erreicht, die Wolken änderten die Farben, und ich spürte etwas wie Glück. Sonnenuntergänge bleiben mir doch. Und plötzlich, plötzlich ging hinter mir der Rolladen runter. Ich drehte den Stuhl und sah das mit an, aufhalten konnte ich ihn nicht, und: ich war draußen. Ausgesperrt. Herbstkühle. Es fiel Tau.«

»Hattest du das Telefon nicht bei dir? Nein? Hast du nicht gerufen?«

»Ich war wie gelähmt. Vor Schrecken, vor Angst. Ich war nicht wie gelähmt, ich bin gelähmt. Ich habe versucht zu rufen, meine Stimme blieb weg. Es war schon fast dunkel, da sah ich unten auf dem Weg jemanden gehen, mit einem Hund, und der Hund nahm mich wahr und schlug an und bellte und bellte. Und dann wurde der Mann aufmerksam und rief etwas, und dann konnte ich auch rufen. Er rief, ob niemand einen Schlüssel hätte, und ich rief ›nein‹, und dann hat er den Schlüsseldienst verständigt, aber der konnte nichts machen, der Sicherungsmaßnahmen wegen. Der Mann ist über den Zaun geklettert, hat mich betrachtet und ›du lieber Himmel!‹ gesagt, und dann kam die Feuerwehr, und man hat den Rolladen aufgestemmt oder wie man das nennt, man hat mich ins Haus gefahren. In den Zimmern brannte bereits Licht, und man hat gefragt, ob man einen Arzt verständigen müsse. Das habe ich abgelehnt. Bald darauf kam dann der Spätdienst, der mich zur Nacht versorgt, aber der hätte auch keinen Schlüssel gehabt. Das ist zur Zeit eine Frau, die kommt erst seit wenigen Tagen, für die bin ich ein Routinefall. ›Essen wollen Sie nichts? Auch gut.‹ Sie hat dafür gesorgt, daß ich mich hinlegen konnte.«

»Linde! Meine Linde! Warum hast du das Telefon –? Ich hätte ja auch nicht ins Haus gekonnt, ich hätte auch nicht helfen können. Du darfst nicht so allein im Haus bleiben.«

»Es wird nicht wieder vorkommen. Ich kann auch auf Sonnenuntergänge verzichten. Dieser Mann mit seinem Hund kannte mich; ich erkannte den Hund wieder, den Mann nicht. Bevor er ging, hat er gesagt: ›Ich schaue mal rein!‹ Ich habe nicht abgelehnt, ich wollte nicht undankbar erscheinen.«

»Wollen wir deinen Retter nicht zum Tee einladen? Hat er einen großen Hund? Vor Hunden fürchte ich mich.«

»Einen Airedale, mittelgroß. Bei den Hundespaziergängen sind wir uns wohl einmal begegnet. Die Hunde interessierten sich füreinander. Ich werde es mir überlegen.«

»Aber nicht zu lange, es muß noch ein Zusammenhang zwischen der Rettungsaktion und der Einladung bestehen.«

»Wir wollen hier keine Geselligkeit pflegen. Stand davon nichts auf deiner Karteikarte?«

Rückfälle. Immer wieder Rückfälle.

19

›Unsere Ideen müssen unserer Lebensführung zehn-
mal überlegen sein. Man muß ausnehmend viel
Gutes wollen, um ein wenig das Böse zu meiden.‹
Maurice Maeterlinck

Der Ton, in dem Frau Herbst in die Sprechanlage »Ja,
bitte« sagt, hat sich geändert, der Wortlaut nicht. Paula
findet keine neuen Adjektive mehr, sucht aber auch
nicht. Sie sagt in freundlichem Ton: »Ich bin's«, oder
auch »Ich bin's nur«. Daß sie die Sorgen, die sie zu
Hause hat, nicht in ihre Arbeitsstelle mitbringt, müßte
man ihr danken, aber das geschieht nicht. Sie ist schweig-
sam geworden. Viel hat sich in ihr angestaut.

Mit dem bibliographischen Anhang ist sie soweit
fertig, die Lücken müssen noch gefüllt werden. Einige
Geburtsdaten fehlen, einige Anschriften fehlen ebenfalls
noch.

»Und nun die Autorin des Buches! Sie gehört auch
ins Register«, sagt Paula. »Wer schreibt die Seiten über
die Autorin des Buches? Anne Linde Herbst. Als Auto-
renname klingt das gut, und als Umschlagbild würde
ich die ›Traumstadt‹ vorschlagen. Jetzt bin ich fast ein
volles Jahr hier tätig. Tag für Tag. Wir reden, ich rede!
Wir arbeiten, ich behandle dich und bin außerstande,
deine Biographie abzufassen. Du mußt doch einen Ge-

burtsort und ein Geburtsdatum haben. Personenstand! Verwitwet? Geschieden? Deine beruflichen Tätigkeiten, deine Ausbildung, Examen? Es gibt in deinem Leben eine Bruchstelle, aber wo?«

»Für die Publikation eines Buches spielen Bruchstellen in der Biographie des Autors keine Rolle. Es wird genügen, wenn einige Daten angeführt werden. Wichtig ist lediglich, daß ich auf diesem Fachgebiet Bescheid weiß. Willst du etwa den Unfall erwähnen?«

»Das hatte ich vor, als Mutmacher für andere, die auf ähnliche Weise betroffen sind.«

»Es handelt sich hier um einen Kunstband, ein Sachbuch, und nicht um ein Erbauungsbuch! Willst du angeben, wie ich Leonard Herbst im Müll losgeworden bin? Dann kannst du auch noch angeben, wie ich mein Kind losgeworden bin.«

»Redest du jetzt wieder von Janos? Willst du mich schon wieder in die Irre führen?«

»Nein, ich rede von einem Kind, das nicht erwünscht war.«

»Nicht heute! Für heute habe ich genug. Ich räume noch auf. Du bist versorgt, ich gehe etwas früher.«

»In deine Kapelle?«

»Nein. Ich habe einen Termin, und anschließend muß ich Adam aus dem Kindergarten abholen. Er bockt, redet nicht, die Kindergärtnerin beschwert sich. Er ist ein Außenseiter, fügt sich nicht ein. Mit ihr muß ich auch reden. Adam spürt, daß etwas in der Luft liegt. Dabei hat ihm doch keiner gesagt, daß man ihn von Evchen trennen wird; Evchen geht nicht in den Kindergarten. Wir haben ihm gesagt, daß nur ein Platz frei sei. Gudrun hat mit ihrem Schnonkse den Sommer im Schwimmbad verbracht. Die beiden sind braun wie Honigkuchenmänner. Wie soll Adam denn begreifen, daß die beiden für ihn nun keine Zeit mehr haben? Er muß sich aber eingewöhnen. Der Platz kostet genausoviel, wie ich im Nachtdienst verdiene, und den Nachtdienst muß ich aufgeben, sobald die Klonks weg sind. Wenn ich nicht manchmal die Nachrichten auf dem Bildschirm sehen würde, könnte ich meine Lebensumstände für ein mittleres Erdbeben halten. Die Bilder von den Kriegsschauplätzen und den Überschwemmungen und den Buschbränden bringen mich zur Vernunft. Wenn ich Kinder sehe, verwundet, auf der Flucht mit ihren Müttern, und bald ist schon wieder Winter, dann denke ich an Meinemarie, die ihre Mutter verloren hat, und sehe meinen Adam, der ist genauso alt, und mit ihm sollte doch die Welt neu anfangen. Und jetzt ist er ein ungeeignetes Kindergartenkind, statt zu sprechen, schlägt er um sich. Vielleicht sollte ich doch in meine Kapelle gehen? Vielleicht läßt Gott mit sich reden? Du bist soweit in Ordnung. Ich werde aufhören, dir immer zu helfen. Wenn man dir ständig hilft, wirst du nie lernen, dir selbst zu helfen. Was ich von außen tun konnte, habe ich getan. Mit gewissem Erfolg, das meiste ist von innen gekommen. Du wirst wieder mobil, du setzt dich in Bewegung. Wir müssen meine Arbeitszeit im Hause Herbst einschränken, sonst ziehen wir uns eine Kontrolle der Sozialstation zu.«

»Das meiste wurde bereits geklärt, einiges tue ich, ohne dich zu verständigen.«

»Wenn es um mich geht? – Chef!«

»Ich wollte es nicht darauf ankommen lassen, daß man diese Stelle streicht und du entlassen würdest. Du wirst hier fest angestellt, eine Halbtagskraft. Eine wissenschaftliche Hilfskraft. Die Formalitäten erledigt weitgehend mein Steuerbüro. Eine Kunstagentur kann nicht ohne Mitarbeiter auskommen. Du wirst für Arbeitsamt, Finanzamt und Krankenkasse einige Unterschriften leisten müssen.«

»Heißt das, ich begrabe die abgebrochene Ärztin, ich begrabe die halbfertige Krankenschwester? Soll das ein Massengrab meiner Lebenspläne werden? Übrig bleiben die Tonfiguren, die können wir dann als Grabbeigaben für die höheren Ziele der Paula Wankow benutzen.«

»Könntest du dir vorstellen, daß ich noch weitere Pläne habe?«

Paula hebt abwehrend beide Hände. »Laß mich mal durchatmen. Meinemarie benutzte eine Kochkiste, für Reis und so etwas. Wer von der Arbeit nach Hause kam, ging an die Kochkiste und bediente sich. Wenn sie was von mir wollte, sagte sie: ›Bevor du nein sagst, tu es erst mal in die Kochkiste, und dann sagst du mir deine Meinung!‹ Eine Kochkiste, keine Mikrowelle! Das geht mir alles zu schnell. Ich wollte dich in Bewegung setzen, das hatte ich mir vorgenommen. Als ich dich zum ersten Mal in diesem Zimmer gesehen habe, die Immobilie in Blau. Und jetzt überrollst du mich, ohne dazu den Rollstuhl zu benutzen. Hast du Briefe diktiert? Dann faxe ich sie jetzt erst einmal durch, neues Papier habe ich besorgt. Ich habe schon mal an Halle gedacht, ein Zimmer ist nun frei. In der Klinik nähmen sie mich vielleicht wieder, und Meinemarie – Meinemarie! Irgendwas ist da im Gange. Sie haben etwas vor. ›Uns kann man doch nicht zu Dauerrentnern machen‹, sagt sie. ›Wenn die‹ – mit ›die‹ meint sie alle Regierungen der Welt – ›uns Geld geben wollen, sollen sie das tun, aber bestimmen, was wir unternehmen, das können die nicht.‹ Nichts kann ich mir vorstellen, ich denke auch nicht darüber nach. Wenn ich die beiden vor mir sehe, sitzen sie irgendwo im Schilf, die Ferngläser vor den Augen, auf Vogelschau.« Eine Pause, dann sagt Paula: »Das ist es! So etwas haben sie vor. Sie machen was in dem Naturschutzgebiet. Vielleicht in Bösewig. Habe ich mal von Bösewig erzählt? Von August dem Starken? Neulich hat Meinemarie gesagt: ›Ich gehe nicht mehr in die Häuser! Ich will keine Haare mehr sehen. Graue schon gar nicht.‹«

»Wir wollten nicht über Meinemarie sprechen, sondern über Paula!«

»Du wolltest das! Ich ziehe mich in meine Kochkiste zurück. Hier hast du deinen Vorhang, und nun schlaf. Ich habe ein wenig Psychologie studiert, in Halle. Handelt es sich hier um eine Form von Übertragung? Ich habe meinen eigenen Mut und meine eigene Geduld hier in dieses Zimmer eingebracht und verbraucht, und wo sind sie geblieben? Im selben Raum! Ich scheine sie dir einmassiert zu haben oder eingeredet, vermutlich eingeredet. Und Paula sitzt hier nun ziemlich klein und verbeult, und du sagst: Wir machen dies, wir machen das!«

»Ich habe zum Beispiel in absehbarer Zeit an eine Ausstellung gedacht. Allerdings erst, wenn das Buch fertig ist. Ich zeige meinen Bestand. Man muß den großen Eßraum, der unbenutzt ist, ausräumen. Ein Fotograf, der den Bestand fotografiert, wurde für den nächsten Donnerstag bestellt, du wirst assistieren müssen. Eine Firma wird die Vitrinen aufstellen, einiges ist noch verpackt; meine finanzielle Situation läßt weitere Ankäufe zu. In der vorigen Woche hatten wir hier eine kleine Konferenz, der Notar, der Steuerberater, eine Kunstagentin. Der Vorschlag, dich als feste Mitarbeiterin einzustellen, stammt von meinem Steuerberater. Wir werden mit unserer Agentur an die Öffentlichkeit treten, ein Teil des Hauses muß und kann als Gewerberaum steuerlich geltend gemacht werden, ebenso deine Mitarbeit. Ankäufe, Verkäufe, das wurde bisher dilettantisch betrieben. Wir könnten, später, daran denken, die Arbeiten junger begabter Töpfer in diesen Räumen auszustellen; weitere Pläne gehen dann auf Förderung, möglicherweise einen Preis, hinaus. Es gibt die halbfertige Töpferwerkstatt im Haus, ein Arbeitsstipendium wäre denkbar. Dieses wenig genutzte Haus würde endlich mehr sein als ein Sanatorium für eine Person. So hast du es genannt – am ersten Tag. Ich habe von dir einiges gelernt.«

»Mach eine Pause, Anne! Mir wird schwindlig. Ich klappe sofort den Deckel der Kochkiste zu. Du willst dir Paula einfangen!«

»Nur, wenn sie sich einfangen läßt.«

»Du hast Adam vergessen!«

»Nein, das habe ich nicht.«

»Es ist mein Adam. Du kannst nicht auch noch meinen Adam verplanen. Laß mich arbeiten. Beim Faxen muß ich mich konzentrieren, und genau das brauche ich. Hier hast du deinen Vorhang, schlaf!«

»Bevor wir letzte Hand ans ›Werk‹ legen, behandele ich noch deine Finger!« sagt Paula und nimmt sich die rechte Hand ihrer Patientin vor, dann die linke, sagt: »Tadellos, keine Verdickung der Gelenke mehr. Das haben wir doch gut gemacht, ohne die Zehn Gebote zu Hilfe zu nehmen. Während ich dir die Neuigkeiten aus Halle berichte, werde ich deine Nackenpartie behandeln, die hat es nötig. Man merkt, daß du dich seit Monaten viele Stunden am Tag über Bücher beugst. Entspann dich, laß dich doch fallen! Ich tue deinem Kopf nur Gutes, nichts Böses, und eine gute Geschichte habe ich auch. Meinemarie! ›Wir leben jetzt in einem Schloß‹, sagt sie und macht eine Pause, damit ich Zeit habe, mich zu wundern. Aber ich sage sofort: ›Bösewig! Ihr seid in Bösewig, habe ich mir das doch gedacht!‹ Die beiden wollen was Sinnvolles tun. Für ehrenamtliche Tätigkeiten sind sie nicht geeignet, aus Ehre machen sie sich nicht viel. Naturschutz, darüber wissen sie Bescheid. In Bösewig sind die Besitzverhältnisse noch nicht geklärt, alles verfällt und verrottet. Die beiden haben einen Eingang ins Schloß entdeckt, halb unter der Erde. In einem Raum haben sie sich eingenistet, so hat sie das bezeichnet, eingenistet, wie zwei alte Vögel. So klang das. Vater läßt sich beim Schreiner Abfallholz zuschneiden, Werkzeug hat er im Auto, falls am Trabi mal etwas kaputtgeht. Um jeden Tag hin- und herzufahren, ist es zu weit; es sind bestimmt siebzig Kilometer, das Benzin ist jetzt teuer. Schlafsäcke waren noch da, von dem dicken Bruder und von mir. Eine Öllampe, ein Spirituskocher, Decken, Kissen. Und jetzt bleiben sie oft über Nacht. Es macht ihnen Spaß. Was sie tun, ist nicht

verboten, aber erlaubt ist es auch nicht, und was Uner-
laubtes, das brauchten die beiden, das hatten sie noch
nie. Meinemarie kichert am Telefon, das habe ich noch
nie gehört. Ich sage: ›Was ihr da macht, ist ja wieder
Schwarzarbeit!‹ Und was sagt sie? ›Aber im Grünen!‹ Im
Keller haben sie Leitern gefunden, Vater bringt Nistkä-
sten im Naturschutzgebiet an. Windrichtung, Größe
der Schlupflöcher, da wissen sie Bescheid, alles durch
Beobachtung. Sie sind richtige Verhaltensforscher. Es ist
ein Rastgebiet für Zugvögel. Wenn die Vogelschwärme
im Herbst durch sind, sind die Sträucher kahlgefressen.
Die beiden geben vermutlich mehr Geld für Vogelfutter
aus als für ihre eigene Ernährung. Körner und Rosinen.
Äpfel haben sie in den verlassenen Gärten aufgelesen,
die lagern in ihrem Schloß; solange es nicht friert, ver-
füttern sie Äpfel. Im Vorruhestand bekommt man nur
einen Teil der Rente. Wie groß der Teil ist, sagen sie
nicht. Meinemarie hat mal von ›Arbeitslosenkosmetik‹
gesprochen. ›Schöner wird man davon auch nicht‹, sagt
sie. Sie werden schon noch einen Ofen auftreiben, und
Ofenrohre, die man durchs Fenster leiten kann, finden
sie auch noch. Opa Sippe hat das vorgeschlagen, der
kennt das aus der Nachkriegszeit. Ich frage: ›Und dein
Rheuma? Was sagt denn dein Rheuma dazu?‹ – ›Nichts,
das sagt nichts. Es muß ein seelisches Rheuma gewesen
sein.‹ Meinemarie ist glücklich. ›So glücklich war ich
mein Lebtag noch nicht‹, hat sie gesagt, und wenn
Meinemarie glücklich ist, dann haben viele etwas davon. Die Stimme Meinermarie ändert sich, wenn sie von
Singschwänen spricht. Sie sind schon eingetroffen, ihr
Brutgeschäft besorgen sie im Norden. Und dann die

Milane! Die Kraniche sind auch weg, Anfang September! Wir bekommen einen frühen Winter. Die einen kommen in Schwärmen, die anderen fliegen weg in Schwärmen. Und einmal ein einzelner Kormoran! Zur Brautschau schmückt er sich mit weißen Federn am Kopf und am Hals, das habe ich mit eigenen Augen gesehen, das kommt nicht oft vor. Ich habe nicht mehr gelernt, als daß ich Falken und Bussarde und Milane und Habichte unterscheiden kann, das nutzt mir auch nichts. Außer Krähen sehe ich hier keine Vögel. Wir hätten Meisenringe in die Büsche hängen können, dann hätte sich der Garten belebt. Aber ich habe mich nicht getraut zu fragen. Im ersten Winter, meine ich, jetzt traue ich mich. Aber es ist nicht die passende Jahreszeit für Meisenringe. Drüben hat man auch schon von sanftem Tourismus gehört. Meinemarie weiß Bescheid wie ein studierter Ornithologe, aber sie kann sich verständlicher ausdrücken. Sie wird nur die wirklich interessierten Besucher in die Nähe der Nistgebiete führen und wird ihnen hören und sehen beibringen. Im Frühling können sie beim ersten Vogelruf in der Morgendämmerung schon draußen sein. Und wenn wirklich Neugierige kommen, ziehen sie sich nachmittags in ihren Schlupfwinkel zurück. Aber ich vermute, Meinemarie lenkt sie ab und schickt sie dorthin, wo sie keinen Schaden anrichten können. Erst mal müssen ja auch alle nach Paris und nach Mallorca, das verstehe ich. In Naherholungsgebiete fahren die Leute erst, wenn es dort auch ein Disney-Land gibt, das verstehe ich schon weniger. Wenn Rauch aus dem Ofenrohr kommt, das sieht ja keiner. Im Herbst und im Winter ist dort niemand unterwegs, es riecht eben nach Holzkohlenfeuer. Ich habe gefragt: ›Hast du deinen Zettelkasten noch?‹ – ›Ja‹, hat sie gesagt, ›und ich habe auch was gefunden für die getaufte Paula.‹ Plötzlich ist sie dann wieder ganz kühl. Ich habe nicht gefragt. Es gab eine Pause. Dann hat sie gesagt: ›Der Glaube ist wie ein Vogel, der im Dunklen singt.‹ Das ist christlich, kommt aber aus China. Ich habe den Satz wiederholt und habe ihn mir gemerkt. Solche Sätze sind wie Futter für mich. Naturkost von Meinermarie. Im nächsten Jahr fahre ich hin! Dann mußt du mir Urlaub geben, und dann zeige ich Meinermarie den Adam und meinem Adam die Großeltern, die in einem Schloß leben, und ich zelte mit ihm im Park. Wir regeln das alles. Organisation habe ich von dir gelernt, du mußt von mir noch Improvisation lernen. Wir sind doch ein ganz gutes Paar geworden, meinst du nicht? Sagen wir mal: mit Gottes Hilfe.«

Paula umfaßt den Kopf ihrer Patientin mit beiden Händen, rollt ihn behutsam. Die Patientin hat die Augen geschlossen, und man kann vermuten, daß sie dieses Naturschutzgebiet vor sich sieht.

»Meinst du, daß sie den Adam mögen, wo er doch so schwarze Augen hat? Niemand hat in meiner Familie solche Kohleaugen. Ich freue mich auf etwas! Die Freude war von der Angst wie aufgefressen. Auf das ›Werk‹ freue ich mich auch, und eine Zeitlang habe ich mich auf Janos gefreut. Aber dort bleiben, in Halle, das tue ich nicht, auch wenn jetzt Platz in der Wohnung wäre und man mich in der Klinik vielleicht wieder einstellen könnte. Kinderkrippen gibt es dort auch nicht mehr wie früher. Die Sorgen werden sich immer ähnlicher. Sehe ich aus wie ein West-Besucher? Wenn man auf dem Bildschirm Menschen in Leipzig sieht oder in Köln, das ist Jacke wie Hose, ich meine: Jeans und Anorak. Ich könnte auch nach Dresden fahren und mal nachsehen, wie das mit den Eigentumsverhältnissen der DDR-Flüchtlinge steht. Du sagst mir die Adresse, wo es früher diese schönen Teppiche gab, oder wir fahren alle! Das schaffen wir doch! Wir fahren mit dem roten Audi oder mit dem IC-Zug. Es gibt in Halle Interconti-Hotels oder Holiday-Inns. Ich bekomme heraus, ob sie behindertengerecht sind. Sobald ich plane und an etwas Größeres denke, werde ich größer. Siehst du das? Du kannst die Augen wieder öffnen. Mit der Behandlung bin ich fertig, mit meiner Geschichte auch. Ans Werk.«

»Machst du keinen Nachtdienst mehr?«

»Am Wochenende, samstags und sonntags. Dann ist Jens da, dann werde ich nicht entbehrt. Freitag abends gehen die beiden aus, dann sorge ich für die Kinder. Sie gehen essen, tanzen, auch mal ins Theater.«

»Nutzt man dich etwa aus?«

»Ja, tut man. Sie haben die bessere Position, sie zahlen mehr Miete, sie sind zu dritt. Adam und ich sind zu zweit. Jens hat eine feste Anstellung, und ich habe mehrere Jobs. Gudrun sagt großmütig: ›Den Schrank lassen wir dir da, und Geschirr kaufen wir uns neu.‹ Bis zu den Kochtöpfen ist sie nicht gekommen. Ich fauche sie an: ›Ihr laßt mich hier nicht in einer Rumpelkammer sitzen, ich ziehe vor euch aus.‹ Dabei weiß ich gar nicht, wohin. Wir schreien uns an, und dann erschrecken wir beide. Die Kinder heulen, und wir fallen uns um den

Hals, dann trösten wir die Kinder. Irgend etwas machen wir falsch. Es hat so leicht und lustig mit uns angefangen. Sind wir in den paar Jahren so viel älter geworden? Morgens packt Gudrun ihr Evchen in den neuen Sportwagen und zieht mit ihr los, ins Schwimmbad oder auf einen Spielplatz. Manchmal sitzt sie vor einem Straßencafé, dann löffeln beide stundenlang Eis. Gudrun sieht sich Kindermoden an, macht auch mal ein paar Zeichnungen. Manchmal geht sie abends nach elf Uhr, vorher ist nichts los, in die Disco. ›Es genügt doch, wenn einer auf die Kinder aufpaßt!‹ Objektiv ist das richtig. Aus dem Discoalter bin ich raus, da war ich nie drin. Was man nicht kennt, entbehrt man auch nicht. Einmal habe ich gedacht, sie nimmt Drogen, man kann das riechen. Ich habe nur gefragt, und sie schreit mich an: ›Hör auf, dir bin ich keine Rechenschaft schuldig!‹ Zehn Minuten später kommt sie an, umarmt mich, schenkt mir ihren Minirock, der ihr sowieso zu eng ist; bei mir ist er trotzdem zu weit. Wie findest du ihn? Wenn die Beine wenigstens braun wären, dann sähe ich nicht so nackt aus, aber das werden sie nicht. Wo denn –? Auf dem Fahrrad ist der Rock zu kurz, da pfeift man hinter mir her, aber nur, wenn Adam nicht auf seinem Kindersitz sitzt. Adam hat die Aufsicht über seine Mutter übernommen. Er ruft nicht mehr ›Papa‹, wenn ich mit einem Mann ein paar Sätze rede. Er guckt sich die Welt aus seinen Kohleaugen an. Sieht man aus hellen Augen die Welt heller? Aus dunklen dunkler? Er sperrt seine Ohren auf und hält den Mund. Er ist ein ernsthafter kleiner Junge geworden, er ist kein Kleinkind mehr. Jens ruft fast an jedem Abend an, wenn er aus dem Institut kommt, meist ist es schon spät. Wenn ich dann allein bin, sage ich, daß die Kinder selig schlafen, und dann fragt er nach Gudrun, und dann sage ich: ›Moment mal‹, mache eine Pause und sage: ›Schläft auch.‹ Zum Schluß fragt er wohl auch mal: ›Und was tut Paula?‹ Dann sage ich, daß Paula über ihre Zukunft und über ihre Vergangenheit nachdenkt. – ›Kommst du zu einem Ergebnis? Bist du immer noch ein Wossi?‹ Meist sage ich: ›Eine Paula aus Ha-Neu kommt überall durch, die fällt mal hin, aber sie fällt auf die Beine.‹ – ›Wie eine Katze‹, sagt er dann. Er behauptet, ich hätte Katzenaugen, gemusterte Katzenaugen, dabei hat er mich lange nicht angeguckt. Wir vermeiden das. Neulich hat er gesagt, das war nicht am Telefon: ›In Zukunft muß ich mit einer Frau auskommen!‹ Und was sagt Gudrun: ›Hoffentlich kommt deine Frau auch mit einem Mann aus.‹ Ob das eine Warnung sein soll? Aber sie lacht dabei. Willst du noch mehr wissen? Gudrun macht einen Kurs mit. Bauchtanz. Dafür muß man rundlich sein und die Haut gebräunt. Das Kostüm hat sie selbst entworfen und genäht, es paßt zu ihr. Einmal hat sie den Kindern und mir abends vorgetanzt, nach orientalischer Musik von einer Kassette. Sie hat mit meinem Adam geflirtet, und der guckt und guckt, und plötzlich weint er. Seither rührt sie keine Nähmaschine mehr an, sie tut überhaupt fast nichts. Ich werde ein Schild an den Baum hängen: ›Guterhaltene Nähmaschine kostenlos abzugeben. Gudrun.‹ Und unsere Adresse.

Kann ich noch etwas erzählen? Ich habe jemanden kennengelernt! Eigentlich hat Adam die Bekanntschaft vermittelt. Wie? Ich spielte mit zwei Männern im Waschsalon Skat, Adam saß in der Spielecke. Es waren noch drei oder vier andere Kinder da, und plötzlich gab es ein großes Geschrei. Am lautesten schrie mein Adam. Er schlug mit den Fäusten auf einen Jungen ein, der größer war als er, sich aber nicht wehrte. Ich laufe hin, packe ihn, eine andere Frau kommt von der anderen Seite, packt ihren Sohn. Ich entschuldige mich, ohne zu wissen, was vorgefallen ist, und diese Frau sagt ganz ruhig: ›Er wird wissen, warum er verhauen wird. Weißt du es, Pipin?‹ Und dieser Pipin nickt. Und Adam nickt. – ›Ich bin Laura!‹ – ›Ich bin Paula!‹ – Der Junge heißt Philip, wird Pipin genannt, und dazu mein Adam. Wir saßen zusammen, darüber vergingen keine vier Minuten. Laura ist verheiratet, ihr Mann arbeitet in den neuen Bundesländern. Als sie das gesagt hat, habe ich laut gelacht. Ich bin von drüben! Er ist freiwillig rübergegangen! ›Was tut er da?‹ – ›Er ist Anwalt. Es gibt viel zu regeln, er macht es gut, aber reich wird er dabei nicht.‹ Sie hat sich selbständig gemacht als Krankengymnastin, aber ihre Praxisräume sind eng, die Lage ist ungünstig. ›Alles ist ein wenig primitiv‹, sagt sie, aber sie fängt ja auch erst an. Sie hat noch eine Hilfskraft, voll ausgebildet, die kommt nachmittags. Nach einer knappen Stunde, als wir mit der Wäsche fertig waren, hat sie mir vorgeschlagen, daß ich mal kommen soll. Sie möchte sich ansehen, was ich bereits kann und wo es noch fehlt. Sie hat meine Hände betrachtet, hat mich von oben bis unten taxiert, auch den Adam. Sie traut mir etwas zu. Ich habe erzählt, wo ich überall arbeite: bei dir – sie hat gleich gefragt: ›Herbst-Immobilien?‹ –, Fußpflege im Altenheim und Nachtwache in der Klinik, und daß ich eine Wohnung suche und vielleicht etwas in Aussicht habe. Und sie hat gesagt, was sie braucht: Wichtig sind mindestens zwei Parkplätze, eine Haltestelle der öffentlichen Verkehrsmittel, Sanitärräume und möglichst eine Gegend, in der man frische Luft bekommt, wenn man das Fenster aufmacht. Sie muß ein Darlehen aufnehmen. Ob sich eine Bank bereitfindet? Wie teuer eine solche Vergrößerung wird, weiß sie noch nicht. Sie hat früher in einer größeren Gemeinschaftspraxis gearbeitet, die Methoden haben ihr dort nicht gepaßt. Einengung erträgt sie nicht. ›Geh mal hin‹, habe ich vorgeschlagen, ›die Frau heißt Wittmayr. Sag, daß du meine Freundin bist – was nicht ist, kann noch werden. Ich glaube, es wird!‹ – ›Das glaube ich auch‹, sagt sie. Und das alles abends im Waschsalon! Vorhin war ich in ihrer Praxis, es ist mit dem Fahrrad keine drei Minuten von hier entfernt. Schild am Haus: Alle Kassen. Ich setzte mich in den kleinen Warteraum, der ziemlich düster ist, aber ein großer Strauß Sonnenblumen und nicht die üblichen Illustrierten, sondern Kunstzeitschriften. Von nebenan hörte ich Stimmen, Gelächter. Wie Laura lacht, wußte ich ja noch nicht, aber es lachte auch ein junger Mann, und nach einer Weile kam er aus dem Behandlungszimmer und war ziemlich alt und ziemlich gebrechlich. Ich bin gleich aufgesprungen, um ihn zu stützen, aber Laura stand in der Tür und sagte: ›Laß das! Er kann das alles sehr gut alleine.‹ Sie hat die nächste Patientin gefragt, ob ich bei der Behandlung dabeisein dürfte, ich sei vom Fach. Das hat mir schon gutgetan. Zu dieser Patientin war sie ganz anders als zu dem gebrechlichen Mann, aber gelacht wurde wieder. Sie stellt sich völlig auf einen

Menschen ein, innerlich, baut ihn richtiggehend auf, gibt ihm Zutrauen. So etwas wie Laura habe ich noch nie gesehen. Blaue Leinenhosen, ein loses blaues Leinenhemd, als wäre ein Stück Himmel durch das Fenster gefallen, aber Himmel sieht man da gar nicht. Blaue Augen hat sie auch. Über meine verschiedenen abgebrochenen Ausbildungen wußte sie schon Bescheid. Wir haben ausgemacht, daß ich bei ihr hospitiere. Bodengymnastik kann ich mit den Patienten machen, Gehübungen auch. Viel Geld bekomme ich nicht, aber ich werde viel lernen. Das nächste, was wir feststellten, war: Unsere Kinder gehen in denselben Kindergarten; sie kannten sich bereits, haben es uns nur nicht verraten. Merkst du was, Anne Linde? Wie das alles zueinanderpaßt? Soll sie mal kommen? Vielleicht weiß sie noch etwas für dich!«

»Du sollst keine Hoffnungen wecken. Jede Hoffnung bewirkt eine neue Enttäuschung.«

»Das ist nicht wahr. Wir haben auch Hoffnungen verwirklicht. Mach nicht alles zunichte, was ich hier versucht habe. Wecken kann man Hoffnungen nur, die in uns schlummern. In Lauras Wartezimmer hängt eine Schiefertafel an der Wand. Darauf schreibt sie an jedem Morgen das Wort zum Tage, und manchmal schreibt ein Patient seinen Kommentar darunter. Das Wort zum Donnerstag hieß: ›Frauen müssen immer besser sein als Männer. Gott sei Dank ist das nicht schwer.‹ Da mußte ich natürlich lachen, und jetzt lachst du ebenfalls. Ansteckendes Lachen, darunter habe ich mir nie etwas vorstellen können. Wenn wir in diesem Wohnprojekt etwas bekommen und finanzieren könnten, ach, Anne

Linde! Dann ginge es endlich mal wieder bergauf mit Paula. Das käme auch dir zugute! Laura in Blau, die würde gut hierherpassen.«

»Du schwärmst ja von dieser Laura.«

»Und bei Laura habe ich von dir geschwärmt! Sie ist gespannt auf dich, auf deine Behinderung, also auch beruflich, und dann natürlich auf das Haus. Wir könnten vielleicht noch einmal auf der Terrasse sitzen und Tee trinken. Auf die Rolläden passe ich auf. Wenn es dunkelt, wird es auch kühl. Du führst uns vor, was du alles in diesem Jahr gelernt hast!«

»Nichts werde ich vorführen!«

»Schade. Warum nicht? Ich kam so freudig hierher, ich hatte schon so lange nichts mehr zum Freuen!«

»Hast du nicht daran gedacht, daß ich eifersüchtig sein könnte? Noch ein Stück weniger von Paula.«

»Laura ist ein Gewinn! Laura reicht für uns alle. Weißt du, womit ich gerechnet hatte? – Nein? Wirklich nicht? –«

»Doch. Du hast an die halbfertige Töpferwerkstatt als Praxisräume gedacht.«

»Stimmt! Ich wollte aber, daß der Gedanke von dir stammt. Sogar Parkplätze sind vorhanden. Zwei Räume werden gebraucht, und die sind vorhanden, und ein Warteraum auch, und Klo und Waschbecken gibt es doch auch. Ein paar Umbauten. Und der Bus hält in der Nähe. Wenn du Miete für die gewerblichen Räume erhältst, ist das ein Vorzug, du wirst finanziell unabhängiger. Aber der wirkliche Vorzug heißt Laura! Sie wohnt woanders. Es ist eine gute Ehe! Sie leben wie zwei freie Menschen miteinander. Alle zwei Wochen kommt ihr

Mann für mehrere Tage hierher. Die Sehnsucht tut uns gut, sagt sie; beide sind selbständig. Jens und Gudrun haben es noch nicht gelernt, vielleicht lernen sie es ja noch. Chef! Anne Linde! Denk doch drüber nach! Hier ist der Vorhang. Ich lege letzte Hand ans ›Werk‹!«

20

‹Wer ein Warum zu leben hat, erträgt fast jedes
Wie.›

Ingeborg Bachmann

Der Lebensradius der beiden Frauen hat sich erwei-
tert, wenn auch nur um wenige Kilometer. Paula
schlägt vor: »Fahren wir ein Stück? Die Sonne! Laß
uns diese Tage nutzen, es riecht nach Herbst. Wohin
fahren wir –?«

Bisher kennt Paula nur einen Parkplatz, auf dem Behinderte bevorzugt parken dürfen, von dem aus der
Rollstuhl leicht ein paar hundert Meter weitergefahren
werden kann. Ziel ist der Fluß. Der Rollstuhl steht
neben einer Bank. Mehrmals hat Paula gesagt, daß
Adam in der kleinen Bucht unbeschadet und ohne zu
stören spielen könne.

»War das eine Anspielung?« hat Anne Herbst gefragt.
Noch ist es eine Anspielung, aber bald wird es eine Bitte
und eines Tages eine Notwendigkeit sein.

Der Fluß übernimmt die Unterhaltung. Ruderboote,
Paddelboote, nur selten ein Schlepper. Paula hat einen
ihrer nachdenklichen Tage. »Warst du einmal an der
Quelle? Kennst du die Mündung? Was ist besser: Mit
dem Strom? Gegen den Strom? Die Saale war schmut-

zig, dort konnte man nicht baden, ich bin noch nie in einem Fluß geschwommen.«

»Die Strömung ist nicht ganz ungefährlich.«

»Woher weißt du das?«

»Ich bin in diesem Fluß geschwommen, nicht weit von hier, bevor die Abwässer der Stadt ihn verunreinigten. Wir schwammen unter den Zweigen der Erlen und Weiden, das Sonnenlicht wurde gefiltert, das Wasser war grün. September. Die Dämmerung kam früh. Dort war ich glücklich.«

»Sollen wir einmal hinfahren? Vielleicht gibt es einen Uferweg, der für Rollstühle geeignet ist. Die meisten Wege sind jetzt behindertenfreundlich angelegt.«

»Ich weiß das! Was sollten wir dort? Willst du dort schwimmen?«

»Ich möchte den Platz sehen, an dem du glücklich warst.«

»Das Glück ist verschüttet, es ist nicht wieder auszugraben oder zu beleben.«

»Es hat mit Jonathan zu tun! Irgend etwas hast du mir verheimlicht, deine Geschichten passen nicht aneinander, nichts fügt sich. Kann es sein, daß du eine Psychoanalyse gebraucht hättest? Jetzt ist es wohl schon etwas spät.«

»Was sollte das nützen? Man entdeckt Fehler, die von anderen gemacht wurden, dem Vater, der Mutter, sucht nach frühen Traumata. Wenn dich das interessiert, es wurde versucht. Ein halbes Jahr lang ging ich einmal wöchentlich zu diesem Arzt, lag auf der Couch, wurde aufgefordert zu sprechen, was mir einfiel, assoziativ. Du kennst meine Art zu erzählen. Meine Geschichten bestehen aus Pausen. C. G. Jung war der Lehrmeister, nicht Freud, das kollektive Unbewußte; ganz unbewandert war ich nicht. Er warf mir Stichworte zu, ich sagte, nach einigem Nachdenken, was mir dazu einfiel. Ich langweilte ihn, mehrmals schlief er ein, wachte aber auf, wenn mein Schweigen anhielt. Einige Male nahm er einen Bach als Stichwort. Was fällt Ihnen ein, wie verhalten Sie sich, überqueren Sie den Bach, vorausgesetzt, er ist nicht zu breit? Nein, sagte ich, wie es erwartet wurde, ich umgehe ihn, folge seinem Lauf, Richtung Quelle; wenn die Wiesen feucht werden, der Weg steiler und der Wald beginnt, mache ich kehrt, dem Lauf des Baches folgend, irgendwo wird es eine Brücke geben, die den Bach überquert. – Der Gedanke an eine Brücke kommt Ihnen erst spät –. In dieser Art verliefen unsere Gespräche. Seine Versuche, Unbewußtes bewußt zu machen, scheiterten. Er fand keinen Schlüssel, er sprach häufig von ›Schlüssel‹, als hätte ich Schließfächer in mir; er war sich nicht darüber im klaren, ob diese Fächer leer oder gefüllt waren. Als Vater und Mutter ausgiebig und unergiebig behandelt waren, kam mein Bruder an die Reihe; nicht einmal einen Penisneid konnte er ausmachen. Das Gegenteil aber auch nicht. In die Nähe der Schadstellen ist er nie gekommen. Er war es, der den Vorschlag machte, die Behandlung abzubrechen. Hypnose hatte ich verweigert. – Ich war acht Jahre alt, als meine Eltern dieses Haus bezogen. Mein Großvater –«

»Der andere lebte mit seinen Orientteppichen in Dresden?«

»Der Großvater mütterlicherseits baute dieses Haus,

bezog es mit seiner jungen Frau. Sie starben innerhalb von zehn Tagen. Meine Eltern haben das Haus renovieren lassen. Sie sind dann später innerhalb von drei Tagen gestorben, wurden zusammen beigesetzt. Ich war die Erbin des Hauses. Ein Haus für eine alleinstehende Frau.«

»Und dann kam Herbst!«

»Und dann kam Herbst. Er wird von dem Todesfall gehört und gelesen haben. Er nahm an, daß dieses Haus demnächst zum Verkauf stehen würde. Das obere Stockwerk war für mich ausgebaut worden, das untere hätte ich vermieten müssen. Herbst wollte mir bei der Suche eines geeigneten Mieters behilflich sein. Er nahm mir viele Unannehmlichkeiten ab: ›Eine Frau wie Sie sollte man damit nicht behelligen.‹ Wir saßen auf der Terrasse, ein warmer Sommerabend. Von einem Restaurant wurde ein Abendessen serviert, mit Getränken. Er fragte, ob ich mir vorstellen könnte, daß er der geeignete Mieter sein würde. Er überzeugte mich. Er überzeugte mich, daß ich im Schuldienst ausgebeutet würde, daß eine Frau wie ich dort nicht hingehöre, sondern –. Ich erwies mich als verführbar, es hatte lange keiner versucht, mich zu verführen.«

»Anne, dich muß man an einen Fluß setzen, damit du redest! Ich wollte aber wissen, wie es war, als du glücklich warst! Hier an diesem Fluß. Wo das Glück geblieben ist, das will ich auch wissen. Immer entziehst du dich. Man muß sich vertraut machen.«

»Muß man das? Ich konnte das nie. Also: September. Es wird dieselbe Jahreszeit gewesen sein, die Semesterferien gingen zu Ende. Er, dieser er, famulierte hier an unserer Klinik, im Hedwig-Krankenhaus, das du kennst, das ich kenne. In welchem Semester er war –? Ich weiß es nicht, ich stand kurz vorm Staatsexamen; beide hatten wir wenig Zeit, auch zuwenig Zeit füreinander. Einer wußte wenig vom anderen, das war auch nicht wichtig. Wichtig war, daß wir zusammen waren. So nahe wie möglich. Meine Eltern haben ihn nicht kennengelernt, im Haus war er nie. Wir waren süchtig, er nannte es ›die Chemie unserer Körper‹. Er hatte eine sturmfreie Bude, so nannte man das damals. Ich blieb nie länger als bis zweiundzwanzig Uhr, meine Eltern hatten sich noch nicht abgewöhnt zu fragen, wo ich herkäme, ob es schön gewesen sei. Meine Mutter sah mich an. Du bist erhitzt! Du bist doch nicht erkältet? Ich war erhitzt. Falls es das gibt, hatte ich ein Liebesfieber, ich fieberte nach diesem Mann. Vorher gab es Freundschaften, kleine Liebschaften, das ging nicht weit, reichte zum Tanzen, zum Küssen. Man hätte mich arbeitsunfähig schreiben müssen. Ich habe die Staatsexamensarbeit nicht rechtzeitig abgeliefert. Dieser Mann kostete mich ein weiteres Semester. Meine Eltern waren nicht vermögend, es war nicht angenehm, sie auf die Verzögerung vorzubereiten. Ich habe mich wenig um die finanzielle Lage meiner Eltern gekümmert. Mein Vater hat wohl einmal gesagt: Nun mach ein Ende davon, gemeint war mein Studium.«

»Wie hieß er? Nichts kann man sich vorstellen, wenn du erzählst. Der Fluß, die Erlenzweige, die ins grüne Wasser hingen, das ergibt doch noch keine große Liebe!«

»Erwartest du, daß ich dir schildere, wie man sich im Wasser, unter Wasser liebt?«

»Kann man –?« Paula lacht, und dann lacht auch Anne.

»Das Semester fing wieder an, er war nicht mehr da. Ein Briefeschreiber war er nicht, kein Telefon. Bei mir zu Hause hat er einige Male angerufen, die Eltern erwarteten Auskunft. Wer ist das? Woher kennst du ihn? Ist es etwas Ernstes? Ich sagte: Es ist etwas Schönes! Da fragten sie nicht weiter.«

»Wie alt warst du?«

»In deinem Alter! Wir haben uns einige Male für ein Wochenende auf halber Strecke getroffen. Anfang November, dann im Dezember. Es regnete, tags, nachts, wir blieben im Bett; während wir frühstückten, wurde das Zimmer gelüftet. Eine unverbrauchte Frau, sagte er, das bekommt man selten. Keine Zärtlichkeiten mit Worten, von einem künftigen Chefarzt war das wohl auch nicht zu erwarten. Er verstand sich auf einen weiblichen Körper. Wir machten Pläne, für die nächsten Semesterferien, wenn ich mein Examen gemacht hätte, bevor meine Referendarzeit anfing. Sein Examen, mein Examen. Zwei Kandidaten. Wir haben viel gelacht. Er würde seinen Facharzt als Gynäkologe machen. Ob er später die Praxis seines Vaters übernehmen würde, das zu entscheiden war noch viel zu früh, der alte Herr würde so bald nicht aufgeben. Er wußte, daß es ein einträglicher Zweig der Medizin war. Ich will ihm nichts unterstellen. Es schwebte ihm wohl eine nicht allzu große Privatklinik vor. Wir waren verliebt. Ich hielt es für die große Liebe. Hätte ich mit meiner Mutter sprechen sollen? Meine Eltern sahen diese Liebesgeschichte nicht gern. Wenn er telefonierte, sagte ich: Das ist er!

279

Vermutlich habe ich seinen Namen nie genannt. In allen körperlichen Dingen war man in diesem Haus zurückhaltend, der Mensch hatte weder Verdauung, noch hatte eine Frau ihre Periode, allenfalls war von ›Unwohlsein‹ die Rede. Die Anzeichen waren die üblichen, also sagte ich es ihm. Das hätte uns nicht passieren dürfen, sagte er. Er sagte ›uns‹, er hätte wohl besser ›mir‹ sagen müssen, daß ›ihm‹ das nicht hätte passieren dürfen. Er war der Mediziner. Es war ein unerwünschtes Kind, nie ist anders von ihm gesprochen worden. ›Ich habe dir dieses Kind gemacht, ich mache es dir weg.‹ Das war der Schlüsselsatz. Er fühlte sich verantwortlich, sagte, daß er mich nicht im Stich lassen würde. Darüber verging Zeit. Zeit, in der ich mit Übelkeit zu tun hatte. Ich fühlte mich niedergeschlagen, lustlos, versäumte die Vorlesungen. Ich sprach auch nicht mit meiner Freundin darüber, die mir etwas anmerkte, aber sie dachte, daß die Liebesgeschichte vorbei sei. Das Gegenteil war der Fall. Er sagte: In der nächsten Zeit brauchen wir wenigstens nicht vorsichtig zu sein. Aber ich fühlte nichts mehr, seine Nähe war mir unangenehm. Sein Atem verursachte mir Übelkeit, er rauchte viel; rauchte vorher, nachher, und ich übergab mich. Dann kam Weihnachten, das Kind in der Krippe, und Maria aber war schwanger, das kennst du ja. Und ich dachte: Man sieht mir das an, alle merken es. Vorgesehen war der Silvesterabend. Er hatte einen Freund, der bereits eine eigene Praxis hatte. Dieser Freund wollte ihm sein Behandlungszimmer überlassen, damit zu tun haben wollte er nichts. Niemand würde in der Praxis sein. Wenn ich fragte, wie und wo, sagte er: Belaste dich damit nicht, laß das meine Sorge sein, den Ort kennst du nicht. Du kannst dich anschließend bis zum Morgen ausruhen, die anderen werden denken, daß wir Silvester feiern, dann hast du eine glaubwürdige Ausrede, am Neujahrstag im Bett zu bleiben. Das war alles wohlüberlegt. Und dann Silvester. Wir hatten einen Schlüssel zur Haustür, zu den Praxisräumen. Die Jalousien waren heruntergelassen. Er behandelte mich wie eine Patientin. Wenn er mich mit ›Sie‹ angeredet hätte, hätte es mich nicht verwundert. Ich mußte auf dem Stuhl Platz nehmen, bekam eine Beruhigungsspritze, örtliche Betäubung. Schmerzen? Daran erinnere ich mich nicht, nur an das Geräusch. Das Geräusch! Und dann wurde mir, mitten in der Prozedur, übel, ich mußte mich übergeben, und das alles in dieser fremden Praxis. Inzwischen war er dann doch aufgeregt, sagte: Schweinerei, mußte das sein? Er versuchte, das in Ordnung zu bringen. Später lag ich auf dem Untersuchungsbett, wurde zugedeckt, Blutdruck, Puls, schlief auch etwas. Er hatte sich zwei Flaschen Bier mitgebracht, die trank er nach und nach und rauchte. Feuerwerk und Glockenläuten, da war ich dann wieder wach. Er beseitigte die Spuren. Kannst du dich auf den Beinen halten? Das konnte ich, weit bis zu meinem Elternhaus war es nicht. An der Haustür sagte er: Es war ein Junge. Und: Prosit Neujahr. – Nein. Nichts sonst. Auch kein Kuß. Meine Eltern waren noch auf, hörten mich aber nicht, ich schloß mich in meinem Zimmer ein und weinte und weinte. Am Morgen brachte mir meine Mutter das Frühstück ans Bett, fragte, ob es schön gewesen sei, ob ich mich amüsiert hätte. Ob ich ausgeschlafen habe. Mittags wollten wir zum Essen fahren, das taten wir immer am Neujahrstag. Ich sagte, ich wolle lieber weiterschlafen. Wir wünschten uns ein gutes Neues Jahr. Am Abend bekam ich Fieber. Am nächsten Tag mußte ich in die Klinik. Blutungen. Wo ist das gemacht? Wer hat das gemacht? Ich habe jede Antwort verweigert. Meine Eltern wurden verständigt. Alles kam heraus. Die Folgen waren für ihn schlimmer als für mich, zumindest ist es ihm so erschienen. Wir hatten zunächst keine Verbindung mehr. Einmal haben wir uns noch getroffen. Wieder hat er gesagt: Wir müssen nicht vorsichtig sein. Ein Vorzug! Komm! – Ich habe gesagt: Rühr mich nicht an! Ich verließ die Stadt, wechselte die Universität. Es gab später ein paar Liebschaften, nichts Ernstes, nichts, was mich wirklich berührt hätte. Er hat nicht nur unser Kind entfernt, er hat unsere Liebe abgetrieben. Auch meinen Lebenswillen.

Willst du noch mehr wissen? Die Sprechstundenhilfe war mißtrauisch geworden und hat – aus Idealismus – Anzeige erstattet. ›Zugunsten der Leibesfrucht.‹ Den Paragraphen wirst du gar nicht kennen; bei euch, drüben, war das alles anders geregelt. Ich habe den Paragraphen auswendig gelernt. ›Eine Frau, die ihre Leibesfrucht abtötet oder die Abtreibung durch einen anderen zuläßt, wird mit Gefängnis, in besonders schweren Fällen mit Zuchthaus bestraft. Der Versuch ist strafbar.‹ Der Versuch war gelungen. Aber mit welchen Folgen. Der angehende Chefarzt wurde relegiert, bekam eine Gefängnisstrafe, die auf Bewährung ausgesetzt wurde, ebenso wie die Strafe der Frau, die abgetrieben hatte. Eine Ermessensfrage des fortschrittlich gesinnten Richters, hieß es später. Daß ich keine Kinder mehr würde haben können, war noch nicht erwiesen. Und er –? Er machte eine Kehrtwendung. Er ging in die Politik, als vorbestraft galt er nicht. Er wechselte das Bundesland. Sehr viel später habe ich ihn auf dem Bildschirm wiedergesehen, seinen Namen gelesen. Er hat Karriere gemacht. Er gehört zu den Verfechtern der Abschaffung des Paragraphen 218. Außer mir weiß vermutlich keiner, warum. Zum ersten Mal wird mir der Zusammenhang klar: Zuerst dieser Stuhl in der Praxis des Frauenarztes, der mein Leben verändert hat, und am Ende dann der Rollstuhl.«

»Aber dazwischen lagen Jahre, Anne Linde, gute Jahre, sorglose Jahre. Als du getöpfert hast, dann die Ehe mit Leonard Herbst. Wenn es keine große Liebe war, dann war es doch ein angenehmes Leben, das er dir geboten hat.«

»Ich war für den Schuldienst nicht geeignet, ich bin schon während des Referendariats gescheitert. Die Schüler waren aufsässig, tranken Coca-Cola, traten gegen die leeren Dosen, spielten Fußball damit; einmal aß einer ein halbes gebratenes Hähnchen! Es war ein heißer Sommer, einer nach dem anderen zog sein Hemd aus, ich konnte mich nicht durchsetzen, ich gab auf –«

Sie wird unterbrochen: »Anne Linde! Du hast doch gesagt, du hättest das Studium vor dem Examen abgebrochen –«

»Habe ich das gesagt? So habe ich mir die Unterrichtsstunden vorgestellt! Ich bekam Schweißausbrüche bei diesen Vorstellungen. Ich brach zusammen. Eine Tante wohnte in Baden-Baden, sie hatte im Kunsthandel zu

tun. Ich bekam dort Unterwassermassagen, und im Warteraum habe ich Leonard Herbst kennengelernt.«

»Du hast doch gesagt, ihr hättet euch auf dem Immobilienmarkt kennengelernt.«

»Habe ich das gesagt? In Baden-Baden hätte ich ihn
aber schon kennenlernen können, er war mehrmals
dort zur Kur, aber auch wegen der Spielbank und der
Golfplätze. Ich schien für ihn die richtige Frau zu sein.
Ich war nicht berufstätig, das war eine seiner Bedingungen, ich sah gut aus, kam aus einer guten Familie, würde
repräsentieren können. Und dann dieses Haus! Er sollte
meine Probleme lösen, das wußte er aber nicht. Als wir
verheiratet waren, stellte er fest, ich sei frigide. Bei ihm
war ich das auch.«

In die Pause hinein sagt Paula: ». . . doch wenn du
mich im Arme hast, dann sei nicht zu geschwind . . .«

»Ein Mann wie Leonard Herbst hat Brecht nie gelesen, und wenn, dann hätte er ihn nicht verstanden.
Kinderlosigkeit. Das wurde zum Problem. Ein Frauen-
arzt stellte fest, daß etwas verkorkst worden sei, so hat
er sich ausgedrückt. Wieder hieß es, man müsse den
Kerl haftbar machen. Ich habe Leonard Herbst nicht
gesagt, daß er den Kerl auf dem Bildschirm sehen
könne. Statt dessen habe ich ihm gesagt, daß der Kerl
daran schuld sei, daß er mich bekommen konnte. Das
wollte er nicht hören. Er wünschte die Trennung. Er
hatte die richtige Frau in seiner Mitarbeiterin endlich
gefunden, wollte Kinder haben, warum sonst sollte er
sich für Herbst-Immobilien kaputtarbeiten? Ausgezogen aus diesem Haus war er schon zwei Jahre früher,
dann erst habe ich eingewilligt.«

»Kann ich an dieser Stelle mal etwas einschalten? In meiner Erinnerung steht nämlich noch ein Koffer, mit dem du nach der Scheidung wegreisen wolltest. Und nicht allein, das hast du gesagt!«

»Habe ich?«

»Stimmt das auch wieder nicht? Du erfindest dir ein Leben, das du gerne gehabt hättest. Du kannst jederzeit auch noch Töchter erfinden, warum eigentlich nicht? Der Müllwagen stimmt, die Querschnittlähmung stimmt, Paula stimmt.«

»Die Koffer standen wirklich in der Diele. Den Mann dazu mußte ich noch finden, ich hätte ihn ja noch kennenlernen können, eine geschiedene Frau, nicht unvermögend.«

»Wo wolltest du hin? Es ist dir nichts anderes eingefallen als Spiekeroog? Es liegen noch Prospekte im Regal, die stammen aus dem Jahr neunundachtzig, niemand hat sie weggeräumt. Und was ist mit der Töpferausbildung? Du hast von einer Töpferlehre gesprochen.«

»Es wäre gut gewesen, wenn ich das wirklich getan hätte.«

»Ich kann kaum noch unterscheiden, was du dir gewünscht hast und was du gelebt hast –«

»Ist der Unterschied so groß? Vergangen ist beides. Du warst jung und hattest so viel zu erzählen, und bei mir hat alles im Müll geendet. Willst du immer noch die Stelle sehen, an der ich glücklich war?«

»Laß uns nach Hause fahren. Dann mache ich die Post noch fertig, ich muß etwas Mechanisches tun. Nichts mehr mit Menschen. Ich kann mir jetzt vorstellen, warum du dich für die Tonfiguren entschieden hast. Weißt du, was Jens' Vater sagt? Leiden müsse man nicht ertragen, sondern tragen. Man darf für das Leiden nicht die Leidensform benutzen, es muß zu einer aktiven Tätigkeit werden. Verstanden habe ich, was er meint. Bisher hat es aber nur mein Kopf verstanden.«

21

›Tag, wiederholbar ohne Zahl.
Und doch: unwiederholbar jeder.‹

Boris Pasternak

Ein freundlicher Spätsommertag, nichts deutet darauf
hin, daß es zu einer entscheidenden Aussprache kommen könnte. Bevor man sich ans »Werk« machen wird,
trinken die Frauen Tee.

Paula fragt beiläufig, ob sie überhaupt zu einer wissenschaftlichen Hilfskraft tauge. »Ich denke immer noch,
ich hab's in den Händen, und einen Blick habe ich auch,
aber mehr für Kranke als für Gesunde und mehr für
Menschen als für Kunstgegenstände und auch mehr für
Arme als für Reiche, denke ich mal. Ich suche immer
nach Lösungen. Neulich habe ich mit Jens' Vater gesprochen. Er sagt, ich sollte es aufgeben, ständig nach
Ergebnissen zu suchen, dafür sei ich viel zu jung und
viel zu lebendig. Ich könnte mich so oder so entscheiden, das sei beneidenswert. Mit allen Situationen würde
ich fertig. Darüber habe ich gelacht, da hat er auch
gelacht. Er wurde aber wieder ernst, sagte, so ungefähr,
daß er an jedem Sonntag auf der Kanzel stünde, an
anderen Tagen am offenen Grab, am Taufbecken, am
Krankenbett, vor unlustigen Konfirmanden, das sei al-

287

les ein für allemal festgelegt, als er ordiniert worden sei.
In einigen Monaten bereite er sich und seine Schrumpf-
gemeinde auf die Adventszeit vor, und am Heiligen
Abend kommen sie dann auch alle. Es folgt die Pas-
sionszeit, die meisten zögen es vor, in die Pauluskirche
zu gehen und eine der großen Passionen zu hören,
gesungen sei ihnen die Leidensgeschichte angenehmer.
Auf Ostern brauche er sich eigentlich gar nicht mehr
vorzubereiten, da wären seine Gemeindemitglieder
Gott weiß wo: auf den Karibischen Inseln, oder sie
wohnten einem griechisch-orthodoxen Gottesdienst
bei oder füllten dem Papst den Petersplatz. Demnächst
hätten wir Erntedankfest. Dann schmückt er eigenhändig seine Kirche. Wie ein bettelnder Franziskaner läßt er
sich auf dem Wochenmarkt mittags die nichtverkauften
Sonnenblumen schenken, einen dicken Kürbis, Obst. Er
kennt die Gemüsefrauen, sagt: ›Vergelt's Gott‹, und die
Frauen sagen: ›Ach, der!‹ – ›Wollt ihr beiden nicht
kommen?‹ hat er mich gefragt. Wenn Adam herum-
läuft, stört das keinen, Kinder sind doch auch so etwas
wie Ernte. An einem Erntedankfest hat einmal ein Kind
seinen Zwerghasen mitgebracht, der hat sich zwischen
die Kürbisse und Sonnenblumen gesetzt, die Ohren
hochgestellt, zugehört, dann ein Sprung zu einem Wir-
singkopf. Die Gemeinde hat ihren Spaß gehabt, die
Aufmerksamkeit galt dem Hasen und nicht dem Pfarrer.
Der Kirchenvorstand und der Küster meinten, das dürfe
nicht einreißen. Ich denke, manchmal müßte was einreißen, äußerlich und innerlich. – Ich habe ihm gesagt, daß
wir nicht kommen können. Ich mache doch Nachtdienst, und dann muß ich ein paar Stunden schlafen,

wenn Adam mich schlafen läßt. Er hat angeboten, mich und den Adam mit dem Auto abzuholen. Vielleicht müsse er sich eines Tages alle seine Gemeindemitglieder mit dem Auto zusammenholen, sagt er. Wir Christen, sagt er, wir brauchen unseren Gott und seinen Sohn nur in schlechten Zeiten. Ich taufe sie und begrabe sie, und dazwischen bekomme ich die meisten nicht zu sehen, und mich bekommen sie überhaupt nicht zu sehen. Ein Dienstleistungsbetrieb. – Darf ich dich mal was fragen? Wer hat denn Leonard Herbst begraben? Hat er ein christliches Begräbnis bekommen?«

»Das entzieht sich meiner Kenntnis. Für die Grabstätte wird gesorgt.«

»Wie hast du ihn genannt? Leonard? Leo?«

»Herbst! Ich sagte ›Herbst‹ zu ihm. Wenn ich ihn vorstellte: ›Das ist der Herbst, der Herbst des Lebens.‹ Ich war wesentlich jünger, das sah man. Er selbst sagte mit Vorliebe: ›Das ist meine Frau‹ und ›Das ist mein Haus, das ist mein Grund und Boden‹, ›meine Firma‹. Mein, mein, alles sollte ihm gehören. Ob nun lebendes oder totes Inventar.«

»Einmal hast du ›meine Paula‹ gesagt. Ich war glücklich darüber. Ich habe ja auch immer ›Meinemarie‹ gesagt, für irgend jemanden muß das ›mein‹ doch zutreffen, irgend jemandem möchte man doch angehören.«

»Ich habe ihm nicht angehört. Wir brauchten uns nicht auseinanderzuleben, zusammengehört haben wir nie. Es bestand aber auch keine Feindschaft, die wenige Zeit, die wir zusammen verbrachten, verlief angenehm. Ich wurde verwöhnt mit allem, was die Frau eines erfolgreichen Mannes erwarten kann. Ich benahm mich, wie man es von einer solchen Frau erwarten konnte, höflich, aufmerksam, liebenswürdig. Er hatte seine Freiheiten, ich hatte meine. Eine Zeitlang bin ich regelmäßig ausgeritten. Ich besaß ein halbes Pferd, die andere Hälfte gehörte jemandem, den ich schätzte, er trat mir seine Hälfte ab, kaufte sich ein weiteres Pferd, wir ritten aus. Die Pferde, die Gangart der Pferde, paßte dann doch nicht zusammen –. Ich hatte Zeit und Gelegenheit, Tennis zu spielen. Ich sorgte für Wohnlichkeit, war eine gute und unterhaltsame Gastgeberin. Wenn Herbst es für zweckmäßig hielt, begleitete ich ihn auf eine Reise, dann konnte er zu seinen Interessenten sagen: ›Und das ist meine Frau!‹ Ich wirkte auf gewisse Weise solide.«

»Kühl«, wirft Paula ein, »du wirkst kühl. Im Anfang dachte ich immer, ich müßte mir noch eine Jacke anziehen. Ihr wart ein schönes Paar!«

»Woher willst du das wissen?«

»Ich habe es gesehen.« Paula legt eine kleine Pause ein. »Ich war nämlich bei Herbst-Immobilien. In der Zeitung wurden Kleinstwohnungen angeboten, sie sollen in wenigen Monaten fertiggestellt sein. Einige der Wohneinheiten sind für alleinstehende Mütter oder Väter mit Kindern gedacht. Aber nicht wie ein Ghetto. Es soll Räume geben, die man gemeinsam benutzen kann, ein Kindergarten soll eingerichtet werden, weit von hier ist es auch nicht. Also bin ich mit meinem Fahrrad hingefahren, und als ich im Vorraum wartete, was sehe ich an der Wand: Leonard und Anne Linde Herbst auf der Terrasse ihres Hauses. Ich stehe davor. Ich gucke. Ich denke. Ich denke, ich sehe nicht recht. Bei dir gibt es kein Bild von ihm, aber bei ihr. Ich weiß nun, wie er ausgesehen hat. Er hat die Hand auf deine Schulter gelegt, im Hintergrund das Haus.«

»Die Person hätte das Bild entfernen sollen!«

»Warum? Ihr wart ein schönes Paar, ein schönes Paar vor einem schönen Haus, genau das richtige für das Vorzimmer eines Immobilienmaklers. Ich verstehe nicht viel von Geldfragen. Den richtigen Kapitalismus werde ich wohl nie lernen, brauche ich auch nicht. Geldsorgen scheinen alle zu haben, die, die zuwenig haben, und die, die zuviel haben und ihr Geld arbeiten lassen, statt selber zu arbeiten.«

»Versuchst du mal wieder, deine kommunistischen Ideen hier einzuschleppen?«

»Was daran gut war, will ich mir nach Möglichkeit erhalten. Aber es ist schwer! Ich stamme aus dem DDR-Trümmerhaufen, den zeigt man uns vor, und den hält man uns vor. Inzwischen habe ich das begriffen. Daß ich es vorher nicht gemerkt habe, ist eine andere Sache. Hier ist mir das meiste recht. Ich muß mich aber auch zurechtfinden. Ich habe auf dem Umweg über die Kunst etwas Entscheidendes gelernt. Von den Kunstwerken dieser Gertraud Möhwald. Man kann aus Trümmern und aus Schamott etwas Schönes herstellen, man muß nur den Blick dafür haben, und mich kannst du mühelos in deinem schönen Haus einarbeiten, eine Scherbe vom Meißner Zwiebelmuster oder ein Stück der Berliner Mauer mit Graffiti-Resten. Verstehst du mich überhaupt? Willst du mich überhaupt verstehen? Man darf nicht alles, was Paula einmal gewesen ist, wegwerfen und abwaschen bis zur Unkenntlichkeit. Bis zur absoluten Anpassung. Wo bleibt denn da die berühmte Freiheit? Ich will auch in Zukunft so reden, daß man hört: Die Frau ist aus Sachsen. Bei Gudrun hört man nichts mehr. Die kommt aus dem gesamtdeutschen Eintopf, und wenn sie in der Modebranche richtig eingestiegen ist, dann merkt man den deutschen Eintopf auch nicht mehr. Vielleicht ist sie dann eine Europäerin. Wie sehen Europäerinnen denn aus?«

»Worauf willst du eigentlich hinaus?«

»Auf Herbst-Immobilien! Du giltst als stiller Teilhaber, sehe ich das richtig? Dann kannst du doch nicht nur die Gewinne teilen, du mußt auch das Risiko teilen. Ich denke, darauf beruht die freie Marktwirtschaft. Über die Situation von Herbst-Immobilien scheinst du nicht Bescheid zu wissen.«

»Ich sehe die großen Anzeigen in der Zeitung.«

»Warum wohl? Wer in Schwierigkeiten ist, muß mit großen Anzeigen darüber hinwegtäuschen, soviel weiß sogar ich. Daß du nichts von den Bilanzen erfährst, liegt an Frau Wittmayr. Sie ist keine ›Person‹, sie ist eine Persönlichkeit. Wenn sie weiterhin regelmäßig diese hohen Beträge für dich abzweigt, macht die Firma eines Tages Pleite. Mir kommt es so vor, als arbeitete sie hauptsächlich für dich, das Geschäft scheint ihr nicht mehr wichtig zu sein. Wichtig für sie war Leonard Herbst. Zwei Mitarbeiter wurden bereits entlassen. Dafür bist du mit verantwortlich. Vielleicht arbeitet sie ihre Schuldgefühle ab. Das weiß ich nicht.«

»Es geht dich auch nichts an!«

»Solange ich hier im Haus arbeite, gehen mich deine Lebensumstände etwas an.«

»Bist du fertig?«

»Nein! Jetzt habe ich angefangen zu reden, jetzt rede ich auch weiter. Diese Frau Wittmayr gefällt mir. Sie leidet, aber anders als du. Sie hat Leonard Herbst geliebt. Sie konnte damit rechnen, daß es ein legales Verhältnis würde und nicht bei einem Arbeitsverhältnis bliebe. Es hängt ein großes Gemälde in ihrem Arbeitszimmer. Modern, nach einer Fotografie, sie hat es in Auftrag gegeben. Wenn ein Interessent nach dem Chef fragt – ›Es wird doch auch einen Herrn Herbst geben?‹ –, zeigt sie auf das Bild und sagt: ›Das war er. Jetzt müssen Sie mit der Geschäftsführerin vorliebnehmen.‹ Wer hat denn behauptet, daß sie ein Verhältnis mit dem Notar hätte? Nichts ist wahr! An den anderen Wänden hängen schöne Fotografien von schönen Häusern, die zum Verkauf stehen, im maurischen Stil und Landhäuser in der Toskana, das brauchte mich alles nicht zu interessieren. Die Sekretärin hat mich vor eurem Bild stehen sehen und gesagt: ›Das ist der verstorbene Gründer von Herbst-Immobilien.‹ Ich sagte: ›Ich weiß!‹ Und dann sagte ich dummerweise oder klugerweise auch noch: ›Ich kenne seine Frau.‹ Ich wurde verbessert: ›Seine Witwe.‹ Ich sagte: ›Das weiß ich auch.‹ Und dann stand ich vor seinem Schreibtisch. Mir wurde ein Platz angeboten, ich nannte meinen Namen, sagte Paula Wankow, wollte mich ausführlich vorstellen und erklären, was ich brauche und was ich mir leisten kann, aber diese Frau sagte ebenfalls: ›Ich weiß!‹ Wir sagten abwechselnd: ›Ich weiß!‹ Es gibt nur diese eine Schreibkraft, beratend steht ihr der Notar zur Seite. Über ihn erfährt sie, wie es dir geht, von ihm

weiß sie, daß es eine Paula Wankow gibt und daß es
Adam gibt. Und daß ich ein Dach überm Kopf brauche. Sie hörte mir zu, sie hatte Zeit für mich. Ich habe
von unserer Wohngemeinschaft erzählt, auch ein bißchen von der Wende, von Meinermarie, von dem
Bundesbürger mit der Baßgeige in Prag. Als ich auf-
hörte, sagte sie: ›Das ist ja ein richtiges Schicksal.‹ Wie
sie das sagte! Ich habe angegeben, wieviel ich verdiene,
alles zusammen; wieviel ein Platz in der Kindertages-
stätte kostet, weiß sie. Sie sagte, daß die Neubauwoh-
nungen zu teuer würden, daß ich mir keine würde
leisten können. Da saß ich nun. Das Gespräch war zu
Ende. Sie schien zu überlegen, vielleicht gab es ja noch
andere Projekte. Ich blieb erst mal sitzen. Abwarten.
Aber nein! Weißt du, was sie sagte? Sie sagte: ›Haben
Sie nie daran gedacht, in die obere Wohnung zu ziehen,
die doch leer steht? Hat Frau Herbst daran nie gedacht?‹ Habe ich nicht, sagte ich, und hat sie nicht,
sagte ich.«

»Doch«, sagt Anne Linde Herbst. »Doch, Paula, darüber denke ich seit geraumer Zeit nach. Ich fürchte
mich nur vor deiner Ablehnung. Ist es zumutbar, mit
einer Behinderten zusammenzuleben? Es kostet mich
große Mühe, diese Frage auszusprechen. Ihr hättet ein
Dach über dem Kopf.«

»Ein schönes Dach. Ich falle dir nicht um den Hals.
Hast du das erwartet?«

»Nein. Tu es in deine Kochkiste.«

»Wir müssen Adam fragen. Kann man eine Schaukel
in die Gartenanlage stellen? Darf ich manchmal ein paar
Zweige abschneiden? Darf ich deine Versorgung mor-

gens und abends übernehmen? Hört es auf, daß immer andere hier ein und aus gehen? Ich bin eine Ganztagskraft und keine Halbtagskraft.«

»Willst du dir die Wohnung ansehen?«

»Später. Heute nicht. Sie hat für eine Anne Linde Herbst gepaßt, kann sie dann für eine Paula Wankow, Halle, Ha-Neu, und ihren Adam passen? So, und jetzt atme ich tief ein und noch tiefer aus, und dann sage ich noch etwas: Wußtest du, daß er krank war?«

»Sein Arzt hat es gewußt und mir nach dem Unfall in einem Augenblick mitgeteilt, den er für geeignet hielt. Herbst hat vermutlich gehofft, daß diese Person ihn bis zum Ende betreuen würde. Mir hat er das nicht zugetraut.«

Paula wartet ab, dann sagt sie: »Was kommt denn noch alles zutage?«

»Aus dem Müll – du kannst es ruhig aussprechen.«

»Sie hat es gewußt. Sie war bereit dazu. Er hätte noch eine Weile die Firma leiten können, hätte einen Nachfolger einarbeiten müssen, alles war sehr gut geplant. – Er würde jetzt nicht mehr leben, nach Ansicht der Ärzte. Ich habe gesagt, daß ihm eine lange Leidenszeit erspart geblieben sei, was man so sagt, eigentlich wollte ich fragen, ob sie für möglich hielte, daß –. Ich habe nicht gefragt. Eine Antwort kann sie sowenig wissen wie du, wie die Versicherung, die Polizei.«

»Räum bitte das Teegeschirr weg, Paula. Ich werde dir den Begleitbrief für das Manuskript diktieren.«

Und Paula? Paula bleibt sitzen und sagt: »Wie haltet ihr das nur aus? Manche Menschen sind doch noch viel älter als du. So ein ganzes Leben! Ob ich das auch durchhalte? Weißt du, was wir tun? Wir laden alle ein! Bevor wir die Ausstellung machen, wenn das Buch fertig ist, laden wir alle ein, die für dich tätig sind. Wir erleuchten das ganze Haus, und alle sollen kommen. Der Nachbar mit dem Hund und Jens' Vater und Doktor Sievening und dein Arzt und Adam. Und der Notar und dein Steuerberater und der Morgendienst und der Abenddienst. Und die blaue Laura mit ihrem Pipin! Ich gehe mit einem Tablett herum, gieße den Champagner ein, in Usedom habe ich das auch gemacht, da handelte es sich um Rotkäppchensekt; so groß sind die Unterschiede gar nicht. Und du sitzt auf deinem fahrbaren Thron. Anne Linde Herbst! Wir haben diese schöne Immobilie mobilisiert. Als ich geklingelt habe, vorhin, da hast du gesagt: ›Ich warte.‹ Weißt du, daß ich das prophezeit habe, daß du eines Tages auf Paula warten würdest? Daß du dich freuen würdest! Früher oder später.«